A
BÍBLIA DOS CRISTAIS

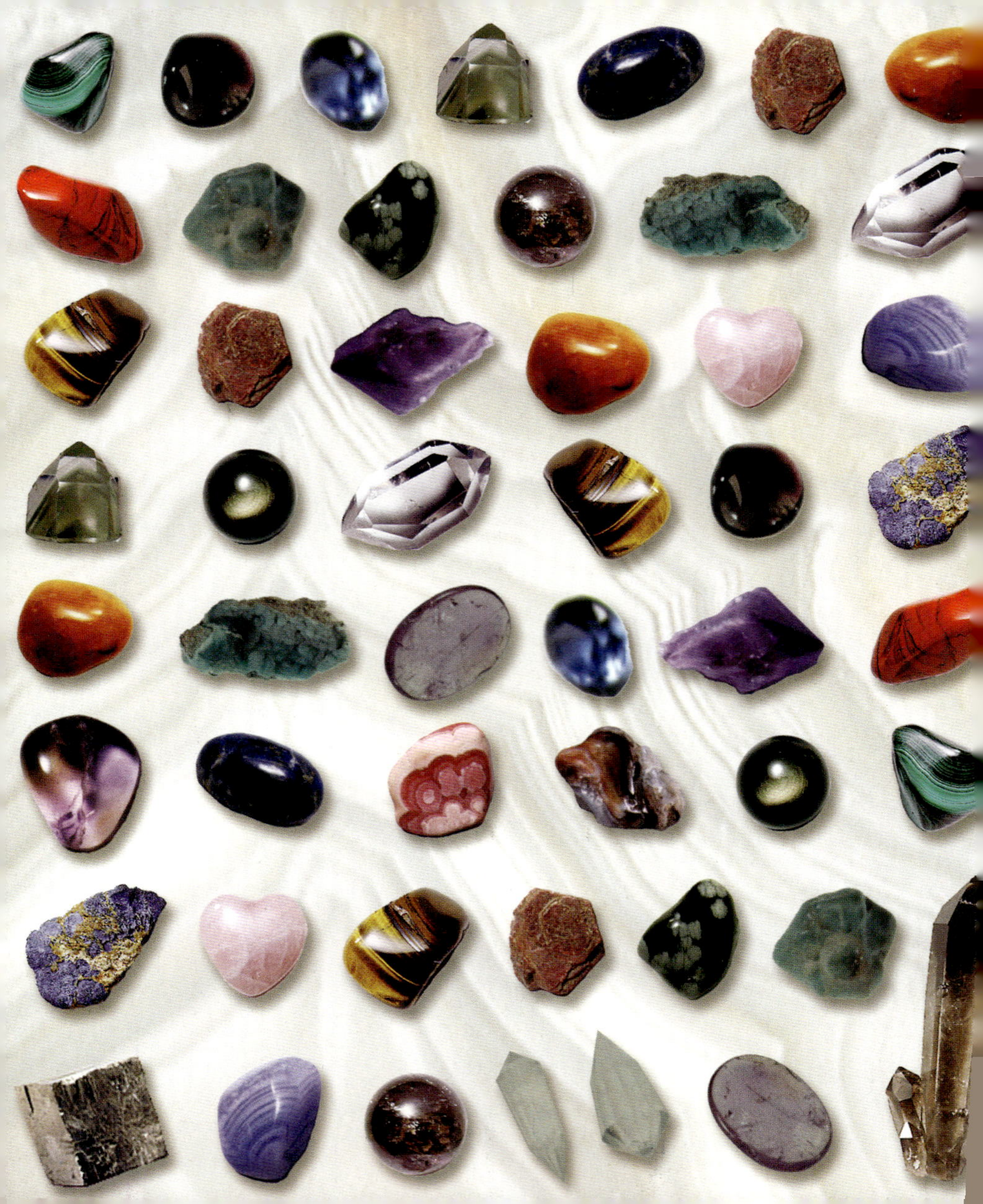

A BÍBLIA DOS CRISTAIS

O GUIA DEFINITIVO DOS CRISTAIS

Judy Hall

Tradução:
DENISE DE C. ROCHA DELELA

Editora
Pensamento
SÃO PAULO

Copyright do texto © 2003 Judy Hall
Copyright © 2003 Octopus Publishing Group Ltd.
Copyright da edição brasileira © 2008 Editora Pensamento-Cultrix Ltda.
1ª edição 2008.
16ª reimpressão 2022.

Publicado pela primeira vez na Grã-Bretanha em 2003 sob o título *The Crystal Bible* por Godsfield Press, uma divisão da Octopus Publishing Group Ltd, Carmelite House, 50 Victoria Embankment, London EC4Y 0DZ.

Todos os direitos reservados. Nenhuma parte deste livro pode ser reproduzida ou usada de qualquer forma ou por qualquer meio, eletrônico ou mecânico, inclusive fotocópias, gravações ou sistema de armazenamento em banco de dados, sem permissão por escrito, exceto nos casos de trechos curtos citados em resenhas críticas ou artigos de revistas.

ADVERTÊNCIA: As informações contidas neste livro não pretendem substituir o tratamento médico nem podem ser usadas como base para um diagnóstico. Os cristais são poderosos e podem dar margem a abusos ou mal-entendidos. Se você tiver qualquer dúvida com relação ao seu uso, consulte um profissional qualificado, de preferência especializado em terapia com cristais.

Dados Internacionais de Catalogação na Publicação (CIP)
(Câmara Brasileira do Livro, SP, Brasil)

Hall, Judy
  A Bíblia dos cristais: o guia definitivo dos cristais / Judy Hall; tradução Denise de C. Rocha Delela. – São Paulo: Pensamento, 2008.

  Título original: The crystal bible.
  ISBN 978-85-315-1524-8

  1. Cristais – Uso terapêutico 2. Gemas – Uso terapêutico 3. Pedras preciosas – Uso terapêutico I. Título.

08-01537   CDD-133.2548

Índices para catálogo sistemático:
1. Cristais: Uso terapêutico: Esoterismo   133.2548

Direitos de tradução para o Brasil adquiridos com exclusividade pela
EDITORA PENSAMENTO-CULTRIX LTDA.
Rua Dr. Mário Vicente, 368 — 04270-000 — São Paulo, SP
Fone: (11) 2066-9000
E-mail: atendimento@editorapensamento.com.br
http://www.editorapensamento.com.br
que se reserva a propriedade literária desta tradução.
Foi feito o depósito legal.

SUMÁRIO

GUIA DE REFERÊNCIA DOS CRISTAIS	6
ENCANTOS CRISTALINOS	10
INFORMAÇÕES PRELIMINARES SOBRE OS CRISTAIS	13
A FORMAÇÃO DOS CRISTAIS	14
A DECORAÇÃO COM CRISTAIS	18
A CURA COM CRISTAIS	22
A ESCOLHA DOS CRISTAIS	28
CUIDADOS COM OS CRISTAIS	30
MEDITAÇÃO COM CRISTAIS	32
LISTA DE CRISTAIS	**34**
OS FORMATOS DOS CRISTAIS	324
GUIA DE REFERÊNCIA RÁPIDA	360
GLOSSÁRIO	378
ÍNDICE	384
INFORMAÇÕES ÚTEIS	400

GUIA DE REFERÊNCIA DOS CRISTAIS

A

Abertura	345
Abundância	333
Acroíta	300
Ágata	38
Ágata dendrítica	43
Ágata rendada azul	41
Ágata-árvore	43
Ágata-de-fogo	45
Ágata-musgo	47
Agente de auto-cura	344
Aglomerado	329
Água-marinha	67
Alexandrita	83
Alma gêmea-Gêmeo	348
Almandina	137
Amazonita	49
Âmbar	51
Ametista	53
Ametista-abacaxi	56
Ametrina	57
Andaluzita	107
Andradita	137
Angelita	59
Anidrita	61
Apatita	62
Apofilita	64
Aqua-Aura	229
Aragonita	69
Armazenador de registros	338
Atacamita	71
Ativador/Tempo	342, 344
Aura-arco-íris	230
Aura-ensolarada	232
Aura-opala	231
Aura-rosa	231
Aura-rubi	231
Aventurina	73
Azeviche	160
Azeztulita	75
Azurita	77
Azurita com malaquita	78

B

Bassanita	157
Bastão	354
Berilo	79
Bixbita	81
Buda	551

C

Cabelo-de-Anjo	237
Cairngorm	116
Calcedônia	100
Calcita rombóide	93
Calcita	88
Calcita mangano	92
Canalização	352
Caroíta	104
Catedral	337
Celestita	96
Cerussita	98
Cetro	340
Cianita	166
Cimofana	83

GUIA DE REFERÊNCIA DOS CRISTAIS

Cinábrio	115
Citrino	116
Clorita	108
Clorita-fantasma	233
Companhia	347
Cornalina	94
Craca	350
Crisoberilo	82
Crisocola	111
Crisolita	212
Crisopala	210
Crisoprásio	113
Cristal caminho da vida	346
Cunha	345

D

Danburita	120
Deusa	353
Diamante de Herkimer	143
Diamante	122
Dioptásio	124
Distênio	166
Dravita	299

E

Elbaíta	301
Elestial	332
Enidro	327
Entalhado	339
Enxofre	281
Esfera	330
Esmeralda	126
Espato-da-islândia	92
Espectrolita	169
Espessartita	139
Espinélio	273
Estaurolita	275
Estilbita	277
Estratificado	332

F

Fantasma	330
Fenacita	216
Ferro-de-tigre	159
Fluorita	128
Fuchsita	132

G

Galena	134
Geodo	329
Gerador	334
Gipsita	258
Granada	135
Grossulária	138

H

Heliotrópio	84
Hematita	140
Herkimer enfumaçado	143
Hessonita	138
Hialita	211
Hidenita	165
Howlita	144

I

Idocrásio	146
Indicolita	299
Iolita	147
Ísis	353

J

Jade	151
Jadeíta	151
Janela de diamante	343
Jaspe	154

Jaspe brechado	159	Morganita	80	Pedra-crisântemo	109
Jaspe orbicular	158	Moscovita	192	Pedra-da-lua	190
Jaspe-paisagem	157	Moukaita	157	Pedra-da-tempestade	218
Jaspe pluma-real	158			Pedra-de-cruz	106
		N		Pedra-do-sangue	84
K		Nefrita	151	Pedra-do-sol	283
Kunzita	162			Pedra-golfinho	174
		O		Pedra-ímã	180
L		Obsidiana	196	Pedra-do-infinito	265
Labradorita	169	Obsidiana arco-íris	201	Pedra nebula	195
Lágrima-de-apache	202	Obsidiana floco-de-neve	203	Pedra-TV	308
Lápis-lazúli	172	Obsidiana cor-de-mogno	201	Pedra vidente	353
Larimar	174			Peridoto	212
Lepidolita	176	Oclusão	333	Petalita	214
Lepidolita turmalinada	304	Okenita	204	Pietersita	218
Luvulita	279	Olho-de-falcão	291	Pirâmide	321
		Olho-de-gato	83	Pirita	149
M		Olho-de-tigre	289	Pirolusita	222
Magnesita	178	Olivina	212	Piropo	138
Magnetita	180	Ônix	206	Ponte	350
Malaquita	182	Opala	208	Portal	345
Malaquita com crisocola	185	Opala-de-fogo	211	Prehnita	220
Manifestação	335	Ouro-de-tolo	149		
Melonita	138	Ovo	331	**Q**	
Merlinita	186			Quadrado	331
Mica	192	**P**		Quartzita	242
Moldavita	187	Pectolita azul	174	Quartzo	224
		Pedra Boji	86		

Quartzo arco-íris		**S**		
natural	227	Safira	252	
Quartzo-arlequim	226	Sangue-de-		
Quartzo azul-		dragão	115	
siberiano	232	Sardônix	256	Turquesa tibetana 307
Quartzo de lítio	227	Schorlina	298	
Quartzo de titânio	227	Selenita	258	**U**
Quartzo enfuma-		Selenita-rabo-de-		Ulexita 308
çado	239	peixe	260	Unaquita 310
Quartzo espiral	346	Serafina	262	Uvarovita 139
Quartzo-fantasma	233	Serafinita	262	
Quartzo-lâmina	347	Serpentina	264	**V**
Quartzo leitoso	242	Shattuckita	266	Vanadinita 312
Quartzo-neve	242	Smithsonita	268	Variscita 314
Quarzo rosa	235	Sodalita	271	Verdelita 300
Quartzo rutilado	237	Sugilita	279	Vogel 357
Quartzo-tangerina	227			
Quartzo tibetano	228	**T**		**W**
Quartzo turma-		Tabular	332	Wulfenita 316
linado	243	Tanzanita	323	
Quiastolita	106	Tectita	287	**Z**
		Terminação dupla	328	Zeólita 318
R		Thulita	287	Zincita 320
Riólito	248	Topázio	292	Zoisita 322
Rodocrosita	244	Topázio-imperial	294	
Rodolita	138	Transmissor	352	
Rodonita	246	Turmalina	296	
Rosa-do-deserto	261	Turmalina-		
Rubelita	302	melancia	302	
Rubi	250	Turquesa	304	

NOTA: O asterisco* depois de uma palavra ou expressão indica que ela consta no Glossário deste livro (ver páginas 378-383), no qual é explicada em detalhes.

ENCANTOS CRISTALINOS

Todo mundo sente atração por pedras preciosas. Gemas como diamantes, rubis, esmeraldas e safiras são apreciadas no mundo todo. Elas são de fato preciosas; elevam o nosso espírito. É no seu brilho que a maioria das pessoas pensa quando ouve a palavra "cristal". Igualmente apreciadas são as pedras semipreciosas, como a cornalina, a granada, o cristal de rocha e o lápis-lazúli. Elas têm sido usadas como ornamento ou símbolo de poder há milhares de anos. Esses cristais, porém, eram valorizados não só pela beleza – cada um deles tinha um significado sagrado. Nas culturas antigas, as propriedades terapêuticas dessas pedras eram tão importantes quanto a sua função ornamental.

Os cristais ainda hoje apresentam essas propriedades, mas nem todos são tão vistosos quanto as pedras preciosas. Existem cristais mais discretos e menos atraentes que, não obstante, são extremamente poderosos. Até mesmo as pedras preciosas podem passar despercebidas em seu estado natural, bruto, embora os seus atributos continuem os mesmos. A safira em estado bruto, por exemplo, cujo preço é mais baixo do que o da pedra lapidada, é tão eficiente quanto a maioria das cintilantes gemas lapidadas.

A maioria das pessoas conhece os cristais que existem há muitos anos no mercado, como a ametista, a malaquita e a obsidiana, mas novidades como o larimar, a petalita e a fenacita só agora estão começando a aparecer nas lojas. Essas são as "pedras da Nova Era", que se fizeram conhecer para

facilitar a evolução da Terra e de todos que nela habitam. Esses cristais têm uma vibração altíssima que eleva a consciência e abre os chakras* superiores, possibilitando a comunicação com outras dimensões. Para aproveitar as dádivas que essas pedras oferecem, é fundamental saber usá-las.

Este livro se divide em seções que o ajudarão a desvendar o reino dos cristais. Contendo todas as informações de que você vai precisar, ele descreve os encantos dos cristais, o seu uso terapêutico e decorativo, como eles são formados e a melhor maneira de cuidar deles. Logo de início há um Guia de Referência dos Cristais para que você possa localizá-los pelo nome que conhece e depois conhecer as suas propriedades numa longa Lista de Cristais, que também o ajudará a identificá-los. O abrangente Índice, no final do livro, faz uma referência cruzada entre sintomas e atributos que você pode usar para encontrar um cristal para cumprir uma tarefa específica ou propósito em particular. O Glossário das páginas 378-383 define termos que talvez você não conheça.

Os cristais são encontrados em numerosos formatos e muitos deles agora recebem nomes que se referem à sua função, como os cristais de canalização ou da abundância. Se você quiser localizar um cristal com um formato em particular ou saber qual é a aparência de um determinado cristal, consulte a seção Os Formatos dos Cristais, seguido do Guia de Referência Rápida, que lhe dá informações úteis como as correspondências entre os cristais e o corpo ou entre essas pedras e os signos do Zodíaco, os elixires de pedras, as propriedades de cura dos cristais e um ritual de amor.

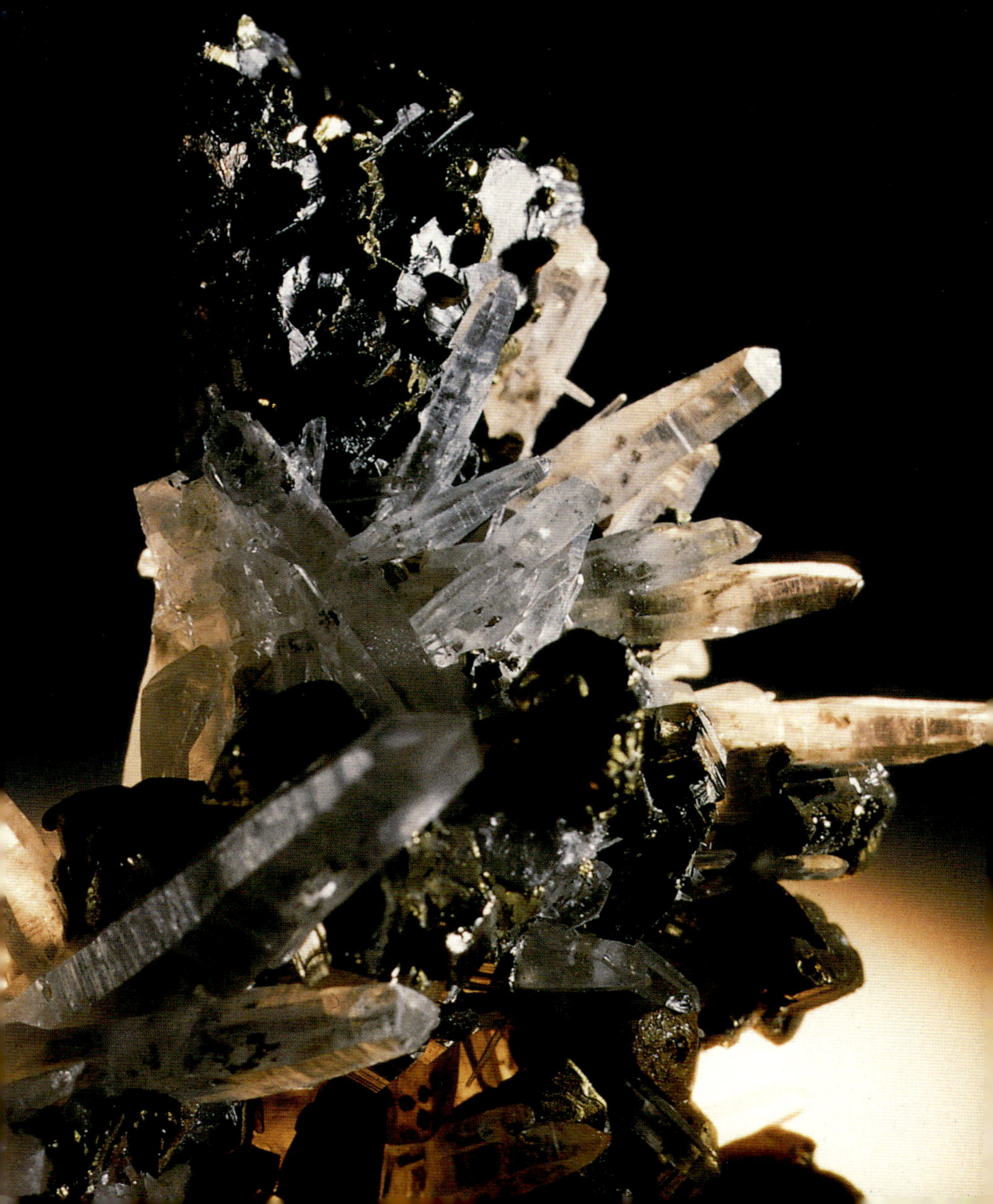

INFORMAÇÕES PRELIMINARES SOBRE OS CRISTAIS

Quanto mais sabemos sobre os cristais, mais eficientes eles são. Nesta seção são apresentadas informações sobre como os cristais são formados, como escolher e cuidar deles, como usá-los para cura e decoração e a melhor maneira de dedicá-los.

O fato de dedicarmos os cristais e programá-los faz com que atuem com mais eficiência. Isso faz parte do ritual de trabalhar com essas pedras. Como são seres poderosos, precisam ser tratados com respeito. Só assim se sentem estimulados a cooperar conosco. Muitos gostam de fazer o "dia do cristal", em que os purificam e depois meditam com eles para estabelecer uma sintonia mais forte com a energia deles. Essa prática, quando realizada regularmente, faz com que os cristais passem a "conversar" conosco e nos mostrar como os podemos usar para obter mais bem-estar e uma vida mais gratificante.

Purificar os nossos cristais é extremamente importante, pois essas pedras são excelentes transmissores e receptores de energia. Uma das suas funções é absorver e purificar energias negativas. Se você deixar que cumpram essa função por muito tempo sem passar regulamente por uma limpeza, eles acabam absorvendo energia demais, e com o tempo deixam de transmutá-la – embora alguns sejam capazes de purificar a si mesmos.

A FORMAÇÃO DOS CRISTAIS

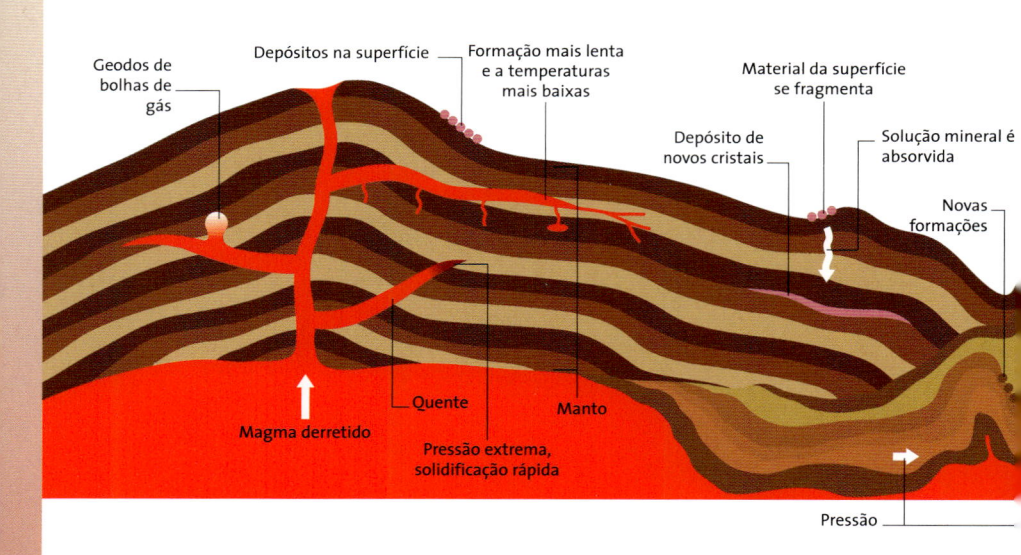

Geodos de bolhas de gás · Depósitos na superfície · Formação mais lenta e a temperaturas mais baixas · Material da superfície se fragmenta · Depósito de novos cristais · Solução mineral é absorvida · Novas formações · Quente · Manto · Magma derretido · Pressão extrema, solidificação rápida · Pressão

O cristal é um corpo sólido de formato geometricamente regular. Os cristais foram criados quando a Terra se formava e continuaram a se metamorfosear à medida que o próprio planeta se transformava. Os cristais são o DNA da Terra, um registro químico da evolução. São repositórios em miniatura que contêm os registros do desenvolvimento da Terra ao longo de milhões de anos, e guardam a indelével lembrança das forças poderosas que os moldaram. Alguns foram submetidos a enormes pressões, enquanto outros se desenvolveram em câmaras nas profundezas do subsolo; alguns se formaram em camadas, enquanto outros cristalizaram a partir do gotejamento de soluções aquosas – tudo isso afeta suas propriedades e a maneira como atuam. Seja qual for a forma que assumam, a sua estrutura cristalina pode absorver, conservar, concentrar e emitir energia, especialmente na faixa de onda eletromagnética.

A ESTRUTURA ATÔMICA DOS CRISTAIS

Em razão das impurezas químicas, da radiação, das emissões telúricas e solares e dos meios pelos quais ocorreu a sua formação, cada tipo de cristal tem uma determinada "marca". Formado a partir de uma grande variedade de minérios, o cristal é definido pela sua estrutura interna – uma estrutura atômica simétrica e ordenada, exclusiva da sua espécie. Tanto o espécime pequeno quanto o grande de um mesmo tipo de cristal terão exatamente a mesma estrutura interna, que pode ser identificada ao microscópio.

É por meio da sua estrutura geométrica única que os cristais são classificados, o que significa que alguns deles, como a aragonita, por exemplo, apresentam várias cores e formas externas muito diferentes, que à primeira vista podem dificultar a sua identificação. No entanto, como têm estruturas internas idênticas, são considerados o mesmo cristal. É essa estrutura, e não o mineral (ou minerais) a partir do qual o cristal se formou, que é usada como critério para classificá-lo. Em alguns casos, o conteúdo mineral do cristal muda um pouco, dando origem a pedras com cores diferentes.

Embora muitos cristais possam se formar a partir do mesmo mineral ou combinação de minerais, cada um deles se cristalizará de uma maneira. O cristal tem um crescimento simétrico em torno de um eixo. Os seus planos externos regulares são uma expressão exterior da sua ordem interna. Cada par de faces do cristal apresenta exatamente os mesmos ângulos. A estrutura interna de qualquer formação cristalina é constante e imutável.

Os cristais se apresentam em sete formas geométricas: triângulos, quadrados, retângulos, hexágonos, losangos, paralelogramos ou trapézios. Essas formas se organizam numa variedade de possíveis formatos cristalinos que recebem nomes genéricos baseados na sua geometria interna. Como o nome sugere, o cristal hexagonal é formado de hexágonos dispostos num formato tridimensional. Um conjunto de quadrados forma um cristal cúbico; um conjunto de triângulos forma um cristal trigonal; um conjunto de retângulos forma um cristal tetragonal; um conjunto de losangos forma um cristal ortorrômbico; um conjunto de trapézios forma um triclínico; e

A FORMAÇÃO DOS CRISTAIS

Triângulo   *Quadrado*   *Trapézio*

Retângulo   *Losango*   *Paralelogramo*   *Hexágono*

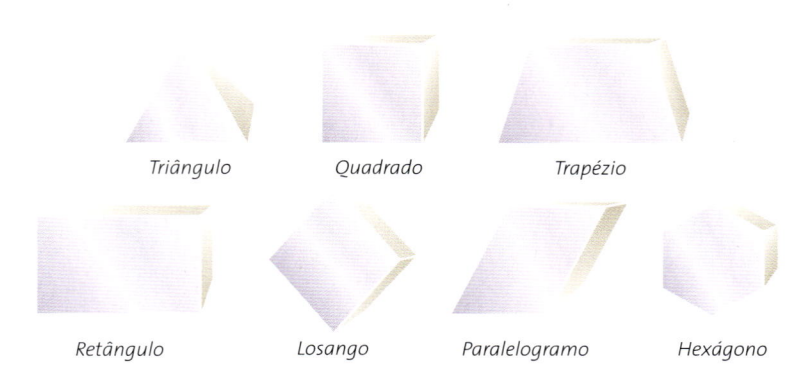

um conjunto de paralelogramos forma um cristal monoclínico. A forma externa do cristal não reflete necessariamente a sua estrutura interna.

No cerne do cristal estão o átomo e os seus componentes. O átomo é dinâmico e consiste de partículas em rotação em torno de um centro em constante movimento. Portanto, embora externamente o cristal possa parecer estático, ele na verdade é uma massa molecular fervilhante, vibrando numa determinada freqüência. É isso o que dá ao cristal a sua energia.

A CROSTA TERRESTRE

A Terra teve início numa nuvem de gás em movimento giratório da qual se formou um disco de poeira densa. Isso se condensou numa bola derretida incandescente. Gradativamente, ao longo de éons, uma fina camada desse material liquefeito, o magma, foi se resfriando, até formar a crosta terrestre. Essa crosta é fina como a casca de uma maçã. Abaixo dela, o magma quente, rico em minerais, continua borbulhando e formando novos cristais.

Alguns cristais, como o quartzo, formam-se a partir de gases ígneos e minerais derretidos do interior da Terra. Superaquecidos, ele afloram na superfície, impelidos pelas pressões causadas pelo movimento de enormes placas na superfície do planeta. À medida que gases penetram na crosta e encontram rochas sólidas, eles se resfriam e solidificam – um processo que pode levar eras ou ser rápido e furioso.

Se esse processo for relativamente lento, ou se o cristal se desenvolver numa bolha de gás, ele pode atingir um tamanho grande. Se o processo for rápido, os cristais serão pequenos. Se o processo sofre interrupções, podem surgir cristais de autocura ou fantasmas. Se ele é excepcionalmente rápido, em vez de surgir um cristal formam-se substâncias vítreas como a obsidiana. Cristais como a aventurina e o peridoto originam-se a altas temperaturas a partir de magma derretido. Outros, como o topázio e a turmalina, formam-se quando os gases penetram entre as rochas.

Outros tipos de cristais se formam quando o magma se resfria suficientemente para que o vapor de água se condense. A solução resultante, rica em minerais, dá origem a cristais como a aragonita e a kunzita. Quando o magma penetra entre as fissuras das rochas, a solução se resfria muito lentamente e dá origem a cristais e geodos grandes como a calcedônia e a ametista.

Cristais como a granada formam-se nas profundezas da Terra, quando minerais derretem e se recristalizam sob intensa pressão e altas temperaturas. Esses cristais são conhecidos como metamórficos, porque passam por uma transformação química que reorganiza a sua estrutura atômica original.

A calcita e outros minerais sedimentares se formam a partir de um processo de erosão. As rochas da superfície se fragmentam, e a água mineralizada que goteja através das rochas ou forma rios subterrâneos resulta na formação de novos cristais, originários da deposição de detritos. Esses cristais com freqüência se estratificam num leito de rocha firme e tendem a ter uma textura mais macia.

Os cristais são muitas vezes encontrados ainda presos a esse leito de rochas nos quais se formaram, chamado rocha-matriz, ou agregados em conglomerados.

Aragonita (com formato "sputnik")

A DECORAÇÃO COM CRISTAIS

Pedras preciosas como a esmeralda e a safira são pedras vibrantes, excelentes para a confecção de jóias, tanto para homens quanto para mulheres. No entanto, todos os cristais são capazes de enaltecer o ambiente em que estão, além de ter uma aparência soberba. Um cristal colocado num lugar estratégico pode transformar, como num passe de mágica, o ambiente onde se encontra.

Antigamente, as pedras preciosas e semipreciosas só eram usadas por reis e sacerdotes. O sumo sacerdote do judaísmo usava um peitoral cravejado de pedras preciosas que, muito mais do que uma insígnia de um cargo honorífico, era um objeto que transmitia poder a quem o usasse. Desde a Idade da Pedra, homens e mulheres usam jóias e talismãs de cristal que têm não só uma função ornamental como também de proteção.

Os cristais ainda carregam, hoje em dia, esse mesmo poder e é possível escolher uma jóia com base não apenas na sua atratividade exterior. Usar cristais ou simplesmente ter um nas proximidades pode potencializar a nossa energia (cornalina laranja), purificar o ambiente (âmbar) e atrair riquezas (citrino). Bem posicionados, os cristais podem mudar a nossa vida. Podemos escolher pedras para aumentar a intuição (apofilita), incrementar as nossas capacidades mentais (turmalina verde) e estimular a nossa autoconfiança (hematita). Podemos optar por um cristal que melhore a nossa prosperidade (olho-de-tigre), promova a cura de um problema físico (smithsonita) ou atraia o amor (rodonita).

Jóias de âmbar

A DECORAÇÃO COM CRISTAIS

Quartzo elestial enfumaçado

A PROTEÇÃO OFERECIDA PELOS CRISTAIS

Certos cristais, como o quartzo enfumaçado e a turmalina negra, têm a capacidade de absorver negatividade e a neblina eletromagnética* e irradiar uma energia pura e limpa. A turmalina negra pendurada no pescoço protege contra emanações eletromagnéticas irradiadas por telefones celulares e computadores, além de repelir ataques psíquicos*. Jóias com pedras de âmbar e azeviche também protegem as nossas energias. Um grande aglomerado ou uma ponta lapidada de quartzo enfumaçado pode ser espetacular como objeto decorativo, mas esse cristal também tem a função prática de purificar o ambiente. Coloque-o sobre a escrivaninha ou entre você e uma fonte de neblina eletromagnética* ou tensão geopática*. O geodo de ametista causa o mesmo efeito. Se acha que o computador exerce um efeito debilitante sobre você, coloque uma drusa de fluorita ou um pedaço de lepidolita polida ao lado dele e você se surpreenderá com a diferença: o seu computador funcionará em sintonia com você.

A ATRATIVIDADE DOS CRISTAIS

Um grande geodo de citrino é uma peça extremamente decorativa. Além de ser belo por natureza, ele não só atrai riquezas como também nos ajuda a conservá-las. Coloque-o na Área da Abundância, segundo o Feng Shui (canto esquerdo mais distante da casa com relação à porta da frente).

A selenita é uma das mais novas pedras. Sua tonalidade branca imaculada e a

Geodo de citrino

A DECORAÇÃO COM CRISTAIS

sua forma estriada têm uma aparência angelical que, não é de surpreender, atrai a energia angélica para a nossa vida, além de conectar-nos com o propósito de nossa alma. Pode-se colocá-la embaixo do travesseiro, mas ela se mostra em toda a sua beleza na forma de pilar, com o sol batendo por trás dela, ou sobre uma base iluminada.

Muitos cristais transparentes têm o seu efeito intensificado quando são postos sobre uma base iluminada ou sob os raios do Sol. Só é preciso ter cautela, pois cristais transparentes como o quartzo, por exemplo, podem produzir fogo quando focalizam os raios solares, e os cristais coloridos podem adquirir uma tonalidade pálida quando expostos à luz do Sol.

Selenita

AS PEDRAS SEMIPRECIOSAS

As pedras semipreciosas têm tanto poder quanto as preciosas. Algumas são encontradas em várias cores, o que pode afetar os seus atributos. O topázio, que irradia luz dourada sobre o propósito da nossa vida, é muitas vezes usado em anéis. O topázio azul pode ser usado sobre a garganta, pois nos ajuda a expressar pensamentos em palavras.

Os diamantes de Herkimer, um tipo de cristal de quartzo, são tão brilhantes e límpidos quanto os diamantes de verdade, além de serem maiores e mais baratos. Muitos herkimers apresentam esplêndidos arco-íris em sua estrutura. Usados em brincos intensificam a intuição e estimulam a criatividade. No entanto, são tão poderosos que é melhor não usá-los nas orelhas durante muitas horas. Se usados por tempo demais, eles podem causar insônia ou um zumbido na cabeça. Os peridotos são conhecidos como "esmeraldas de pobre", mas essa pedra visionária tem o poder

Diamante de Herkimer

de combater a inveja e a raiva, reduzir o estresse e eliminar padrões negativos. Como muitas pedras, sua forma bruta pode não ter uma aparência bela; no entanto, quando polida e lapidada se transforma numa jóia digna de uma rainha.

ATRAIA O AMOR PARA A SUA VIDA

Se você está em busca de um amor, os cristais podem ajudá-lo. Coloque um quartzo rosa ao lado da cama ou na Área dos Relacionamentos da sua casa (canto direito mais distante da casa com relação à porta da frente). O efeito dessa pedra é tão poderoso que talvez convenha acrescentar uma ametista para amenizar o seu poder de atração. A jóia adornada de rodocrosita também é uma boa opção, pois as suas bandas em suaves tons de rosa são belas além de poderosas. Com essa pedra, o amor estará logo a caminho.

Geodo de ametista com cristal de quartzo-neve

A CURA COM CRISTAIS

Malaquita

Os cristais têm sido usados há milênios para promover a cura e restabelecer o equilíbrio. Eles atuam por meio da ressonância e da vibração. Para obter o máximo benefício da cura com cristais, você precisa estudar esse assunto ou ser orientado por uma pessoa qualificada e experiente. É possível, porém, usá-los para tratar enfermidades comuns ou em casos de emergência, especialmente quando usados em essências de pedras (ver página 371).

Alguns cristais contêm minerais conhecidos pelas suas propriedades terapêuticas. O cobre, por exemplo, reduz inchaços e inflamações. A malaquita tem alta concentração de cobre, que também ameniza dores nas articulações e nos músculos. O uso de um bracelete de malaquita faz com que o corpo absorva quantidades diminutas de cobre, exatamente como faria um bracelete de cobre. No Egito antigo, a malaquita era pulverizada e aplicada sobre feridas para prevenir infecções. Hoje, embora seja um desintoxicante poderoso, ela própria é considerada tóxica, por isso só é aplicada externamente. Essa propriedade desintoxicante dos cristais tóxicos segue o mesmo princípio da homeopatia, segundo o qual "semelhante cura semelhante". Os cristais irradiam vibrações em doses infinitesimais que, em grandes quantidades, seriam nocivas.

Os cristais são usados na moderna prática da medicina. Eles são piezelétricos, o que significa que a eletricidade, às vezes a luz, é produzida por compressão. Essa propriedade faz com que sejam usados em equipamentos de ultrasom, que produzem ondas sonoras por meio desses cristais piezelétricos. O som é agora aplicado em procedimentos cirúrgicos de última geração. Um feixe concentrado de ultra-som terapêutico pode cauterizar feridas no interior do corpo e pulverizar tumores, dispensando a utilização de procedimentos invasivos. Os xamãs e curandeiros de antigamente conheciam a propriedade que os cristais têm de irradiar vibrações sonoras e luminosas em um raio concentrado, que pode ser usado para a cura. A rotação de um bastão de cristal sobre a pele causa compressão, liberando raios de ultra-som sobre o tecido ou órgão do corpo.

Cornalina

Os antigos agentes de cura também sabiam que, embora alguns cristais tenham propriedades estimulantes ou calmantes, existem outros que têm essas duas propriedades, podendo sedar um órgão hiperativo e estimular outro apático. A magnetita, cuja carga elétrica é tanto negativa quanto positiva, faz exatamente isso. Ela seda os órgãos hiperativos e ao mesmo tempo estimula o que estão funcionando abaixo da sua capacidade. Existem cristais que de fato efetuam uma cura mais rápida, embora possam provocar algum tipo de efeito colateral; enquanto outros curam num ritmo mais lento. Se você quer aliviar uma dor – um sinal de que algo está errado no seu corpo –, pode fazer isso com cristais. A dor pode ser resultado de excesso de energia, de um bloqueio energético ou de uma debilidade. Um cristal calmante ou refrescante como o lápis-lazúli ou o quartzo rosa promoverá um efeito sedativo sobre a energia, enquanto a cornalina a estimulará; o quartzo-catedral é excelente quando usado para o alívio da dor, não importa qual seja a causa.

Lápis-lazúli

Os cristais também são muito úteis em casos de dores de cabeça. O lápis-lazúli ameniza rapidamente enxaquecas, embora seja preciso saber de onde a dor irradia. Se ela é causada pelo estresse, a ametista, o âmbar ou a turquesa colocados sobre a testa promoverão o alívio da dor. Se está relacionada à alimentação, uma pedra que acalme o estômago, como a pedra-da-lua ou o citrino, será mais apropriada.

A CURA HOLÍSTICA

Os cristais curam holisticamente. Isso quer dizer que atuam nos níveis físico, emocional, mental e espiritual do ser. Reequilibram energias sutis e dissipam indisposições*, atuando sobre a causa principal. Os cristais agem por meio da vibração, restabelecendo a harmonia do invólucro biomagnético* que cerca e interpenetra o corpo físico e ativando pontos de ligação entre os chakras*, que regulam a estase vibracional do corpo (ver página 364). O restabelecimento do equilíbrio desses centros energéticos pode amenizar muitos problemas físicos e psicológicos.

A maioria das doenças é resultado de uma combinação de fatores. Existem indisposições* que se encontram em níveis sutis. Elas podem manifestar-se no nível emocional ou mental, ou ser uma indicação de desconexão ou desequilíbrio espiritual. Talvez existam pontos de ligação entre o corpo físico e o invólucro biomagnético* que estejam desalinhados. Outros distúrbios energéticos podem ser causados por fatores ambientais, como a neblina eletromagnética* ou a tensão geopática*. O simples posicionamento de uma turmalina negra ou quartzo enfumaçado entre a pessoa e a fonte de tensão geopática ou eletromagnética é suficiente para transformar, num passe de mágica, a vida dela. Mas será preciso investigar mais a fundo a causa da indisposição. Os cristais tratam suavemente as causas, em vez de simplesmente amenizar os sintomas.

Larimar

Podem-se colocar cristais sobre o corpo ou em torno dele durante um período de dez a trinta minutos (consulte as páginas 365 e 374 para obter dicas simples sobre como dispor as pedras) ou usá-los como um instrumento reflexológico para estimular pontos nos pés – a larimar é particularmente útil nesses casos, pois ajuda a localizar a fonte da indisposição. Os ovos de cristal (ver página 331) também podem ser usados nos pés. Os bastões de cristal são úteis nos casos em que é preciso estimular um ponto sobre o corpo. Faça com eles um suave movimento de rotação, para obter alívio da dor ou de qualquer in-

A CURA COM CRISTAIS

disposição. Consulte a Lista de Cristais para conhecer os cristais indicados para o tratamento de doenças e desequilíbrios em todos os níveis.

Há milhares de anos os cristais são associados a diferentes partes e órgãos do corpo (ver página 368). Muitas dessas correspondências derivam da astrologia tradicional, tanto ocidental quanto oriental. A Medicina Tradicional Chinesa e o Ayurveda indiano, ambos com mais de 5 mil anos, ainda hoje usam em suas prescrições cristais citados em fórmulas de textos antigos. Segundo esses textos, a hematita, por exemplo, acalma o espírito e por isso combate a insônia. No entanto, ela também é usada para amenizar problemas no sangue, pois acredita-se que tenha a propriedade de resfriar o sangue e estancar hemorragias. A hematita é usada pelos agentes de cura modernos para aliviar essas mesmas condições.

Bastão de obsidiana

Bastão de quartzo enfumaçado

Coração de quartzo rosa

Bastão de ametista

Bastão de quartzo rosa

COMO ESCOLHER UM CRISTAL PARA CURA

Para escolher um cristal, ou cristais, para um trabalho de cura, pode-se partir dos sintomas e depois voltar-se para a causa mais profunda (de preferência com a ajuda de um profissional especializado em cura com cristais). Cada entrada da Lista de Cristais apresenta uma relação das doenças que o cristal cura no nível físico, emocional, psicológico, mental e espiritual. O Índice tem várias referências cruzadas para ajudá-lo a ligar os sintomas com os cristais mais relevantes. Por exemplo, se o seu sintoma é um problema digestivo, para promover a cura você opta por um cristal de citrino de uma ponta. Coloque-o sobre o abdome ou use-o no dedo mínimo, que está ligado ao meridiano* do intestino delgado, para melhorar a digestão. O cristal age diretamente sobre o corpo físico. No entanto, num nível mais profundo, os problemas digestivos podem estar relacionados à falta de prosperidade. As preocupações com dinheiro muitas vezes se manifestam em forma de indisposição. O citrino é a pedra da prosperidade. Ele atrai riqueza e abundância para a nossa vida (especialmente quando colocado no canto esquerdo da casa que está mais distante da porta da frente). O uso do citrino em jóias ou bijuterias reenergiza você, dá motivação e estimula a sua criatividade – que traz abundância.

Num nível mais profundo ainda, os medos relacionados ao dinheiro muitas vezes derivam da sensação de não ser amparado pelo universo. Esse medo não é meramente uma indisposição emocional; ele indica uma desconexão espiritual. A capacidade do citrino de ativar o chakra* da coroa, onde a ligação espiritual é estabelecida, pode fortalecer a confiança no universo.

Angelita

Citrino

Depois de identificar a desconexão espiritual como a causa provável da sua indisposição, podem-se usar outros cristais que darão suporte a esse nível do ser. Pedras como a petalita e a fenacita, cuja vibração é muito elevada, ligam você à realidade espiritual. A fenacita ajuda a ancorar o nível espiritual na sua vida cotidiana; no entanto, caso essa seja a primeira vez que usa cristais para estimular o contato espiritual, talvez essa pedra seja poderosa demais para você. Nesse caso, a angelita ou a celestita seriam opções melhores, pois elas restabelecem suavemente a sintonia com o reino celestial*. A presença angélica induz uma forte sensação de que somos amparados pelo universo.

Celestita marrom

Existem cristais que intensificam o efeito de outros, como também existem aqueles que neutralizam os seus efeitos, por isso tenha muita cautela ao usar cristais para a cura. Na dúvida, consulte um agente de cura qualificado em cristais.

ONDE ADQUIRIR UM CRISTAL

O melhor lugar para adquirir um cristal é uma loja especializada que você possa visitar nas horas vagas. Para encontrar uma loja assim, consulte a seção de Cristais, Pedras ou Minerais das Páginas Amarelas. A internet também pode ser uma boa opção, embora existam centenas de milhares de entradas e você pode precisar de tempo e persistência para encontrar a página certa. Também existem feiras de artesanato ou esotéricas onde você pode encontrar barracas onde se vendem cristais. Procure informações a respeito em jornais de bairro ou revistas esotéricas.

A ESCOLHA DOS CRISTAIS

Neste livro, você encontrará cristais que já conhece e outros que nunca viu antes. Com uma variedade tão grande pode ser difícil saber qual é o certo para você. Se você ganhar um de presente, a escolha será fácil; mas se pretende comprá-lo será imprescindível que folheie antes este livro.

Se quiser escolher um cristal para um propósito específico, a Lista de Cristais e o Índice ajudarão você a escolher exatamente o cristal de que precisa. Observe as possibilidades no Índice e depois confira a descrição dos cristais na Lista. Se você não tiver idéia da razão por que deseja um cristal, mas foi seduzido pela idéia de ter um, então a sua data de nascimento será um ótimo ponto de partida. Encontre a sua pedra natal na tabela das páginas 362 e 363, procurando uma entre aquelas que se sintonizam mais com o seu signo do zodíaco, e atraia para você as suas energias celestiais.

Você também pode escolher um cristal ao acaso. Confie na sua intuição. Folheie a Lista de Cristais até encontrar um que chame a sua atenção e então compre um desse tipo. Com certeza você encontrará nas lojas muitos exemplares desse tipo para escolher. O cristal que parecer estar "falando" com você é o que deve comprar. (Nunca compre numa loja que não o deixe manusear os cristais primeiro e, se comprar pela internet, assegure-se de que a loja aceita devoluções caso o cristal não seja apropriado – ver página 27.) Manipule vários cristais, deixe que um deles atraia a sua atenção ou coloque a mão dentro do recipiente onde estão os cristais e pegue um ao acaso. Se esse cristal fizer a sua mão formigar, ele é perfeito para você. Lembre-se, os cristais maiores ou mais bonitos não são necessariamente os mais poderosos. Os pequenos e pouco atraentes podem ser extremamente eficientes.

Antes de usar o cristal, lembre-se de purificá-lo primeiro (ver página 31).

COMO PROGRAMAR O SEU CRISTAL

Os cristais precisam ser dedicados ao propósito para o qual você os usará. Dedique o seu cristal tão logo o purifique (ver páginas 30-31), para focalizar a energia.

Segure o cristal nas mãos e o imagine envolvido em luz. (Se achar difícil imaginá-lo assim, fique com as mãos na frente de uma fonte de luz.) Diga em voz alta: "Eu dedico este cristal ao mais elevado bem de todos. Que ele seja usado em nome da luz e do amor".

Para programar o cristal, segure-o na mão e abra-se para a orientação superior. Tenha em mente o propósito pelo qual você gostaria de usá-lo. Seja específico. Se quiser usá-lo para atrair um amor, descreva exatamente que tipo de amor está procurando. Se estiver interessado numa cura, diga precisamente para que doença você precisa do cristal e o que quer que aconteça. Quando tiver formulado a programação, entre em sintonia com o cristal, depois de assegurar-se de que se trata do cristal certo para o seu propósito. Quando tiver sintonizado o cristal, diga em voz alta: "Eu programo este cristal para [descreva o seu propósito]".

Depois disso, deixe o cristal no bolso ou num lugar onde você o possa ver com freqüência. Pode ser útil segurá-lo na mão de duas ou três vezes ao dia, ou mais. Você talvez precise repetir essa programação várias vezes.

Os cristais reagem muito bem à programação. Segure-os na palma da mão para os dedicar, programar ou selecionar o cristal certo para você

CUIDADOS COM OS CRISTAIS

Muitos cristais são frágeis ou quebradiços. Aqueles que são estratificados ou estão agrupados podem se separar. Cristais como a selenita são solúveis em água. Superfícies polidas ou pontas naturais podem riscar ou quebrar-se. Pedras roladas são mais duráveis. Horas infindáveis rolando num tambor cheio de grés dão a elas uma superfície mais resistente. Você pode guardar as pedras roladas num saquinho, mas guarde outros tipos de cristal em lugares separados.

Quando não estiverem em uso, embrulhe os cristais num pedaço de seda ou num cachecol de veludo. Isso evita que risquem e os protege contra emanações indesejáveis. Os cristais precisam passar por uma purificação quando são comprados e depois que são usados junto ao corpo ou para cura. Sempre purifique as jóias que foram usadas por outras pessoas, pois elas podem armazenar vibrações negativas e transmiti-las a você.

Alguns cristais nunca precisam ser purificados. O citrino, a cianita e a azeztulita purificam a si mesmos. O quartzo transparente e a cornalina limpam outros cristais e são especialmente úteis no caso de pedras delicadas ou quebradiças, embora talvez precisem purificar-se depois.

As pedras roladas podem ser guardadas num saquinho

CUIDADOS COM OS CRISTAIS

A LIMPEZA DOS CRISTAIS

Os cristais que não são quebradiços nem articulados podem ser colocados na água corrente ou imersos no mar ou em água salgada. Enquanto faz isso, tenha em mente a intenção de que toda a negatividade seja eliminada e o cristal, reenergizado. Se o colocar sob a luz do Sol ou da Lua por algumas horas, isso também pode recarregá-lo, caso ele não seja do tipo que desbote ao sol ou que possa causar um incêndio ao focalizar raios solares – lembre-se de que a luz do Sol descreve um arco no céu à medida que o dia passa.

Os cristais quebradiços ou os aglomerados podem ser deixados num recipiente com sal durante a noite toda. Depois disso, retire delicadamente os grãozinhos de sal para não danificar o cristal, especialmente se o tempo estiver úmido.

Certos cristais têm a capacidade de limpar outros cristais. Guarde uma cornalina no saquinho de pedras roladas e você nunca precisará purificá-las usando outro método. Um cristal pequeno pode ser deixado durante a noite sobre um aglomerado de quartzo transparente.

Purifique os cristais na água ou no sal

MEDITAÇÃO COM CRISTAIS

Meditar com cristais é uma das maneiras mais fáceis de entrar em sintonia com a energia deles. Antes de começar a meditação, purifique o cristal para que as energias dele estejam puras. A meditação é um ótimo instrumento para acalmar o tagarelar da mente, além de trazer outros benefícios, como aliviar o estresse, baixar a pressão sanguínea, etc. – e ajudar você a conhecer melhor o seu cristal. Na tranqüilidade da meditação, o cristal fala com você.

Meditar é como abrir uma porta para outro mundo, especialmente se você escolher um cristal que apresenta fissuras* e oclusões*. Você se perde dentro do cristal. Na paz que a meditação traz, você pode descobrir soluções ou ter vislumbres intuitivos. É muito benéfico meditar com os seus cristais, reservando alguns dias para sintonizar cada um deles e os conhecer melhor.

Algumas pessoas gostam de ter com elas o "cristal do dia", enquanto entram em sintonia com cada um deles. Comece com os cristais vermelhos, que energizam e despertam, depois passe por todas as cores do arco-íris: laranja, amarelo, verde, azul, roxo, violeta e transparente. Isso atrairá para você a mais elevada vibração cristalina, podendo deixá-lo extasiado*. Talvez você precise aterrar as suas energias novamente, usando um dos cristais negros. É importante que você aterre ou ancore as suas energias depois da meditação, para não sentir-se aéreo e distraído. As pedras boji são excelentes para esse propósito, pois fixam você no seu corpo instantaneamente, mas com delicadeza, e o trazem na mesma hora para o tempo presente.

Ágata    *Âmbar*    *Enxofre*    *Peridoto*    *Ágata*    *Ametista*    *Fluorita*

EXERCÍCIO DE MEDITAÇÃO COM CRISTAIS

Certifique-se de que não será perturbado, principalmente pelo telefone, e procure uma posição confortável com o seu cristal. Segure-o nas duas mãos ou coloque-o numa mesinha baixa à sua frente.

Respire suavemente, deixando que as expirações sejam cada vez mais longas. Quando expelir o ar dos pulmões, libere toda tensão e estresse que possa estar sentindo. Quando inspirar, imagine que a paz está entrando junto com o ar e atravessando todo o seu corpo. Deixe que a respiração adquira um ritmo natural.

Com os olhos levemente focados, olhe para o cristal. Caso esteja segurando-o nas mãos, observe sua cor, formato, peso. Sinta as vibrações da pedra passando para as suas mãos e vague pelo interior do cristal, explorando os seus planos interiores. Quando estiver pronto, feche os olhos. Silenciosamente, contemple as energias do cristal e deixe que ele lhe transmita informações sobre si mesmo.

Quando tiver terminado a meditação, abra os olhos e coloque o cristal de lado. Firme os pés no chão e, para aterrar as energias, segure um quartzo enfumaçado ou uma pedra boji.

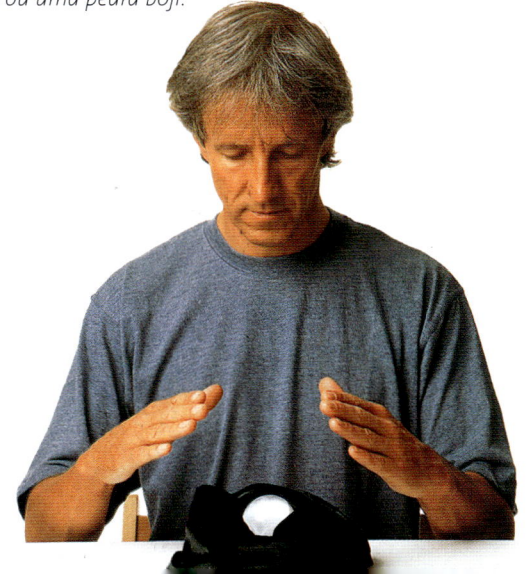

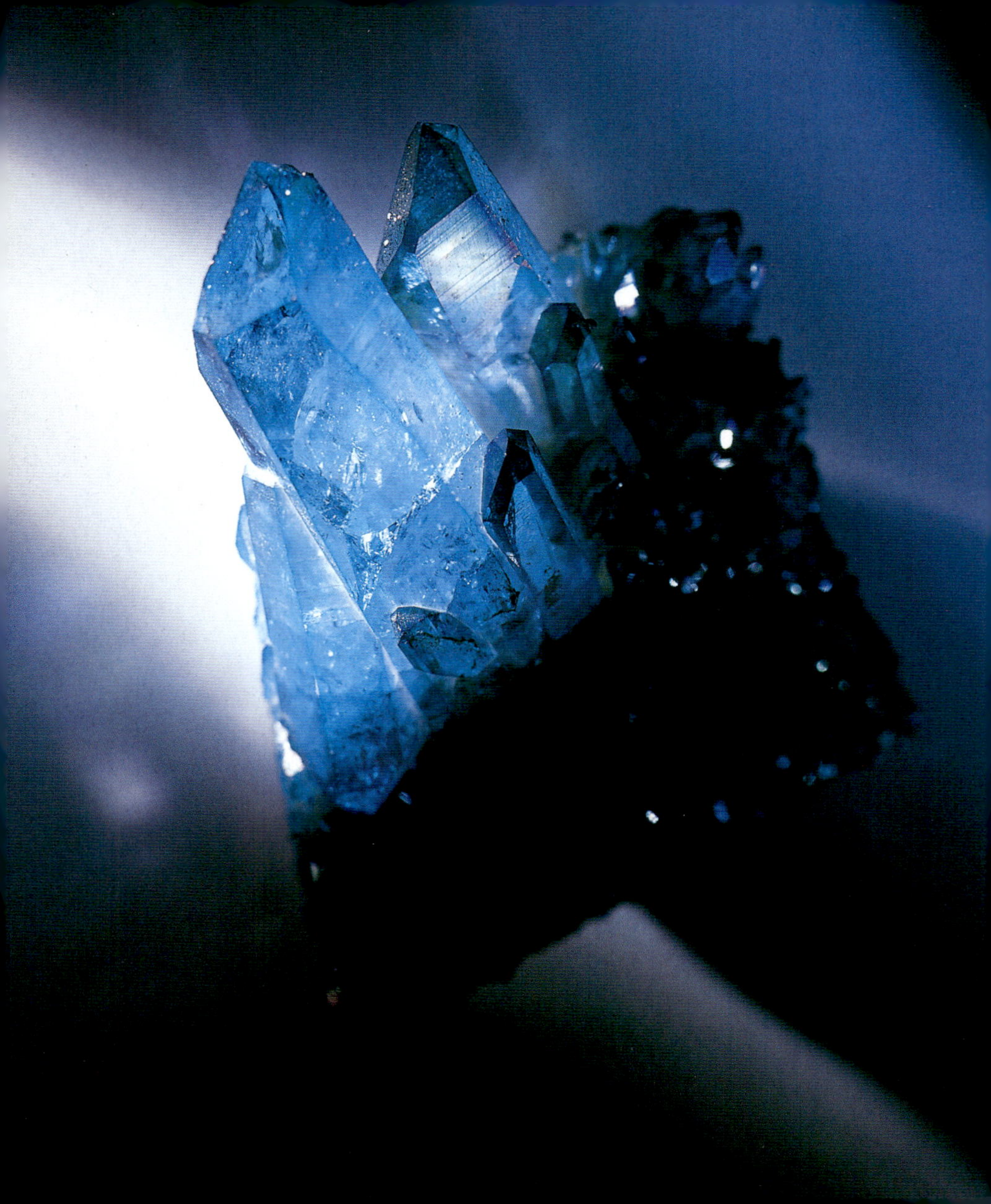

LISTA DE CRISTAIS

Existem cristais de todas as formas e tamanhos, e o mesmo cristal pode apresentar-se em várias formas ou cores diferentes ou ser conhecido por diversos nomes. Muitos cristais ficam com uma aparência muito melhor quando polidos ou lapidados, mas em estado bruto eles são igualmente eficientes. O cristal em seu estado natural pode ser mais difícil de identificar, pois as suas características ficam menos evidentes.

Nesta Lista de Cristais você encontrará uma descrição dos cristais em suas mais variadas formas e cores, para que possa identificá-los com mais facilidade. Você verá qual é a aparência de um cristal bruto depois de ser cortado e lapidado ou simplesmente rolado. Verá grandes aglomerados de cristal e pedras pequenas e pontiagudas, pedras polidas que cabem na palma da mão e geodos (drusas).

Os cristais podem ser usados como adorno e também para a cura e purificação de ambientes. As suas vibrações sutis afetam os níveis físico, emocional, mental, psicológico e espiritual do ser. Eles estimulam determinadas qualidades e abrem um portal para a compreensão espiritual. Esta Lista contém todas as informações – práticas e esotéricas – de que você precisa para conhecer as milagrosas propriedades dessas pedras e para usá-las da maneira mais proveitosa possível.

LISTA DE CRISTAIS

OS ATRIBUTOS DOS CRISTAIS

Nesta seção você encontrará todas as informações necessárias sobre os atributos gerais de cada cristal, além da descrição dos seus efeitos psicológicos, mentais, emocionais e espirituais e do seu uso terapêutico. (No Índice, você encontrará referências cruzadas de todas essas informações.) E também aprenderá como posicionar o cristal para obter o seu efeito máximo.

As propriedades gerais de cada cristal são descritas logo abaixo do seu nome genérico, seguidas dos seus atributos únicos. São descritas também todas as cores em que o cristal é encontrado e os principais nomes pelos quais ele é conhecido. Quando o cristal apresenta mais de uma cor ou forma e essas variedades possuem propriedades adicionais, essas informações são apresentadas logo depois da entrada principal.

Você também pode usar esta Lista para selecionar um cristal para cura, proteção ou outro propósito. O Índice também será útil nesse caso. Por exemplo, busque no Índice o nome da doença para a qual você precise do cristal. Você provavelmente encontrará referências a vários cristais. Consulte todos eles nesta Lista e observe qual exerce mais atração sobre você. Esse será o mais apropriado no seu caso.

Geodo de calcedônia

COMO IDENTIFICAR UM CRISTAL
A origem de cada cristal é descrita no quadro logo abaixo da entrada, junto com a descrição das suas cores, da sua aparência e do seu tamanho. Isso significa que, se você vir um cristal ou ganhá-lo de presente, poderá identificá-lo.

Se precisar identificar um cristal, observe-o de perto. Repare na sua cor e formato. Ele tem cristais transparentes com terminações pontiagudas? Tem uma superfície irregular ou é arredondado e liso? Ele é denso, granulado ou translúcido? Observe as ilustrações até encontrar um cristal que se pareça com o que você tem em vista. As fotografias desta Lista mostram várias mas não todas as cores de cada pedra. Se o seu cristal for parecido com o da foto e tiver uma cor que consta na lista de cores, mas não é mostrada nas fotos, é bem provável que você tenha feito a identificação correta. (Se estiver em dúvida, você pode pedir informações numa loja de cristais.)

SERES ENCAPSULADOS NOS CRISTAIS

Muitos cristais contêm seres ou espíritos guardiões dispostos a ajudá-lo a aproveitar todo o potencial da sua pedra. Medite com o seu cristal (ver página 32) para entrar em contato com esses seres. Você talvez descubra que o ser encapsulado no seu cristal está em outra dimensão e usa a pedra como uma ponte. Alguns cristais têm o seu próprio anjo ou uma conexão com seres iluminados.

Ser da calcedônia azul

ÁGATA

*Ágata natural
(fatiada)*

COR	Incolor ou branco leitoso, cinza, azul, verde, rosa, marrom, com freqüência colorida artificialmente
APARÊNCIA	Cerosa e macia, geralmente com bandas, às vezes translúcida e pequenos cristais, de vários tamanhos. Às vezes vendida em fatias coloridas artificialmente, sem propriedade terapêutica
RARIDADE	Comum
ORIGEM	Estados Unidos, Índia, Marrocos, República Tcheca, Brasil, África

LISTA DE CRISTAIS

ATRIBUTOS Formado de cristais de quartzo microscópicos com padronagem em bandas, este é um cristal muito estável. As ágatas são pedras que promovem o ancoramento das energias e proporcionam equilíbrio emocional, físico e intelectual. Elas ajudam a centrar e estabilizar a energia física.

A ágata tem o poder de harmonizar yin e yang, as forças positiva e negativa que mantêm o equilíbrio do universo. Por ser uma pedra calmante e suavizante, ela tem uma ação paulatina, mas de grande força. As suas múltiplas camadas podem trazer à luz informações ocultas.

Do ponto de vista psicológico, a ágata promove a suave aceitação do próprio eu, estimulando a confiança em nós mesmos. Ela ajuda na análise de nós mesmos e na percepção de circunstâncias ocultas, levando-nos a prestar atenção a qualquer indisposição* que esteja interferindo no nosso bem-estar.

A ágata intensifica as faculdades mentais, ao mesmo tempo em que melhora a concentração, a percepção e a capacidade analítica, facilitando a descoberta de soluções práticas. O amor da ágata pela honestidade nos estimula a expressar a nossa própria verdade. A ágata com cristais incolores pode estimular a memória.

Do ponto de vista emocional, esse cristal transmuta a negatividade e a amargura. Ele expurga a raiva reprimida, promovendo o amor e estimulando a coragem para recomeçar. É útil em todos os casos de trauma emocional, pois gera uma sensação de segurança, dissipando a tensão interior.

Do ponto de vista espiritual, a ágata eleva a consciência e a conecta com a consciência coletiva e com a percepção da unidade da vida. Ela estimula a contemplação silenciosa e a assimilação das experiências da vida, promovendo o crescimento espiritual e a estabilidade interior.

CURA A ágata estabiliza a aura*, eliminando e transformando energias negativas. O seu efeito purificador é poderoso tanto no nível físico quanto no emocional. Colocada sobre o coração, ela cura indisposições emocionais que impedem a aceitação do amor. Sobre o abdome ou ingerida em forma de elixir, a ágata estimula o processo digestivo e alivia a gastrite. Essa pedra também cura os olhos, o estômago e o útero; limpa o sistema linfático e o pâncreas; fortalece os vasos sanguíneos e cura problemas de pele.

LISTA DE CRISTAIS

POSIÇÃO Segure-a ou coloque-a no local do corpo afetado.

CORES E TIPOS ESPECÍFICOS Além dos atributos genéricos, as cores a seguir têm propriedades adicionais:

A **ágata verde e azul** geralmente é vitrificada artificialmente e não tem propriedades terapêuticas.

Ágata azul (natural)

A **ágata verde** aumenta a flexibilidade mental e emocional e facilita a tomada de decisões. Ela também é útil na resolução de disputas.

A **ágata cor-de-rosa** promove o amor entre pais e filhos. Posicionada sobre o coração, ela exerce o seu efeito máximo.

Ágata verde

A **ágata de Botswana**, encontrada apenas nesse país da África, é excelente para qualquer pessoa que tenha ligações com fogo ou fumaça. É benéfico para fumantes e para aqueles que querem parar de fumar. A ágata de Botswana busca soluções em vez de remoer problemas. Ajuda-nos a explorar territórios desconhecidos e a nossa própria criatividade. No nível mental, leva-nos a ter uma visão de conjunto. No nível emocional, libera suavemente qualquer tipo de repressão. Essa ágata muitas vezes tem nódulos ou olhos concêntricos e, por ser cinza e muitas vezes apresentar um nódulo, parece um cérebro, órgão com o qual tem sintonia. É particularmente útil para ajudar o corpo a assimilar oxigênio, o que beneficia o sistema circulatório e a pele. Também combate a depressão. No nível extrafísico, ela estimula o chakra* da coroa, energizando o campo áurico.

Ágata cor-de-rosa

ÁGATA RENDADA AZUL

TAMBÉM CONHECIDA COMO ÁGATA BLUE LACE

Polida e rolada

Bruta

COR	Azul pálido com linhas brancas ou mais escuras
APARÊNCIA	Com bandas, muitas vezes pequena e rolada
RARIDADE	Fácil de obter
ORIGEM	Est. Unidos, Índia, Marrocos, Rep. Tcheca, Brasil, África

PROPRIEDADES ADICIONAIS A ágata rendada azul é uma maravilhosa pedra de cura. A sua energia suave refrigera e relaxa, promovendo a paz de espírito. É particularmente eficaz para ativar e curar o chakra* da garganta, permitindo a livre expressão de pensamentos e sentimentos. Ela abre caminho para a experiência de energias superiores. Essa é uma das grandes pedras nutrizes, que oferecem apoio e alimento espiritual. Ela neutraliza a raiva, infecções, inflamações e febres.

Do ponto de vista psicológico, a ágata rendada azul combate a repressão e a supressão de sentimentos que se originam do medo de sermos julgados e rejeitados. O julgamento está muitas vezes presente nos relacionamentos entre pais e filhos, tanto na infância quanto na idade adulta. Em resultado, os sentimentos são recalcados e a falta de expressão de si mesmo bloqueia o chakra da garganta e pode afetar o peito – causando uma sensação de sufocamento. A ágata rendada azul dissipa suavemente antigos padrões de repressão e estimula novas maneiras de expressão. Ela é útil para homens que precisam liberar e aceitar a sua sensibilidade e natureza sentimental.

Do ponto de vista mental, a ágata rendada azul auxilia a expressão verbal de pensamentos e sentimentos e combate o estresse mental. Do ponto de vista emocional, as energias de paz e tranqüilidade irradiadas dessa pedra neutralizam sentimentos de raiva.

Do ponto de vista espiritual, a ágata rendada azul limpa o chakra da garganta, de modo que se possam expressar verdades espirituais mais elevadas. Essa é uma pedra que liga o pensamento à vibração espiritual e promove a paz profunda.

CURA A ágata rendada azul é um poderoso agente de cura da garganta. O poder que ela tem de combater bloqueios à expressão de si mesmo ameniza problemas nos ombros e no pescoço, deficiências na tireóide e infecções de garganta ou linfáticas. Ela baixa a febre e remove bloqueios do sistema nervoso, além de tratar a artrite e deformidades ósseas, fortalecer os ossos e ajudar na solidificação de ossos fraturados. Essa ágata também beneficia os vasos capilares e o pâncreas. Na forma de elixir, ela trata os desequilíbrios do fluido cerebral e a hidrocefalia. A ágata rendada azul também pode ser usada para intensificar a cura pelo som – ela concentra e direciona o som para o lugar apropriado.

POSIÇÃO Como for mais apropriado, particularmente na garganta.

ÁGATA DENDRÍTICA

CONHECIDA TAMBÉM COMO ÁGATA-ÁRVORE

Modelada e polida

COR	Incolor, marrom, verde
APARÊNCIA	Transparente com marcas semelhantes aos ramos de uma árvore, muitas vezes pequena e rolada
RARIDADE	Fácil de obter
ORIGEM	Estados Unidos, República Tcheca, Índia, Islândia, Marrocos, Brasil

PROPRIEDADES ADICIONAIS A ágata dendrítica é conhecida como a pedra da plenitude. Ela traz abundância e plenitude a todas as áreas da vida, incluindo os negócios e a agricultura. Pode ser usada para garantir colheitas abundantes ou para conservar a saúde das plantas de estufa.

A ágata dendrítica cria um ambiente pacífico, tanto interior quanto exteriormente, e nos estimula a aproveitar cada momento da vida. Esse cristal tem uma conexão particularmente forte com o reino vegetal e pode intensificar a comunicação com esse reino. Tudo depende da nossa própria ligação com a terra.

Essa ágata, no entanto, tem efeitos lentos e demora para mostrar toda a sua eficiência.

Do ponto de vista psicológico, a ágata dendrítica nos motiva a nos manter centrados em períodos de discórdia ou confusão, trazendo estabilidade. Ela nos leva a perseverar e a ver as dificuldades como desafios.

Do ponto de vista espiritual, a ágata dendrítica nos estimula a preservar a ligação com as nossas raízes, à medida que crescemos. Ela abre e alinha os chakras*, ajudando-os a integrar-se à consciência mais elevada.

CURA Num nível sutil, a ágata dendrítica cura indisposições* causados pelo desequilíbrio dos chakras*. Dentro do corpo, ela entra em sintonia com tudo o que tenha ramificações, como os vasos sanguíneos e os nervos. Cura o sistema nervoso e doenças como a nevralgia. Essa pedra trata problemas ósseos e realinha o esqueleto com a nossa realidade física. A ágata dendrítica reverte a degeneração dos capilares e estimul o sistema circulatório. Colocada no local da dor ou da lesão, ela tem um efeito analgésico. É uma pedra útil para curar plantas e a própria Terra. Ela estabiliza os vórtices dentro do campo energético do planeta e pode amenizar a tensão geopática* ou as "linhas leys* prejudiciais".

POSIÇÃO Segure-a ou coloque-a no ponto mais apropriado. Use por longos períodos para aproveitar todo o seu potencial. Enterre-a em vasos de plantas.

ÁGATA-DE-FOGO

Formação natural

COR	Marrom-avermelhado, laranja, azul, verde
APARÊNCIA	Retorcida, luminescente, pequena
RARIDADE	Obtida em lojas especializadas
ORIGEM	Estados Unidos, República Tcheca, Índia, Islândia, Marrocos, Brasil

PROPRIEDADES ADICIONAIS A ágata-de-fogo tem uma ligação profunda com a terra, e a sua energia calmante causa uma sensação de segurança e proteção. Com grande poder de aterramento, ela dá sustentação durante períodos de dificuldade.

A ágata-de-fogo tem uma forte função protetora, especialmente contra o mau-olhado. Ela constrói um escudo protetor em torno do corpo, manda de volta para a fonte energias negativas, de modo que a pessoa compreenda o mal que está causando. Do ponto de vista físico, a ágata-de-fogo, como o nome sugere, tem uma ligação com o elemento Fogo e aumenta a libido, "incendeia" o chakra* da base e estimula a vitalidade em todos os níveis. Do ponto de vista psicológico, a ágata-de-fogo dispersa o medo e instila uma sensação de segurança.

Quando seguramos essa pedra nas mãos, ela estimula a introspecção, inspirando soluções espontâneas para problemas interiores. Ajuda a eliminar obsessões e desejos destrutivos e pode ser útil no tratamento de vícios.

Do ponto de vista espiritual, essa pedra protetora favorece o relaxamento, dando ao corpo a sensação de "amolecer" e facilitando a meditação. Considerada a representação da perfeição absoluta, ela instila força espiritual e ajuda na evolução da consciência.

CURA Essa pedra cura o estômago, o sistema nervoso e o sistema endócrino, além das doenças circulatórias. Ela beneficia os olhos, melhora a visão noturna e clareia a visão interior, nos níveis intuitivos, e exterior, nos níveis físicos. Ela está em sintonia com o meridiano triplo-queimador* e pode ser aplicada nesse local para restabelecer o equilíbrio, reduzindo as ondas de calor da menopausa e resfriando o corpo. A ágata-de-fogo traz vitalidade ao corpo, evitando o esgotamento. Colocada sobre o chakra* do terceiro olho, ela restabelece as suas funções normais. Num nível sutil, a ágata-de-fogo elimina os bloqueios etéricos e energiza a aura*.

POSIÇÃO A ágata-de-fogo pode ser usada por longos períodos ou colocada sobre a cabeça ou outras regiões do corpo, quando apropriado.

ÁGATA-MUSGO

Polida *Rolada*

COR	Verde, azul, vermelho, amarelo, marrom
APARÊNCIA	Transparente ou translúcida com marcas semelhantes a musgo ou folhagem, em geral pequena e rolada
RARIDADE	Comum
ORIGEM	Estados Unidos, Austrália, Índia

PROPRIEDADES ADICIONAIS Pedra estabilizadora com forte ligação com a natureza, a ágata-musgo revigora a alma e inspira a pessoa a ver a beleza à sua volta. Ajuda na redução da sensibilidade ao tempo e a poluentes ambientais. Esta pedra é extremamente benéfica para qualquer pessoa que trabalhe na agricultura ou se dedique à botânica.

Pedra dos nascimentos, a ágata-musgo ajuda as parteiras em seu trabalho, minorando as dores de parto e garantindo um nascimento tranqüilo.

Ela é a pedra dos novos começos e elimina bloqueios ou amarras espirituais. Pedra associada à riqueza, ela atrai abundância.

A ágata-musgo pode servir a um duplo propósito. Ela ajuda os mais intelectuais a entrar em contato com os sentimentos intuitivos e, inversamente, ajuda pessoas intuitivas a canalizar a sua energia de maneiras práticas.

Do ponto de vista psicológico, a ágata-musgo aumenta a auto-estima e fortalece os traços de personalidade positivos. Ela diminui o medo e o estresse profundamente arraigado. Também ajuda a desenvolver a força pessoal e um relacionamento melhor com as outras pessoas, além de estimular a expansão do espaço e do crescimento pessoais. Ela fortalece a capacidade de tentar novamente, inspirando novas idéias depois de um período de estagnação.

Do ponto de vista mental, a ágata-musgo promove a expressão de si mesmo e a comunicação. Equilibra as emoções, reduz o estresse e reduz o medo. Incentiva a confiança e a esperança, por ser uma pedra extremamente otimista. É útil para qualquer pessoa que sofre de depressão decorrente das circunstâncias da vida ou de desequilíbrios cerebrais. Não importa quão difíceis possam ser as circunstâncias, a ágata-musgo esclarece as razões que estão por trás delas.

CURA A ágata-musgo acelera a recuperação. Ela também pode ser usada para combater doenças prolongadas. É antiinflamatória, limpa o sistema circulatório e eliminatório, estimula o fluxo linfático e fortalece o sistema imunológico. Essa pedra também combate a depressão causada por desequilíbrios entre os lados direito e esquerdo do cérebro. Ajuda a prevenir a hipoglicemia e a desidratação, trata infecções, gripes e resfriados, e baixa a febre. Ela é antiinflamatória e reduz inchaços e nódulos linfáticos. Quando aplicada na pele na forma de elixir, a ágata-musgo combate fungos e infecções de pele.

POSIÇÃO Coloque-a ou segure-a no ponto apropriado, em contato com a pele.

LISTA DE CRISTAIS

AMAZONITA

Polida e rolada

Bruta

COR	Verde, azul
APARÊNCIA	Opalescente com veios, vários tamanhos, às vezes rolada
RARIDADE	Comum
ORIGEM	Estados Unidos, Rússia, Canadá, Brasil, Índia, Moçambique, Namíbia, Áustria

ATRIBUTOS A amazonita tem uma poderosa ação filtrante. No nível físico, ela bloqueia o estresse geopático*, absorve microondas e as emanações eletromagnéticas do telefone celular, além de proteger contra a poluição eletromagnética. Ela deve ser colocada entre a pessoa e a fonte de poluição ou fixada no telefone celular com uma fita adesiva. No nível mental, ela filtra as informações que passam pelo cérebro e as combina com a intuição.

Essa é uma pedra extremamente calmante. Tranqüiliza o cérebro e o sistema nervoso, além de alinhar o corpo físico com o etérico*, mantendo uma saúde perfeita. Ela equilibra as energias masculina e feminina e muitos aspectos da personalidade. É uma pedra que nos ajuda a ver ambos os lados de um problema ou diferentes pontos de vista. No nível emocional, a amazonita suaviza traumas emocionais, aliviando a preocupação e o medo. Também ameniza energias negativas e irritações.

Do ponto de vista espiritual, o elixir de amazonita é extremamente benéfico para todos os níveis de consciência. A pedra em si ajuda na manifestação do amor universal.

CURA A amazonita cura e abre tanto o chakra* da garganta quanto o do coração, intensificando a comunicação amorosa. Ela também abre o terceiro olho* e estimula a intuição. Essa pedra dissipa a energia negativa e bloqueios do sistema nervoso. Combate a osteoporose, a queda dos dentes, a deficiência de cálcio, depósitos de cálcio e as deficiências metabólicas que causam esses problemas. O elixir retifica os problemas relacionados ao cálcio. A amazonita também alivia espasmos musculares. Uma das suas propriedades principais é a proteção que ela dá contra os efeitos nocivos de microondas e de outras fontes de neblina* eletromagnética.

POSIÇÃO Segure ou coloque sobre o lugar afetado, ou use como proteção contra as microondas. Coloque perto de computadores ou fixe no telefone celular com uma fita adesiva.

ÂMBAR

Lapidado

Amarelo, transparente

COR	Marrom-dourado ou amarelo – o verde é colorido artificialmente
APARÊNCIA	Resina opaca ou transparente, com inclusões de insetos ou partes vegetais, vários tamanhos
RARIDADE	Fácil de obter
ORIGEM	Grã-Bretanha, Polônia, Itália, Romênia, Rússia, Alemanha, Mianmar, Dominica

ATRIBUTOS Falando estritamente, o âmbar não é de fato um cristal. Ele é uma resina de árvore que se solidificou e se tornou um fóssil. O âmbar tem uma ligação forte com a terra e é uma pedra que aterra energias superiores. Ele é um poderoso agente de cura e purificação que "absorve" a indisposição do corpo e promove a revitalização dos tecidos. Também purifica o ambiente e os chakras*. Absorve energia negativa e a transmuta em forças positivas que estimulam o corpo a curar-se. Poderoso protetor, o âmbar conecta o eu cotidiano à realidade espiritual superior.

Do ponto de vista psicológico, o âmbar traz estabilidade à vida, mas também motivação, criando uma ligação entre um desejo e o impulso para concretizá-lo. As suas energias cálidas e brilhantes se traduzem numa disposição espontânea e radiante que, não obstante, respeita a tradição. Ele pode ajudar contra tendências suicidas ou depressão.

Do ponto de vista mental, o âmbar estimula o intelecto, ameniza a depressão e promove um estado mental positivo e a expressão criativa de nós mesmos. Ele traz equilíbrio e paciência, além de estimular a tomada de decisões e a memória. A sua flexibilidade dissipa oposições. Do ponto de vista emocional, o âmbar inspira tranqüilidade e aumenta a confiança. Do ponto de vista espiritual, ele promove o altruísmo e traz sabedoria.

CURA O âmbar é um poderoso purificador e agente de cura chákrico. No nível físico, ele imbui o corpo de vitalidade e tem o poder de "absorver" a doença do corpo. Absorvendo a dor e a energia negativa, ele dá possibilidade para que o corpo recupere o equilíbrio e cure a si mesmo. O âmbar também alivia o estresse. Por estar em sintonia com a garganta, ele combate o bócio e outros problemas de garganta. Ele trata o estômago, o baço, os rins, a bexiga, o fígado e a vesícula biliar. Alivia problemas nas articulações e fortalece as membranas mucosas. Na forma de elixir e para curar feridas, é um excelente antibiótico natural. Pode estimular o chakra* do umbigo e ajudar a ancorar as energias no corpo.

POSIÇÃO Use por períodos prolongados, especialmente no pulso ou na garganta, ou no lugar que for mais apropriado. No tratamento de bebês ou crianças pequenas, convém que a mãe use a pedra primeiro.

AMETISTA

Ametista roxa

COR	Do roxo ao violeta-claro
APARÊNCIA	Cristais pontiagudos, transparentes. Pode ser um geodo, um aglomerado ou uma ponta de cristal. Todos os tamanhos
RARIDADE	Um dos cristais mais comuns que existem
ORIGEM	Estados Unidos, Grã-Bretanha, Canadá, Brasil, México, Rússia, Sri Lanka, Uruguai, África Oriental, Sibéria, Índia

ATRIBUTOS A ametista é uma pedra extremamente poderosa e protetora, com uma vibração altamente espiritual. Ela nos protege contra ataques psíquicos*, transmutando a energia em amor. Calmante natural, a ametista bloqueia o estresse geopático* e as energias negativas do ambiente. A sua serenidade favorece a meditação e estados de consciência mais elevados. Essa pedra tem um forte poder de cura e purificação, além de aguçar a percepção espiritual. Por tradição era usada para prevenir a embriaguez e devolver a sensatez a pessoas superindulgentes e entregues a paixões físicas, favorecendo a sobriedade. Ela combate vícios e bloqueios de todos os tipos. Usada num nível mais elevado, a ametista abre a percepção para outra realidade.

A ametista é extremamente benéfica para a mente, acalmando-a ou estimulando-a de acordo com a necessidade. Durante a meditação, ela desvia os pensamentos de questões mundanas e inspira tranqüilidade e uma compreensão mais profunda. Do ponto de vista mental, ela ajuda a nos sentirmos menos dispersos, mais focados e no controle das nossas faculdades mentais. Favorece a assimilação de novas idéias e conecta causas a efeitos.

Essa pedra facilita o processo de tomada de decisões, trazendo bom senso e idéias do plano espiritual, e possibilitando que essas decisões e idéias sejam colocadas em prática. Do ponto de vista mental, ela acalma e sintetiza, e ajuda na transmissão de sinais neurais através do cérebro. Ela é útil quando a insônia é causada por uma mente hiperativa e protege contra pesadelos recorrentes. A ametista estimula a memória e aumenta a motivação, tornando-nos mais aptos a estabelecer metas realistas. Pode favorecer a recordação e interpretação dos sonhos e facilitar o processo de visualização.

A ametista equilibra os nossos altos e baixos, promovendo o centramento emocional. Ela dissipa a raiva, o ódio, o medo e a ansiedade; e ajuda a suportar a perda, aliviando a tristeza e a dor.

A ametista é uma das pedras mais espirituais que se conhece: promove o amor pelo divino, faz revelações acerca da sua natureza verdadeira e estimula o altruísmo e a sabedoria espiritual. Ela abre a intuição e intensifica os dons psíquicos. Trata-se de uma excelente pedra para a meditação e a escriação*, e pode ser colocada sobre o terceiro olho* para estimulá-lo. Durma com uma ametista se quiser ter experiências fora do corpo* e sonhos intuitivos. Essa pedra transmuta energias "inferiores", levando-as a atingir as freqüências mais elevadas dos reinos espiritual e etérico*.

CURA A ametista estimula a produção de hormônios e regulariza o sistema endócrino e o metabolismo. Ela fortalece os órgãos de excreção e eliminação, e o sistema imunológico. Excelente purificador do sangue, esse cristal alivia o estresse ou dor física, emocional e psicológica, e bloqueia o estresse geopático*. Ameniza dores de cabeça e a tensão. Reduz contusões, machucados e inchaços, e trata problemas de audição. Cura as doenças do pulmão e do trato respiratório, problemas de pele, distúrbios no nível celular e doenças do trato digestivo. É benéfica para os intestinos, regula a flora intestinal, elimina parasitas e estimula a reabsorção de água. A ametista trata a insônia e promove um sono reparador.

Num nível mais sutil, a ametista harmoniza e conecta os corpos* físico, mental e emocional, ligando-os ao espiritual. Ela limpa a aura* e transmuta a energia negativa, além de estimular os chakras* da garganta e da coroa. É útil para pessoas prestes a fazer a passagem para o mundo espiritual. Ela pode estabilizar problemas psiquiátricos, mas não deve ser usada em casos de paranóia ou esquizofrenia.

POSIÇÃO Use-a ou coloque-a da maneira mais apropriada, especialmente na forma de jóias. Os aglomerados e geodos podem ser colocados no ambiente, e as pontas de cristal podem ser usadas para a cura. Coloque a ponta voltada para você, para que ela absorva energia e depois a afaste para que ela projete essa energia em outra direção. A ametista é especialmente benéfica quando usada sobre a garganta ou o coração. Para insônia ou pesadelos, coloque-a embaixo do travesseiro. A cor da ametista empalidece à luz do Sol.

Ponta de Ametista

LISTA DE CRISTAIS

CORES ESPECÍFICAS Além das propriedades genéricas, as cores e formas a seguir têm propriedades adicionais:

A **ametista violeta-lavanda** tem uma vibração particularmente alta. Os cristais lilases de dupla terminação estimulam as ondas cerebrais beta. Ela também tem um efeito estimulante e depois calmante sobre os chakras* da garganta e do coração. As "flores" violeta trazem luz e amor para os ambientes.

A **ametista Chevron** é um dos melhores estimulantes do terceiro olho*. Ela estimula a visão interior, intuitiva, e a exterior, física, e também as viagens fora do corpo. Tem uma energia poderosamente focada que dissipa e repele a negatividade. Essa pedra limpa a aura e ajuda no diagnóstico áurico. Tem um poderoso campo terapêutico, que harmoniza os órgãos do corpo e estimula o sistema imunológico. Ela ajuda a encontrar e implementar soluções positivas para qualquer problema.

Flor de ametista lavanda

A **ametista-abacaxi** tem pequenos nódulos que cobrem as laterais sobre as quais surgem as terminações pontiagudas. Parecida com as torres de um castelo de contos de fadas, a ametista-abacaxi facilita o contato com os reinos místicos e de contos de fadas e estimula a imaginação. Trata-se de um poderoso agente de cura arquetípico para a família e para os mitos coletivos.

Bastão de ametista

Aglomerado de ametista-abacaxi

AMETRINA

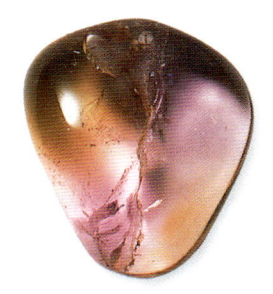

Polida *Bruta*

COR	Roxo e amarelo
APARÊNCIA	Cristal transparente, combinação de ametista e citrino, muitas vezes pequeno e rolado
RARIDADE	Fácil de obter, mas oriundo de uma única mina
ORIGEM	Bolívia

ATRIBUTOS A ametrina é uma combinação poderosa de ametista e citrino. Ela age com rapidez e eficácia e é particularmente útil em doenças prolongadas, pois revela intuitivamente a causa de indisposições*. A ametrina conecta o reino físico à consciência superior. Facilita as viagens astrais*, dá proteção durante essas jornadas e ameniza ataques psíquicos*. Elimina estresse e tensões da cabeça, acalma a mente e foca a atenção na meditação. Essa pedra abre o terceiro olho, promovendo a cura e a divinação. Ela une as energias masculina e feminina.

Do ponto de vista psicológico, a ametrina aumenta a compatibilidade e a aceitação entre as pessoas. Mostra a ligação entre elas, sobrepujando o preconceito. Pedra extremamente energética, a ametrina estimula a criatividade e nos ajuda a assumir o controle da nossa própria vida. É uma pedra que pode superar aparentes contradições.

Do ponto de vista mental, a ametrina proporciona clareza, harmonizando percepção e ação. Ela aumenta a concentração e ajuda o raciocínio, estimulando a exploração de todas as possibilidades e a descoberta de soluções. Ela leva o intelecto a transcender a realidade diária e a ligar-se à consciência superior.

Do ponto de vista emocional, a ametrina ameniza bloqueios, inclusive programações* e expectativas emocionais negativas, facilitando a transformação e trazendo à tona as causas subjacentes do sofrimento emocional. A ametrina promove o otimismo e um bem-estar que não é perturbado por influências externas indesejáveis.

CURA A ametrina tem uma ação profunda. As suas poderosas propriedades purificantes dispersam a negatividade da aura* e as toxinas do corpo. Excepcional purificador e energizador do sangue, ele regenera o corpo físico e fortalece o sistema imunológico, auxilia o sistema nervoso autônomo e a maturação física, estabiliza o DNA/RNA e oxigena o corpo. A ametrina cura a síndrome da fadiga crônica (SFC)*, sensações de queimação, depressão, distúrbios gástricos e úlceras, fadiga e letargia, dores de cabeça provocadas por tensão e doenças relacionadas ao estresse. Também elimina bloqueios nos corpos sutis* físico, emocional e mental.

POSIÇÃO Use-a diretamente sobre o corpo durante períodos prolongados, na região do plexo solar. Segure a ametrina na mão para que questões profundamente enraizadas venham à tona e possam ser expressas e curadas.

LISTA DE CRISTAIS

ANGELITA

Fatiada e ligeiramente polida

COR	Azul e branco, às vezes estriado de vermelho
APARÊNCIA	Pedra opaca, muitas vezes com veios parecidos com asas e de bom tamanho
RARIDADE	Fácil de obter
ORIGEM	Grã-Bretanha, Egito, Alemanha, México, Peru, Polônia, Líbia

ATRIBUTOS A angelita é uma das "pedras de percepção" da Nova Era. Ela representa a paz e a fraternidade. Como o nome sugere, a angelita facilita o contato consciente com o reino angélico*. Ela estimula a comunicação telepática e viagens fora do corpo*, ao mesmo tempo em que mantém a consciência da realidade cotidiana.

A angelita é uma pedra poderosa para agentes de cura, pois aprofunda a sintonização e aguça a percepção. Ela também protege o ambiente e o corpo, especialmente quando tomada em forma de elixir.

A angelita se forma da celestita (ver página 96) comprimida durante milhões de anos e tem as mesmas propriedades dessa pedra.

Do ponto de vista psicológico, a angelita nos ajuda a expressar a nossa verdade, seja ela qual for. Também nos ajuda a ser mais compassivos e tolerantes, especialmente com relação ao que não pode ser mudado. Ela alivia a dor psicológica e combate a crueldade. Do ponto de vista mental, a angelita costuma ser usada para estimular a compreensão astrológica e para aprofundar o entendimento da matemática. Ela também facilita o contato telepático entre as mentes.

Do ponto de vista espiritual, a angelita é plena de compaixão. Ela transforma a dor e a desordem em completude e cura, abrindo o caminho para a inspiração espiritual. Suscita um profundo sentimento de paz e tranqüilidade. Facilita a conexão com o conhecimento universal e aumenta a percepção. A angelita também facilita o processo de renascimento, estimula a cura e abre portas para a canalização* psíquica.

CURA Aplicada nos pés, a angelita desbloqueia os meridianos* e fluxos energéticos. Ela se sintoniza com a garganta, aliviando inflamações e desequilíbrios da tireóide e da paratireóide. Essa pedra calmante repara os tecidos e vasos sanguíneos, regulando os fluidos dentro do corpo físico, além de servir como diurético. É útil no controle de peso e se relaciona particularmente aos pulmões e aos braços. A angelita pode trazer alívio para a dor causada por queimaduras de sol. Num nível sutil, ela equilibra o corpo físico com os reinos etéricos.

POSIÇÃO Segure-a ou coloque-a sobre o corpo do modo mais apropriado.

ANIDRITA

Formação natural

COR	Incolor, azul, cinza
APARÊNCIA	Longos cristais laminados ou pequenos, geralmente sobre a matriz
RARIDADE	Obtido em lojas especializadas
ORIGEM	Itália

ATRIBUTOS A anidrita dá sustentação e força no plano físico. Promove a aceitação do corpo físico como receptáculo transitório da alma. Ajuda-nos a encarar com equanimidade o que o amanhã pode nos reservar. É útil para pessoas que relutam em aceitar a encarnação e que anseiam pelo estado pós-morte. Ensinando a aceitar tudo o que a vida traz, amenizando o apego ao passado, essa pedra contribui com a terapia de vidas passadas, mostrando a dádiva que representa cada aspecto do presente.

CURA A anidrita trata problemas na garganta, especialmente aqueles que decorrem da dificuldade de expressão por meio do corpo físico. Ela elimina a retenção ou excesso de líquidos e diminui inchaços.

POSIÇÃO Coloque-a sobre a garganta ou sobre o timo.

APATITA

Azul

COR	Amarelo, verde, cinza, azul, branco, roxo, marrom, marrom-avermelhado, violeta
APARÊNCIA	Cristal hexagonal opaco, às vezes transparente, vítreo; vários tamanhos, muitas vezes rolado
RARIDADE	O azul é fácil de obter, o amarelo é raro
ORIGEM	México, Noruega, Rússia, Estados Unidos

ATRIBUTOS A apatita tem propriedades inspiracionais. Servindo como uma interface entre a consciência e a matéria, essa é uma pedra de manifestação que promove uma atitude humanitária, com pendor para o serviço. A apatita está em sintonia com o futuro; no entanto, conecta você a vidas passadas. Ela desenvolve dons psíquicos e a sintonização espiritual, aprofunda a meditação, eleva a energia kundalini* e facilita a comunicação e a expressão de nós mesmos em todos os níveis.

Do ponto de vista psicológico, a apatatia aumenta a motivação e as reservas de energia. Induz a abertura e a desenvoltura em sociedade, incentivando a extroversão e diminuindo a indiferença e a alienação. Ela desvia a negatividade contra si mesmo e os outros e ajuda crianças supostamente hiperativas e autistas.

Estimulando a criatividade e o intelecto, a apatita esclarece confusões e facilita o acesso a informações que podem ser usadas pelo bem de uma pessoa ou da coletividade. Ela expande o conhecimento e a verdade, minorando o sofrimento, a apatia e a raiva. Reduz a irritabilidade e a exaustão emocional. Liberando energia do chakra* da base, ela ameniza a frustração e endossa a paixão sem culpa.

CURA A apatita cura os ossos e estimula a formação de novas células. Ela ajuda na absorção de cálcio e beneficia a cartilagem, os ossos, os dentes e as funções motoras, além de amenizar a artrite, os problemas nas articulações e o raquitismo. Essa pedra modera a fome e acelera o metabolismo, estimulando a alimentação saudável; cura as glândulas, os meridianos* e os órgãos; e diminui a hipertensão. Equilibra os corpos físico, emocional, mental e espiritual, e os chakras*, diminuindo a hiperatividade e combatendo o sedentarismo. Usado com outros cristais, a apatita intensifica os resultados.

POSIÇÃO Use sobre a pele, na parte afetada, ou coloque-a no lugar mais necessário.

CORES ESPECÍFICAS Além dos atributos genéricos, as cores a seguir têm propriedades adicionais:

A **apatita azul** nos conecta a um nível muito elevado de orientação espiritual. Ela torna mais fácil falar em público, melhora a comunicação em grupo, abre o chakra* da garganta e cura o coração e indisposições* emocionais.

A **apatita amarela** é um grande "eliminador", especialmente de toxinas. Ele ativa o plexo solar e absorve energia estagnada. A apatita amarela trata a síndrome da fadiga crônica*, a letargia e a depressão, além de diminuir a falta de concentração, a dificuldade de aprendizado e a má digestão. Remove celulite e trata o fígado, o pâncreas, a vesícula biliar e o baço. No nível emocional, ela neutraliza a raiva acumulada. A apatita amarela em forma de elixir serve como moderador de apetite.

Apatita amarela

APOFILITA

Aglomerado branco

COR	Incolor, branco, verde, amarelado, cor-de-pêssego
APARÊNCIA	Cristais cúbicos ou piramidais, transparentes ou opacos; desde cristais pequenos e únicos até grandes aglomerados
RARIDADE	Fácil de obter
ORIGEM	Grã-Bretanha, Austrália, Índia, Brasil, República Tcheca, Itália

ATRIBUTOS A apofilita tem um alto teor de água que a torna um eficiente condutor de energia e um repositório de Registros Akáshicos* (os registros esotéricos de tudo o que já aconteceu e que acontecerá, incluindo informações sobre vidas passadas). Pelo fato de essa pedra ser um poderoso transmissor de energia, a sua presença num cômodo aumenta as energias no ambiente. A apofilita cria uma ligação consciente entre os reinos físicos e espirituais. Durante as viagens fora do corpo*, ela mantém uma forte conexão como o corpo físico, permitindo que informações sejam transmitidas do reino espiritual para o físico. Essa pedra espiritual estimula a clarividência, a intuição e a capacidade de ver o futuro. É uma pedra excelente para a prática da escriação*.

Do ponto de vista psicológico, a apofilita promove a reflexão sobre o próprio comportamento e a correção de desequilíbrios ou faltas cometidas. Ela diminui a pretensão e a atitude reservada. Trata-se de uma pedra da verdade, que traz o reconhecimento do eu verdadeiro e permite que ele se mostre ao mundo.

Do ponto de vista mental, a apofilita tem um efeito calmante. Trata-se de um eficiente redutor do estresse, pois elimina bloqueios mentais e padrões de pensamento negativos. Reduz o desejo. No nível espiritual, a apofilita irradia amor universal nos processos de tomada de decisões e de análise, sintonizando a mente com o espírito.

Do ponto de vista emocional, a apofilita reduz emoções reprimidas. Ameniza a ansiedade, as preocupações e os medos. Acalma a apreensão e aumenta a tolerância à incerteza.

Do ponto de vista espiritual, essa pedra acalma e ancora o espírito. Ela tem uma forte ligação com o reino espiritual, ao mesmo tempo que nos faz sentir confortáveis dentro do corpo. Facilita viagens fora do corpo e a visão espiritual. Graças à sua conexão com os Registros Akáshicos, ela facilita a regressão a vidas passadas.

CURA A apofilita é considerada a pedra por excelência para ajudar na cura pelo Reiki*. Ela leva o paciente a atingir um estado profundo de relaxamento e receptividade e, ao mesmo tempo, impede que o agente de cura interfira na cura, de modo que a transmissão de energia seja mais pura.

A apofilita age sobre o sistema respiratório e, quando colocada sobre o peito, pode combater ataques de asma. Ela neutraliza alergias e promove a regeneração das mucosas e da pele. Colocada sobre os olhos, essa pedra os rejuvenesce. A apofilita é especialmente útil para curar males do espírito e para ajudá-lo a aceitar a encarnação no corpo físico.

POSIÇÃO Coloque-a no local mais apropriado. Coloque a pirâmide de apofilita sobre o terceiro olho* na hora de meditar ou canalizar. Para a escriação*, olhe o cristal pelo canto do olho.

CORES E FORMAS ESPECÍFICAS Além dos atributos genéricos, as cores a seguir têm propriedades adicionais:

A **apofilita verde** ativa o chakra* do coração e estimula a sinceridade, especialmente com relação às questões sentimentais. Ela absorve e transmite energia universal, abre o chakra do coração e permite que ele absorva essas energias universais. Ela ajuda aqueles que atravessam leitos de brasas, pois facilita o estado meditativo e resfria os pés depois da travessia. Elimina comandos hipnóticos* e outros mecanismos de controle do presente e de vidas passadas.

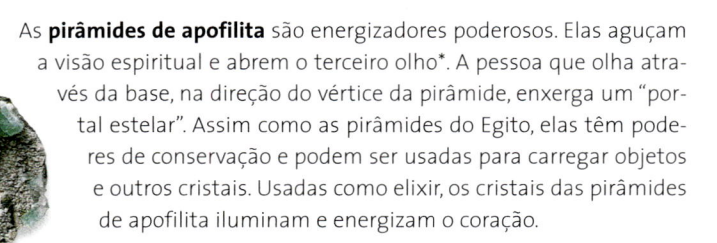

As **pirâmides de apofilita** são energizadores poderosos. Elas aguçam a visão espiritual e abrem o terceiro olho*. A pessoa que olha através da base, na direção do vértice da pirâmide, enxerga um "portal estelar". Assim como as pirâmides do Egito, elas têm poderes de conservação e podem ser usadas para carregar objetos e outros cristais. Usadas como elixir, os cristais das pirâmides de apofilita iluminam e energizam o coração.

Apofilita verde

Pirâmide de apofilita

ÁGUA-MARINHA

Transparente, bruta

COR	Verde-azulado
APARÊNCIA	Cristais transparentes ou opacos, muitas vezes pequenos e rolados ou facetados
RARIDADE	Fácil de obter
ORIGEM	Estados Unidos, México, Índia, Brasil, Índia, Irlanda, Zimbábue, Afeganistão, Paquistão

ATRIBUTOS A água-marinha é a pedra da coragem. As suas energias calmantes reduzem o estresse e aquietam a mente. Ela harmoniza o ambiente ao seu redor e protege contra poluentes. Nos tempos antigos, acreditava-se que a água-marinha combatia as forças das trevas e obtinha favores dos espíritos da luz. Era o talismã dos marinheiros contra afogamentos.

Do ponto de vista psicológico, a água-marinha tem afinidade com pessoas sensitivas. Ela tem o poder de invocar a tolerância das pessoas. Desestimula julgamentos, dá sustentação a quem quer que se sinta sobrecarregado com o peso das responsabilidades e nos estimula a assumir a responsabilidade sobre nós mesmos. Ela cria uma personalidade cheia de ânimo, persistente e dinâmica. Pode romper programas antigos de autoderrota.

A água-marinha acalma a mente e elimina pensamentos captados de outras pessoas. Filtra as informações que chegam ao cérebro e desanuvia a percepção, aguça o raciocínio e desfaz confusões. Pelo seu poder de concluir questões inacabadas, a água-marinha é útil para fechamentos em todos os níveis. Ela facilita a comunicação bloqueada e promove a expressão de nós mesmos. Essa pedra propicia o entendimento de estados emocionais subjacentes e a interpretação de sentimentos. Ela também ameniza medos e aumenta a sensibilidade.

Do ponto de vista espiritual, a água-marinha aguça a intuição e ativa a clarividência. Pedra maravilhosa para a meditação, ela evoca estados elevados de consciência e percepção espiritual e incentiva o serviço à humanidade.

A água-marinha protege a aura* e alinha os chakras*, limpando o chakra da garganta e propiciando a comunicação a partir de um plano superior. Ela também alinha o corpo físico e espiritual.

CURA A água-marinha é útil para dores de garganta, glândulas inchadas e problemas de tireóide. Ela harmoniza a pituitária e a tireóide, regula hormônios e o crescimento. Essa pedra tem um efeito tônico geral. Fortalece os órgãos de excreção do corpo e revitaliza os olhos, os maxilares e os dentes, além do estômago. É útil para pessoas que não enxergam de longe ou de perto e ameniza reações exageradas do sistema imunológico e doenças auto-imunes, como a febre do feno.

POSIÇÃO Segure ou coloque-a como for mais apropriado. Quando usada na forma de elixir, pode ser usada nos olhos.

ARAGONITA

Forma "sputinik" marrom

Forma "fantasia" branca

Forma "coral" branca

COR	Branco, amarelo, dourado, verde, azul, marrom
APARÊNCIA	Várias formas, geralmente pequenas. Cristais fibrosos e com textura de giz, translúcidos ou transparentes, com protusões bem-definidas como pequenos *sputiniks*.
RARIDADE	Obtido com facilidade
ORIGEM	Namíbia, Grã-Bretanha, Espanha

ATRIBUTOS A aragonita é um confiável agente de cura telúrico que ancora as energias. Sintonizada com a Deusa Terra, ela estimula a conservação e a reciclagem. Essa pedra transforma o estresse geopático* e desobstrui linhas leys* bloqueadas, mesmo a distância. Com a sua capacidade de centrar e ancorar a energia física, ela é útil em tempos de tensão. A aragonita estabiliza os chakras* básico e da terra, aprofundando a ligação com o planeta. Ela nos leva suavemente de volta à infância ou a um período anterior, possibilitando a exploração do passado.

Do ponto de vista psicológico, a aragonita ensina a paciência e a aceitação, e combate a hipersensibilidade. É ótima para pessoas que exigem muito de si mesmas, pois as ajuda a delegar tarefas. A energia prática dessa pedra estimula a disciplina e a confiabilidade, e ajuda no desenvolvimento de uma abordagem pragmática da vida.

Do ponto de vista mental, essa pedra nos ajuda a focar a atenção no que estamos fazendo e favorece a flexibilidade da mente e a tolerância. Ela também nos propicia vislumbres intuitivos acerca da causa dos problemas e situações. Do ponto de vista emocional, a aragonita combate a raiva e o estresse emocional, dá força e apoio.

Do ponto de vista físico, a aragonita é a pedra que nos ajuda a nos sentirmos confortáveis e à vontade dentro do nosso próprio corpo. Ela combate indisposições*, especialmente tremores e espasmos decorrentes da inquietação interior. A aragonita é uma pedra estabilizadora que ancora e centra o corpo.

Do ponto de vista espiritual, a aragonita estabiliza o desenvolvimento espiritual que está fora de controle. Por acalmar e centrar, ela restaura a harmonia e prepara a pessoa para a meditação, elevando as energias a um patamar espiritual superior e revitalizando o corpo físico.

CURA A aragonita aquece as extremidades, fazendo a energia fluir pelo corpo. Ela trata calafrios e a síndrome da mão roxa (doença de Reynaud). Cura os ossos, ajuda na absorção do cálcio e restaura a elasticidade dos discos da coluna. Também alivia a dor. A aragonita combate espasmos noturnos e musculares. Fortalece o sistema imunológico e regula processos muito acelerados. É útil para ancorar no corpo pessoas que vivem com a cabeça nas nuvens. A aragonita pode ser colocada sobre um mapa para amenizar linhas de tensão da terra.

POSIÇÃO Segure-a ou coloque-a sobre a parte do corpo afetada ou misture-a à água do banho, na forma de elixir. Coloque-a embaixo do travesseiro para combater o sono agitado. É uma pedra agradável para segurar nas mãos. Também pode ser usada como pingente para ancorar as energias.

ATACAMITA

Atacamita na matriz

COR	Verde-garrafa
APARÊNCIA	Cristais minúsculos na matriz – lembra a crisocola
RARIDADE	Muito raro, mas está cada vez mais fácil de encontrá-lo no mercado
ORIGEM	Estados Unidos, Austrália, México, Chile

ATRIBUTOS A atacamita é um cristal descoberto há pouco tempo, e as suas propriedades ainda não foram totalmente exploradas. (Se você meditar com um cristal de atacamita, ele lhe dirá como quer que você trabalhe com ele.) A atacamita é às vezes confundida com a crisocola e talvez tenha propriedades semelhantes às desse cristal.

O que sabemos é que a atacamita força a abertura do terceiro olho*, criando poderosas imagens visuais e uma forte conexão espiritual. Apesar do seu vigoroso poder energético, a atacamita é um cristal muito seguro para estimular visões espirituais e ajudar nas visualizações. Trata-se de uma pedra de grande clareza. Usada na meditação leva a alma com segurança para os níveis mais elevados possíveis.

A atacamita restaura a confiança espiritual perdida e promove a conexão com a orientação superior. Convém segurar essa pedra durante viagens fora do corpo, especialmente às esferas espirituais superiores.

A atacamita facilita a abertura do chakra* cardíaco superior, inspirando mais amor incondicional na sua vida, e estimula o timo e o sistema imunológico.

CURA A atacamita purifica os rins, eliminando o medo e promovendo a eliminação em todos os níveis. Ela é um poderoso purificante para o corpo etérico e para o chakra* do terceiro olho. Pode ser usada para curar os genitais e se diz que aumenta a resistência contra herpes e doenças sexualmente transmissíveis. Colocada na garganta, a atacamita cura a tireóide, abrindo o chakra da garganta e removendo os bloqueios à expressão de nós mesmos, que podem estar por trás do hipotireoidismo. Graças à sua tranqüilizante tonalidade verde, ela também é benéfica para o sistema nervoso, combatendo num nível sutil o estresse e nervos abalados.

POSIÇÃO Coloque-a sobre o terceiro olho* para estimular a visualização ou sobre órgãos do corpo, quando apropriado. Segure-a nas mãos durante a meditação ou viagens fora do corpo.

AVENTURINA

Azul, bruta

COR	Verde, azul, vermelho, marrom, cor-de-pêssego
APARÊNCIA	Opaca, pontilhada de partículas brilhantes, todos os tamanhos, muitas vezes rolada
RARIDADE	Fácil de obter
ORIGEM	Itália, Brasil, Índia, Rússia, China, Nepal

ATRIBUTOS A aventurina é uma pedra de prosperidade muito positiva. Ela tem uma forte ligação com o reino dévico* e é usada para "gradear"* jardins contra o estresse geopático*. A aventurina, quando usada junto ao corpo, absorve a neblina eletromagnética* e protege contra a poluição ambiental. Fixada no telefone celular com fita adesiva protege contra as emanações desse tipo de poluição. Esse cristal diminui a possibilidade de ocorrer situações negativas e as reverte nas imediações.

Do ponto de vista psicológico, a aventurina reforça o espírito de liderança e o poder de decisão. Promove a compaixão e a empatia e estimula a perseverança. Também nos leva de volta ao passado para que encontremos a causa de eventuais indisposições*. Essa pedra ameniza a gagueira e neuroses graves, levando à compreensão das razões subjacentes a esses problemas. A aventurina estabiliza o nosso estado de espírito, estimula a percepção e aumenta a criatividade. Ela mostra alternativas e possibilidades, especialmente aquelas apresentadas por outras pessoas. Essa pedra unifica os corpos mental e emocional. Acalma a raiva e a irritação. Estimula a recuperação emocional e possibilita que se viva de acordo com o próprio coração.

Do ponto de vista físico, a aventurina promove um sentimento de bem-estar. Ela regula o crescimento desde o nascimento até os 7 anos. Equilibra a energia masculina e feminina e estimula a regeneração do coração. Do ponto de vista espiritual, a aventurina protege o chakra* do coração, protegendo-o contra o vampirismo psíquico*.

CURA A aventurina beneficia o timo, os tecidos conjuntivos e o sistema nervoso. Equilibra a pressão sanguínea e estimula o metabolismo, baixando o colesterol e prevenindo a arteriosclerose e os ataques cardíacos. Ela tem um efeito antiinflamatório e ajuda a amenizar erupções de pele e alergias, combate enxaquecas e ameniza a vista cansada. A aventurina cura as glândulas supra-renais, os pulmões, os sinos nasais, o coração e os sistemas muscular e urogenital. Como elixir, ela alivia problemas de pele.

Aventurina cor-de-pêssego (bruta)

POSIÇÃO Segure-a ou coloque-a no ponto apropriado.

CORES ESPECÍFICAS Além dos atributos genéricos, as cores a seguir têm propriedades adicionais:

Aventurina verde (rolada)

A **aventurina azul** é um poderoso agente de cura mental.

A **aventurina verde** traz conforto e cura para o coração, harmonizando e protegendo-o. Ela faz com que as coisas voltem a ficar sob controle e é útil em caso de doenças malignas. Ameniza a náusea e dissipa emoções e pensamentos negativos. Sendo um agente de cura em vários sentidos, a aventurina traz bem-estar e tranqüilidade.

Aventurina vermelha (bruta)

AZEZTULITA

Bruta, opaca

COR	Sem cor ou branco
APARÊNCIA	Quartzo transparente ou opaco, com estrias, geralmente pequeno
RARIDADE	Raro e de preço alto
ORIGEM	Carolina do Norte (EUA), um único veio explorado

ATRIBUTOS Este cristal raro, guardião da luz, é uma pedra da Nova Era. A sua vibração extremamente pura, uma das mais sutis do reino mineral, está em sintonia com freqüências altíssimas, por isso traz freqüências elevadas aqui para a Terra, ajudando na evolução espiritual.

A azeztulita expande a nossa consciência e, se estivermos prontos, pode alçar a nossa percepção e vibrações a um nível mais elevado. Ao fazer isso, essa pedra nos ajuda a irradiar vibrações positivas que também beneficiam as outras pessoas. A azeztulita não precisa passar por purificações e está sempre energizada.

Quem não está acostumado a trabalhar com o reino espiritual ou com altas freqüências precisa ter cautela ao manusear esse cristal. A mudança vibracional que ele provoca é radical e pode gerar efeitos colaterais desagradáveis enquanto não for totalmente assimilada. O uso de outros cristais espirituais, como a ametrina e a água-marinha, pode preparar-nos melhor para essa mudança. Não convém empreender essa mudança antes de eliminar padrões negativos e passar por uma limpeza emocional completa. A azeztulita opaca tem uma vibração menos sutil e pode ser usada como instrumento preparatório para o trabalho com a forma mais transparente do cristal.

Do ponto de vista espiritual, a azeztulita facilita a meditação, induzindo instantaneamente a um estado de "não-mente" e gerando uma espiral de proteção em torno do corpo. Ela estimula a subida da energia kundalini* pela espinha e, por ser uma pedra de visão e inspiração, ela abre o terceiro olho* e os chakras* da coroa e da coroa superior, atingindo níveis espirituais. A azeztulita está em sintonia com a orientação espiritual que vem do futuro, por isso ela pode ajudar-nos a tomar decisões importantes.

Essa pedra ativa os pontos de ascensão na base da espinha, na parte medial do abdome e no centro do cérebro, elevando as nossas vibrações enquanto ainda estamos no corpo físico. Usada sobre o terceiro olho*, ela facilita a visão do futuro.

CURA Num nível físico, esse cristal trata o câncer, os distúrbios no nível celular e as inflamações. Combate doenças crônicas, revitalizando o propósito e restaurando a vontade. As propriedades de cura dessa pedra agem sobretudo na vibração espiritual, desobstruindo as ligações chákricas com a realidade superior e facilitando a elevação das vibrações.

POSIÇÃO Sobre o terceiro olho, sobre o chakra da coroa ou como for mais apropriado.

AZURITA

Bruta

COR	Azul profundo
APARÊNCIA	Cristais muito pequenos e brilhantes (o que não é visível quando a pedra é rolada); pedra geralmente pequena e rolada
RARIDADE	Fácil de obter, muitas vezes associada à malaquita
ORIGEM	Estados Unidos, Austrália, Chile, Peru, França, Namíbia, Rússia, Egito

ATRIBUTOS A azurita orienta o desenvolvimento psíquico e intuitivo. Incita a alma a atingir a iluminação. Purifica e estimula o terceiro olho* e o sintoniza com a orientação espiritual. Este cristal torna as viagens fora do corpo mais fáceis e seguras. Ele eleva a consciência a níveis superiores e facilita o controle sobre o desdobramento espiritual, além de induzir o estado meditativo e de canalização*. A azurita é uma poderosa pedra de cura que auxilia o entendimento dos efeitos psicossomáticos da mente e das emoções sobre o corpo.

Do ponto de vista mental, a azurita proporciona uma compreensão clara e novos pontos de vista, além de expandir a mente. Ela elimina bloqueios antigos na comunicação e estimula a memória. Também desafia as nossas visões da realidade e nos ajuda a deixar de lado sistemas de crença programados e a explorar o desconhecido sem medo, promovendo vislumbres intuitivos mais profundos e uma nova realidade. Antigas crenças emergem suavemente na mente consciente para que sejam confrontadas com a verdade.

Do ponto de vista emocional, a azurita ameniza o estresse, a preocupação, a dor e a tristeza, lançando mais luz sobre as emoções. Ela transmuta o medo e as fobias, e propicia o entendimento das razões que os causaram. Essa pedra acalma as pessoas que falam muito em decorrência do nervosismo e estimula aquelas que têm dificuldade para expressar-se.

CURA A azurita trata problemas na garganta, artrite e doenças nas articulações, além de alinhar a espinha e agir no nível celular, eliminando qualquer bloqueio ou lesão no cérebro. Ela cura problemas nos rins, na vesícula biliar e no fígado; trata o baço, a tireóide, os ossos, os dentes e a pele; e também auxilia na desintoxicação. Ela estimula o desenvolvimento do embrião no útero e, como tem uma sintonia especial com a mente e os processos mentais, contribui com a cura dos problemas mentais e alivia o estresse. Também pode revitalizar e realinhar os corpos sutis* com o físico, além de purificar os chakras*. O elixir de azurita ameniza as crises de saúde*, em que os sintomas temporariamente se agravam antes que o paciente apresente uma melhora.

POSIÇÃO Coloque a azurita sobre a mão direita, em contato com a pele, ou no lugar mais apropriado, diretamente sobre o corpo, especialmente sobre o terceiro olho*. Ela pode causar palpitações. Nesse caso, remova-a imediatamente.

COMBINAÇÃO DE PEDRAS

A **azurita com malaquita** combina as qualidades desses dois cristais e é um poderoso condutor de energia. Ela desbloqueia a visão espiritual, fortalece a capacidade de visualização e abre o terceiro olho. No nível emocional promove uma cura profunda, elimina bloqueios antigos, miasmas* ou padrões de pensamento. Também ajuda no tratamento de cãibras musculares.

Azurita com malaquita (rolada)

LISTA DE CRISTAIS

BERILO

Azul   *Dourado*

COR	Cor-de-rosa, dourado, amarelo, verde, branco, azul
APARÊNCIA	Cristais prismáticos que podem ser transparentes e piramidais, de todos os tamanhos
RARIDADE	Fácil de obter na maioria das formas, mas pode ser cara
ORIGEM	Estados Unidos, Rússia, Austrália, Brasil, República Tcheca, França, Noruega

ATRIBUTOS O berilo nos ensina a fazer apenas o que é necessário. É a pedra por excelência para quem precisa enfrentar uma vida estressante e abrir mão de bagagens desnecessárias. Esse cristal nos ajuda a entrar em sintonia com a orientação certa acerca do que devemos fazer. Por representar a pureza do ser, o berilo nos ajuda a realizar o nosso potencial e é uma excelente pedra de escriação*, muitas vezes usada em bolas de cristal. Ela abre e ativa os chakras* da coroa e do plexo solar.

Do ponto de vista psicológico, o berilo aumenta a coragem, alivia o estresse e acalma a mente. Do ponto de vista mental, com a sua capacidade de reduzir as distrações e o excesso de estímulo, favorece uma visão positiva, ao mesmo tempo que desestimula o espírito excessivamente analítico e ameniza a ansiedade. Do ponto de vista emocional, o berilo redesperta o amor dos casais que se amam, mas cujo relacionamento está desgastado.

CURA O berilo favorece os órgãos de eliminação, fortalece os sistemas respiratório e circulatório e aumenta a resistência a toxinas e poluentes. Trata o fígado, o coração, o estômago e a coluna vertebral, além de tratar os abalos e choques. O berilo é uma pedra sedativa. Como elixir pode ser usado para tratar infecções de garganta.

POSIÇÃO Coloque-o no local mais apropriado ou use-o na escriação*.

CORES ESPECÍFICAS Além dos atributos genéricos, as cores a seguir têm propriedades adicionais:

O **berilo dourado** é uma pedra vidente usada em rituais de magia. Ela é útil na escriação* e nos trabalhos de magia. Este cristal promove a pureza do ser. Ensina como ter iniciativa e independência, além de estimular a vontade de ter sucesso e a capacidade de transformar potencial em realidade. O berilo abre os chakras* da coroa e do plexo solar.

Berilo dourado (polido)

A **morganita (berilo cor-de-rosa)** atrai o amor e ajuda a conservá-lo. Ela estimula pensamentos e atitudes amorosas, abrindo espaço para que possamos apreciar a vida e aproveitá-la. Por ser uma pedra cor-de-rosa, ela ativa e purifica o chakra* do coração, alivia o estresse do dia-a-dia e beneficia o sistema nervoso. Essa pedra nos ajuda a reconhecer os nossos mecanismos de fuga, as nossas intransigências e o nosso egoísmo, que bloqueiam o nosso avanço espiritual. Ajuda-nos a tomar consciência das necessidades da nossa

Morganita (berilo cor-de-rosa)

alma que foram negligenciadas. A morganita também auxilia no reconhecimento de necessidades emocionais não-satisfeitas e de sentimentos que não foram expressos. É uma pedra poderosa para combater a resistência consciente ou inconsciente à cura e à transformação, eliminando a vitimização e abrindo o coração para receber amor e cura incondicionais. Também mantém a estabilidade do corpo emocional durante mudanças psicossomáticas. Usada na cura, a morganita trata o estresse e as doenças relacionadas a ele. Graças à sua capacidade de oxigenar as células e reorganizá-las, trata a tuberculose, a asma, o enfisema pulmonar, os problemas de coração, a vertigem, a impotência e os bloqueios pulmonares.

A **bixbita (berilo vermelho)** abre e revitaliza os chakras* da base.

(*Ver também* Esmeralda, página 126.)

LISTA DE CRISTAIS

BERILO: CRISOBERILO

Bruto   *Lapidado*

COR	Amarelo-dourado, amarelo-marrom, verde-vermelho
APARÊNCIA	Cristais tabulares transparentes. A alexandrita parece verde sob luz natural e vermelha sob luz artificial. O olho-de-gato ou cimofana tem bandas ou a aparência de um olho
RARIDADE	O crisoberilo é obtido com facilidade, o olho-de-gato pode ser caro e a alexandrita é rara
ORIGEM	Austrália, Brasil, Mianmá, Canadá, Gana, Noruega, Zimbábue, Rússia

ATRIBUTOS Uma forma de berilo, o crisoberilo é a pedra dos novos começos. Ela inspira compaixão e perdão, generosidade e confiança. Alinhada com o chakra* do plexo solar e o da coroa, ela incorpora a mente às atividades espirituais e abre o chakra da coroa, aumentando tanto o poder espiritual quanto o pessoal, além de ser excelente para a criatividade.

Do ponto de vista psicológico, o crisoberilo fortalece o sentimento de valor pessoal e combate padrões energéticos ultrapassados. Do ponto de vista mental, o crisoberilo nos ajuda a ver os dois lados de um problema ou situação, e a usar o planejamento estratégico. Do ponto de vista emocional, ela incentiva o perdão àqueles que perpetraram injustiças.

CURA Usado com outros cristais, o crisoberilo destaca a causa das indisposições*. Ele contribui para a autocura, equilibra a produção de adrenalina e combate o colesterol, além de fortificar o peito e o fígado.

FORMAS ESPECÍFICAS Além dos atributos genéricos, as formas a seguir do crisoberilo têm propriedades adicionais:

A **alexandrita** é um cristal de contrastes. Ela abre a intuição, ativa as faculdades metafísicas, aumentando a força de vontade e o magnetismo pessoal. Por ser uma pedra regeneradora, ela recupera o respeito por si e apóia o renascimento do eu interior e exterior. A alexandrita tem a capacidade de centrar, fortalecer e realinhar os corpos mental, emocional e espiritual. Ela traz alegria, expande a criatividade, provoca mudanças e intensifica a manifestação. Por suavizar as emoções, a alexandrita nos ensina a despender menos energia. Ela estimula a nossa capacidade de formar imagens, incluindo a imaginação e os sonhos. Na cura fortalece o sistema nervoso, o baço, o pâncreas e os órgãos reprodutores masculinos, além de regenerar o tecido neurológico. A alexandrita trata a má assimilação de proteína e os efeitos colaterais da leucemia e alivia a tensão dos músculos do pescoço. Ela tem uma poderosa ação desintoxicante e estimula o fígado.

Alexandrita

O **olho-de-gato** tem propriedades mágicas. Embora seja uma pedra que ancore as energias, ela estimula a intuição. Dissipa energia negativa da aura* e dá proteção. Promove a confiança, a felicidade, a serenidade e a sorte. O olho-de-gato trata os distúrbios de visão e melhora a visão noturna. Alivia as dores de cabeça e a dor facial. Use-a sobre o lado direito do corpo.

Olho-de-gato

A **cimofana** É uma forma de olho-de-gato que estimula e estabiliza o intelecto e apóia a flexibilidade mental, além de intensificar o amor incondicional.

Cimofana

LISTA DE CRISTAIS

PEDRA-DO-SANGUE

TAMBÉM CONHECIDA COMO HELIOTRÓPIO

Rolada

Bruta

COR	Vermelho e verde
APARÊNCIA	Cristais verdes salpicados de jaspe vermelho ou amarelo; em geral pedra rolada de tamanho médio
RARIDADE	Fácil de obter
ORIGEM	Austrália, Brasil, China, República Tcheca, Rússia, Índia

ATRIBUTOS Como o nome sugere, a pedra-do-sangue é um excelente purificador e um poderoso agente de cura do sangue. Acredita-se que ela tenha propriedades mágicas e místicas, além do poder de controlar o tempo e de conferir a capacidade de banir o mal e a negatividade e direcionar energias espirituais. Nos tempos antigos, dizia-se que a pedra-do-sangue era um "oráculo audível", pois produzia sons como meio de orientação. Ela intensifica a intuição e aumenta a criatividade. Excelente pedra para ancorar as energias e conferir proteção, a pedra-do-sangue repele influências indesejáveis. Estimula os sonhos e é um poderoso revitalizante.

Do ponto de vista psicológico, a pedra-do-sangue nos dá coragem e ensina a evitarmos situações perigosas, demonstrando flexibilidade e nos retraindo de maneira estratégia. Ela incentiva o altruísmo e o idealismo, e nos ajuda a reconhecer que o caos precede a transformação. Também nos ajuda a agir no aqui e agora.

Do ponto de vista mental, a pedra-do-sangue acalma a mente, dissipa a confusão e agiliza o processo de tomada de decisão. Pode revitalizar a nossa mente nos casos de exaustão mental e nos ajudar na adaptação a circunstâncias às quais não estamos acostumados.

Do ponto de vista emocional, a pedra-do-sangue ajuda a ancorar a energia do coração. Reduz a irritabilidade, a agressividade e a impaciência. Do ponto de vista espiritual, a pedra-do-sangue nos ajuda mesclar a espiritualidade com a nossa vida diária.

CURA A pedra-do-sangue é um purificador energético e estimulante imunológico que ajuda a combater infecções agudas. Ela estimula o fluxo linfático e os processos metabólicos, revitaliza e reenergiza o corpo e a mente fatigados, purifica o sangue e desintoxica o fígado, os intestinos, os rins, o baço e a bexiga. A pedra-do-sangue beneficia os órgãos com grande irrigação sanguínea, regula e favorece o fluxo sanguíneo e a sua circulação. Reduz a formação de pus e neutraliza a acidificação excessiva. Ela também ajuda nos casos de leucemia, purificando o sangue e eliminando as toxinas. Os antigos egípcios costumavam usá-la para extinguir tumores. A pedra-do-sangue pode ser usada para curar a nossa linhagem de sangue. Ela purifica os chakras* inferiores e realinha as energias.

POSIÇÃO Como for mais apropriado. Use-a continuamente para ter uma saúde perfeita. Coloque-a numa tigela com água ao lado da cama para ter um sono tranqüilo. Como estimulante imunológico, fixe-a sobre o timo.

PEDRA BOJI

Bruta

(Macho) *(Fêmea)*

COR	Amarronzado, algumas azuis
APARÊNCIA	Aparência metálica, lisa (fêmea) ou com protuberâncias angulosas (macho), tamanho médio para grande
RARIDADE	A verdadeira pedra Boji pode ser difícil de obter
ORIGEM	Estados Unidos, Grã-Bretanha

ATRIBUTOS As pedras Boji são uma das pedras mais eficientes para ancorar a energia. Elas nos fazem voltar suavemente à terra e para o nosso corpo, ancorando-nos no presente, especialmente depois de entrarmos em contato com outras realidades espirituais. Elas são extremamente úteis para pessoas que têm dificuldade para fincar os pés nesta encarnação. Têm um grande poder de proteção e são muito úteis na eliminação de bloqueios.

As pedras lisas têm energia feminina, e as protuberantes, energia masculina. As pedras Boji equilibram e revitalizam, e o par equilibra a energia masculina-feminina dentro do corpo e alinha os chakras* e os corpos sutis*.

Com uma forte ligação com a terra, as pedras Boji são benéficas para as plantas e para as colheitas. No entanto, elas podem desgastar-se se deixadas no chão ou expostas ao tempo.

Do ponto de vista psicológico, as pedras Boji lançam luz nos bloqueios de todos os níveis. Elas dão vazão a emoções bloqueadas e lembranças dolorosas. Também revelam padrões de pensamento negativos e comportamentos defensivos que sabotam a autotransformação. Trazendo à tona a causa de doenças psicossomáticas, elas dissolvem bloqueios no corpo físico ou nos sutis. Segure a pedra Boji para entrar em sintonia com a sua sombra e trazer à tona características reprimidas, descobrindo os dons que elas encobrem.

Do ponto de vista físico, as pedras Boji estimulam o fluxo de energia pelo sistema de meridianos do corpo. Do ponto de vista mental, as pedras Boji desviam a sua atenção para os registros mentais e comandos hipnóticos do passado. Essas pedras também podem estabilizar o seu corpo emocional, mas tendem a insistir que façamos o trabalho necessário primeiro.

CURA As pedras Boji curam bloqueios energéticos, aliviam a dor e estimulam a regeneração dos tecidos. Elas são úteis quando o corpo físico está desvitalizado ou nos casos de doenças incuráveis. No nível sutil, elas realinham os chakras* e eliminam "buracos" no campo áurico*.

POSIÇÃO Segure um par de pedras Boji nas mãos durante dez minutos, aproximadamente, ou coloque-as numa região dolorida ou bloqueada. Você também pode "gradear"* o assento onde medita.

As **pedras Boji azuis** têm uma vibração elevada, mas capaz de nos ancorar à Terra. Elas são extremamente úteis nas viagens fora do corpo, pois facilitam a viagem e protegem o corpo até que a alma a ele retorne.

CALCITA

Marrom, ponta

Rombóide, natural

Mangano, rolada

COR	Verde, azul, amarelo, laranja, incolor, marrom, cor-de-rosa, cinza, vermelho
APARÊNCIA	Translúcida e cerosa, muitas vezes com bandas (pode ser tratada com ácido para realçar a cor), todos os tamanhos, às vezes rolada
RARIDADE	Comum
ORIGEM	Estados Unidos, Grã-Bretanha, Bélgica, República Tcheca, Eslováquia, Peru, Islândia, Romênia, Brasil

LISTA DE CRISTAIS

ATRIBUTOS A calcita é um poderoso amplificador e purificador de energia. A simples presença de uma calcita num cômodo é suficiente para transmutar as energias negativas do ambiente e elevar as nossas energias. Dentro do corpo, ela remove energias estagnadas. O espectro de cores purifica o corpo físico e os corpos sutis. A calcita é um cristal ativo, que acelera o desenvolvimento e o crescimento. Essa é uma pedra espiritual vinculada à consciência superior, que facilita a abertura da percepção mais elevada e das faculdades psíquicas, além da canalização e das experiências fora do corpo. Ela acelera o desenvolvimento espiritual e possibilita que a alma se lembre de suas experiências ao voltar para o corpo.

Do ponto de vista psicológico, a calcita liga as emoções ao intelecto, intensificando a inteligência emocional. A calcita exerce um efeito positivo, principalmente quando perdemos as esperanças ou a motivação. Ela combate a preguiça, ajudando-nos a ter mais energia em todos os níveis.

Do ponto de vista mental, a calcita acalma a mente, ensina o discernimento e a análise, estimula vislumbres intuitivos e aumenta a memória. Também nos ajuda a saber que informação é mais importante e a conservá-la na memória. A calcita nos ajuda a traduzir idéias em ação. Ela é uma pedra muito útil para os estudos.

A calcita alivia o estresse emocional e traz serenidade. Trata-se de uma pedra estabilizadora, que aumenta a confiança em si mesmo e a capacidade de superar obstáculos. Num nível sutil, as diversas cores de calcita purificam, equilibram e revitalizam todos os chakras*, quando dispostas apropriadamente sobre cada um deles.

CURA A calcita promove uma limpeza nos órgãos do sistema excretor. Ela estimula a absorção de cálcio nos ossos, mas desfaz as calcificações, fortalecendo os ossos e articulações. Ameniza problemas intestinais e de pele. A calcita estimula a coagulação sanguínea e a reconstituição dos tecidos. Fortalece o sistema imunológico e pode acelerar o crescimento de crianças pequenas. Essa pedra também tem um efeito rápido na forma de elixir e pode ser aplicada na pele, ulcerações, verrugas e feridas supuradas. Num nível sutil, a calcita purifica e reenergiza os chakras*.

LISTA DE CRISTAIS

POSIÇÃO Segure-a ou coloque-a no local mais apropriado. Use-a como pingente. Ela pode ser usada para "gradear"* a cama. Use-a em essências de cristais.

CORES ESPECÍFICAS Além dos atributos genéricos, as cores a seguir têm propriedades adicionais:

A **calcita preta** é uma pedra que registra impressões, por isso é útil em regressões, trazendo de volta lembranças do passado que precisam ser liberadas. Ela traz a alma de volta para o corpo depois de traumas ou períodos de estresse, além de aliviar a depressão e ser uma ótima companhia durante a noite escura da alma.

Calcita preta (bruta)

A **calcita azul** é uma pedra suave para a recuperação e o relaxamento. Ela baixa a pressão sanguínea e ameniza a dor em todos os níveis. Acalma suavemente os nervos e as preocupações, dissipando as emoções negativas. Usada no chakra* da garganta, ela ajuda a estabelecermos uma comunicação clara, principalmente quando há discordância. A calcita azul pode absorver energia, filtrá-la e mandá-la de volta para que ela beneficie quem a enviou.

A **calcita incolor** é uma "panacéia", especialmente como elixir. Também é um poderoso desintoxicante. No nível físico, ela serve como anti-séptico e, nos níveis sutis, purifica e alinha todos os chakras*, superiores e inferiores. A calcita incolor com arco-íris provoca grandes mudanças – é uma pedra de novos começos. Essa calcita também tem o dom de curar profundamente a alma e revitalizar os corpos sutis*. Ela abre e purifica os olhos físicos e espirituais.

Calcita azul

Calcita incolor

A **calcita dourada** é excelente para a meditação e para sintonizar os planos mentais superiores. Ela deixa a mente em estado de alerta ao mesmo tempo em que ancora no reino físico as energias mentais superiores. Coloque-a sobre o umbigo ou nos chakras* do umbigo e da coroa.

Calcita dourada (bruta)

A **calcita verde** é um agente de cura mental que dissipa crenças rígidas e antigos programas, restabelecendo o equilíbrio da mente. Ela nos ajuda a deixar para trás o que é confortável e familiar mas não nos serve mais, e ajuda na comunicação e na transição de uma situação estagnada para outra mais positiva. A calcita verde ajuda as crianças a defenderem os seus pontos de vista em debates. É um poderoso estimulante para o sistema imunológico e especialmente útil para "gradear"* pessoas ou ambientes. Essa pedra absorve negatividade e livra o corpo de infecções bacterianas. Ela alivia a artrite e lesões nos ligamentos ou músculos e ajuda no ajustamento dos ossos. O seu raio verde alivia febres, queimaduras e inflamações; acalma as glândulas supra-renais e suaviza indisposições* causadas pela raiva. A calcita verde colocada regularmente sobre o corpo absorve indisposições*, mas precisa ser purificada depois de usada.

Calcita verde

LISTA DE CRISTAIS

O **espato-da-islândia (calcita óptica)** amplia imagens e cura os olhos. Pode ajudar-nos a ver o duplo sentido oculto por trás das palavras. Ela reduz a tensão que causa a enxaqueca. Essa forma de calcita é um excelente purificador dos corpos sutis*.

A **calcita laranja** é uma pedra extremamente reenergizante e purificadora, especialmente para os chakras* inferiores. Ela equilibra as emoções, elimina o medo e combate a depressão. Ameniza problemas e maximiza o nosso potencial. Também cura o sistema reprodutor, a vesícula biliar e os distúrbios intestinais como a síndrome do intestino irritável (SII), além de eliminar o muco do organismo.

Calcita-da-islândia

A **calcita cor-de-rosa (calcita mangano)** é um cristal do coração que está em contato com o reino angélico*. Pedra do perdão, ela ajuda a aliviar o medo e a dor que afligem o coração preso ao passado, inspirando amor incondicional. Também estimula o amor-próprio e a aceitação de nós mesmos, cura doenças nervosas e alivia a tensão e a ansiedade. Essa pedra também previne pesadelos. A energia de amor da calcita cor-de-rosa ameniza suavemente a resistência e ajuda as pessoas que sofreram traumas ou agressões.

Calcita laranja

Calcita vermelha

A **calcita vermelha** aumenta a energia, eleva as emoções, estimula a força de vontade e abre o chakra do coração. Também transmuta a energia estagnada, incluindo a constipação, e dissipa bloqueios. Ela está em sintonia com os chakras* básicos, pois isso é capaz de curá-los e energizá-los. Alivia o medo, propiciando o entendimento das suas causas. A vitalidade da calcita vermelha é capaz de animar uma festa. No nível físico, ela cura problemas nos quadris ou nos membros inferiores e solta articulações presas; no nível sutil, remove bloqueios que nos impedem de progredir na vida.

A **calcita rombóide** diminui o tagarelar da mente e inspira a quietude mental. Ela é um poderoso agente de cura de traumas do passado.

A **calcita amarela ou dourada** é um grande eliminador e estimulante da vontade. A sua energia, especialmente na forma de elixir, promove a elevação da energia. Ela facilita a meditação, induz um estado profundo de relaxamento e espiritualidade e nos liga à fonte mais elevada de orientação espiritual. Além disso, estimula a mente superior. Use-a nos chakras* da coroa e do plexo solar. A calcita dourada tem uma energia extremamente expansiva.

Calcita amarela

Calcita verde com cores e textura realçadas por meio de tratamento com ácido

CORNALINA

Formação natural

COR	Vermelho, laranja, cor-de-rosa, marrom
APARÊNCIA	Seixo pequeno, translúcido, muitas vezes gasto pelo atrito com a água ou rolado
RARIDADE	Comum
ORIGEM	Grã-Bretanha, República Tcheca, Eslováquia, Peru, Islândia, Romênia

ATRIBUTOS A cornalina aterra e ancora as energias na realidade presente. Pedra estabilizadora de energia elevada, ela é excelente para restaurar a vitalidade e a motivação, e para estimular a criatividade. É útil quando se quer atingir metas difíceis. A cornalina tem o poder de limpar outras pedras.

Do ponto de vista psicológico, a cornalina ajuda na aceitação do ciclo da vida e elimina o medo da morte. Nos tempos antigos, ela era usada para proteger os mortos em sua jornada para o outro mundo. Ela dá coragem, estimula mudanças positivas na vida, acaba com a apatia e nos motiva a alcançar o sucesso nos negócios e em outros assuntos. A cornalina é útil para ajudar na superação de abusos de qualquer tipo. Essa pedra nos ajuda a confiar em nós mesmos e nas nossas percepções. Ela nos ajuda a conhecer melhor o que faz o nosso coração palpitar, combate condicionamentos negativos e estimula a perseverança.

Do ponto de vista mental, a cornalina estimula a capacidade analítica e clareia a percepção. Ela remove pensamentos dispersos na meditação e sintoniza os devaneios com a realidade do dia-a-dia. Aguça a concentração e dispersa a letargia mental. Do ponto de vista emocional, essa pedra é um poderoso protetor contra a inveja, o ódio e o ressentimento, nossos e de outras pessoas. Ela acalma a raiva e bane a negatividade emocional, substituindo-a pelo amor pela vida.

CURA A cornalina é cheia de força vital e vitalidade. Ela estimula o metabolismo. Ativa o chakra* da base, influencia os órgãos reprodutores femininos e aumenta a fertilidade. Essa pedra combate a frigidez e a impotência, cura dores na região lombar, o reumatismo, a artrite, a nevralgia e a depressão, especialmente em pessoas idosas. Ela regula os fluidos corporais e o funcionamento dos rins, acelera a cura dos ossos e dos ligamentos e estanca hemorragias. A cornalina também aumenta a absorção de vitaminas e minerais, além de estimular a irrigação sanguínea nos órgãos e tecidos.

POSIÇÃO Use-a como pingente ou na fivela do cinto, ou coloque-a em contato com a pele, quando apropriado. A cornalina perto da porta da frente invoca proteção e convida a abundância a entrar em casa.

CORES ESPECÍFICAS Além dos atributos genéricos, as cores a seguir têm propriedades adicionais:

A **cornalina cor-de-rosa** melhora o relacionamento entre pais e filhos, e ajuda a resgatar o amor e a confiança depois de maus-tratos e manipulações.

Cornalina cor-de-rosa

A **cornalina vermelha** aquece e reenergiza. É particularmente útil para combater a indolência e revigorar a mente e o corpo.

Cornalina laranja

LISTA DE CRISTAIS

CELESTITA

Geodo azul

Ponta azul

COR	Azul, amarelo, vermelho, branco
APARÊNCIA	Cristais transparentes, piramidais em aglomerados ou geodos médios ou grandes, ou em peças em formato de prato
RARIDADE	Fácil de obter, mas caros
ORIGEM	Grã-Bretanha, Egito, México, Peru, Polônia, Líbia, Madagáscar

ATRIBUTOS A celestita, pedra de vibração elevada, é uma mestra da Nova Era. Imbuída de energias divinas, ela inspira em nós a paz infinita do mundo espiritual e o contato com os reinos angélicos*. Ela desencadeia o desenvolvimento espiritual e nos impulsiona a buscar a iluminação. Trata-se de uma pedra útil para estimular a comunicação clarividente*, a lembrança de sonhos e as viagens fora do corpo*. Este belíssimo cristal promove a pureza do coração e atrai a sorte. Cura a aura* e revela a verdade. É uma pedra que promove o equilíbrio e o alinhamento. A paz profunda que ela inspira ajuda a encontrarmos a solução para conflitos e a mantermos uma temperatura harmoniosa em tempos de tensão. A celestita pode melhorar relacionamentos problemáticos, abrindo espaço para a negociação pacífica.

A celestita é uma pedra criativa, especialmente útil nas artes.

Do ponto de vista psicológico, ela inspira uma força suave e uma enorme paz interior, embora nos estimule a nos abrir para novas experiências. Ela nos ensina a confiar na sabedoria infinita do divino e, com o seu efeito calmante, pode amenizar emoções exaltadas.

Do ponto de vista emocional, a celestita acalma e aguça a mente, dispersa preocupações e promove a clareza mental e a comunicação fluente. Ela também ajuda na análise de idéias complexas e harmoniza o intelecto e os instintos, promovendo a harmonia mental.

Colocada sobre o terceiro olho*, a celestita promove a ligação com as energias universais. Ela possibilita a visão de uma coexistência pacífica com o todo da criação e assegura a possibilidade de harmonia total.

CURA A celestita é uma excelente pedra de cura, que dissipa a dor e inspira o amor. Trata problemas nos olhos e nos ouvidos, elimina toxinas e promove a ordem celular. A sua influência suavizante relaxa tensões musculares e acalma a inquietação mental. Como todos os cristais azuis, a celestita abre e cura o chakra* da garganta e os males físicos associados a ele.

POSIÇÃO Coloque-a onde for mais apropriado ou use-a na meditação e na escriação*. Um grande cristal de celestita presente num cômodo eleva as vibrações do ambiente. Não o coloque diretamente sob a luz do Sol, pois a sua cor esmaece.

CERUSSITA

Cristal armazenador de registros (note padrão em forma de V)

COR	Branco, cinza, preto e cinza, amarelo
APARÊNCIA	Cristais translúcidos brancos e amarelos, ou com grânulos cinza ou pretos, geralmente na matriz
RARIDADE	Obtido em lojas especializadas
ORIGEM	Namíbia

ATRIBUTOS A cerussita, uma excelente pedra para ancorar energias, contribui para que a pessoa se sinta confortável em seu ambiente. Ela é extremamente útil para aqueles que sentem que a Terra não é o seu lar natural, pois diminui a saudade de casa e ajuda a alma a se sentir em casa onde quer que ela esteja. A cerussita também pode ser um cristal com formato de estrela ou armazenador de registros. Essas pedras preciosas estão em sintonia com uma sabedoria superior e com o propósito kármico*. A meditação revela os segredos únicos que essa pedra guarda para nós. Diz-se que a pedra em formato de estrela facilita os contatos extraterrestres. A cerussita ajuda a exploração de vidas passadas ocorridas fora deste planeta e no reconhecimento e localização, no presente, de pessoas conhecidas em outras encarnações. Ela explica por que optamos por viver neste planeta, as lições que escolhemos aprender, as tarefas que temos de realizar e as dádivas que podemos oferecer ao mundo, para contribuir com o avanço da humanidade. Esta pedra nos estimula a deixar o passado para trás, assim como os seus efeitos.

A cerussita é benéfica em viagens, seja de negócios ou a passeio, pois reduz o cansaço provocado pelos vôos aéreos de longa distância (*jet lag*) e ajuda na adaptação a outras culturas. Essa é uma pedra útil nos acordos de curto prazo e na adaptação a situações em que a resistência interior é forte.

A cerussita é uma pedra pragmática que promove a tomada de decisões e estimula o crescimento. Ensinando-nos a ser flexíveis e a assumir responsabilidades, ela alivia a tensão e a ansiedade e mostra como nos adaptarmos a mudanças necessárias. Ela nos ajuda a ter mais tato em qualquer situação e a sermos mais extrovertidos.

Por intensificar a comunicação, a cerussita torna a correspondência fácil e aumenta a capacidade de ouvir atentamente. Ela equilibra os hemisférios direito e esquerdo do cérebro e estimula a criatividade. É uma excelente pedra para qualquer pessoa envolvida com o mundo das artes.

O elixir de cerussita é muito eficiente como repelente de insetos. Ele pode ser borrifado em vasos de plantas ou num cômodo, para proteger contra insetos nocivos e doenças.

CURA A cerussita é uma pedra maravilhosa para promover a vitalidade e a energia, especialmente quando a doença persiste por tempo prolongado. Ela equilibra o sistema nervoso, diminuindo movimentos involuntários e fortalecendo músculos e ossos. É útil para quem tem o mal de Parkinson ou a Síndrome de Tourette e ajuda a combater a insônia e pesadelos.

POSIÇÃO Coloque-a ou segure-a do modo mais apropriado. Use-a como elixir para controlar pragas e insetos e em estufas.

CALCEDÔNIA

Geodo branco

Azul (rolado)

COR	Branco, cor-de-rosa, azul, vermelho, acinzentado
APARÊNCIA	Pedra transparente ou opaca, às vezes com bandas, todos os tamanhos, em geral em geodos ou roladas
RARIDADE	Comum
ORIGEM	Estados Unidos, Áustria, República Tcheca, Eslováquia, Islândia, México, Grã-Bretanha, Nova Zelândia, Turquia, Rússia, Brasil, Marrocos

ATRIBUTOS A calcedônia é uma pedra nutriz que promove a fraternidade e a boa vontade, aumentando a estabilidade dos grupos. Ela pode ser usada para ajudar na transmissão de pensamentos e na telepatia. É uma pedra que absorve energia negativa e então a dissipa, impedindo que ela seja transmitida.

Nos tempos antigos, usavam-se cálices feitos de calcedônia e revestidos internamente de prata para evitar envenenamentos.

A calcedônia harmoniza a mente, o corpo, as emoções e o espírito. Inspira sentimentos de benevolência e generosidade. Diminui a hostilidade e transforma a melancolia em alegria. Do ponto de vista psicológico, a calcedônia diminui a desconfiança de si mesmo e facilita a reflexão construtiva. Ela cria uma persona mais aberta e cheia de entusiasmo. Também absorve e dissipa pensamentos e emoções negativas e afasta sonhos ruins.

CURA A calcedônia é muito eficaz para efetuar limpezas, incluindo a de feridas abertas. Ela estimula o instinto maternal e aumenta a lactação; promove a assimilação de sais minerais e combate o acúmulo desses sais minerais nos vasos sanguíneos. A calcedônia ameniza os efeitos da demência e da senilidade, aumenta a energia física e equilibra o corpo, as emoções, a mente e o espírito, além de ser uma ótima pedra para curar os olhos, a vesícula biliar, os ossos, o baço, o sangue e o sistema circulatório.

POSIÇÃO Use-a nos dedos, em volta do pescoço, na fivela do cinto ou no local que for mais apropriado, especialmente sobre órgãos e em contato com a pele.

CORES ESPECÍFICAS Além dos atributos genéricos, as cores a seguir têm propriedades adicionais:

A **calcedônia azul** é uma pedra criativa. Ela abre a mente para novas idéias e ajuda na aceitação de novas situações. A calcedônia azul promove a flexibilidade mental e a fluência verbal, além de aumentar a nossa capacidade de ouvir e de nos comunicar. Ela facilita o

Calcedônia azul (bruta)

LISTA DE CRISTAIS

aprendizado de outros idiomas e estimula a memória. Essa pedra nos inspira uma sensação de leveza e a capacidade de olhar o futuro com otimismo. Ela também favorece a percepção de nós mesmos. A calcedônia azul costumava ser usada na magia do tempo e para curar doenças associadas à mudança climática.

Do ponto de vista físico, a calcedônia ajuda na regeneração das mucosas e ameniza indisposições* causadas pela sensibilidade ao tempo ou pressões, como o glaucoma. A calcedônia azul fortalece o sistema imunológico. Estimula o fluxo da linfa e diminui edemas, tem efeito antiinflamatório e baixa a temperatura e a pressão sanguínea. Ela cura os pulmões e livra o sistema respiratório dos efeitos do cigarro.

A **calcedônia dendrítica** promove o raciocínio claro e preciso. Essa pedra é útil quando estamos sob pressão ou ataques, pois favorece a comunicação serena e nos mantêm relaxados. Ela nos estimula a viver o momento presente e a enfrentar questões desagradáveis. A calcedônia dendrítica ajuda no processamento de lembranças e estimula o prazer de viver. Essa pedra nos ajuda a nos aproximar das outras pessoas de maneira amigável e descontraída. Ela promove a interação tolerante e sem julgamento.

A calcedônia dendrítica é uma pedra útil nos casos de doenças crônicas, quando ela deve ser usada por longos períodos, e de problemas associados com o tabagismo, pois fortalece o sistema imunológico. Ela também ajuda o organismo a assimilar cobre, desintoxica o fígado, elimina inflamações nos órgãos sexuais femininos e cura aftas.

A **calcedônia cor-de-rosa** estimula a bondade e todas as boas qualidades. Ela inspira um sentimento de deslumbramento infantil e disposição para aprender coisas novas. Também incita o desejo de contar histórias como uma maneira de usar a criatividade. Essa é uma pedra espiritual que favorece a empatia e a paz interior, além de criar um profundo senso de justiça.

Calcedônia cor-de-rosa (bruta)

Essa pedra é particularmente útil para tratar indisposições* psicossomáticas. A calcedônia cor-de-rosa fortalece o coração e o sistema imunológico. Trata problemas relacionados à amamentação e o fluxo dos fluidos linfáticos.

A **calcedônia vermelha** nos confere força e aumenta a nossa persistência para alcançarmos os nossos objetivos. Ela nos ajuda a descobrir quando lutar e quando ceder. Pedra da confiança, ela nos ajuda a realizar sonhos, descobrindo estratégias para concretizá-los da maneira mais positiva possível. Como pedra de cura, a calcedônia vermelha estimula a circulação, sem elevar a pressão sanguínea, e favorece a coagulação. Reduz as dores de estômago causadas pela fome, mas não deve ser usada por períodos prolongados, pois inibe a absorção de nutrientes e pode causar náuseas temporárias.

Observação: Geodos de calcedônia pintados de prateado e de outras cores são vendidos em Marrocos e outros lugares. A tinta apresenta rachaduras quando exposta à umidade, revelando calcedônias brancas ou acinzentadas. Os atributos são da calcedônia genérica.

CAROÍTA

Polida

COR	Roxo
APARÊNCIA	Mosqueada, retorcida e com veios, de tamanho pequeno ou médio, rolada ou polida
RARIDADE	Cada vez mais fácil de obter
ORIGEM	Rússia

ATRIBUTOS A caroíta é uma pedra de transformação. Trata-se da pedra da alma que supera o medo. A caroíta estimula a visão interior e as revelações espirituais e ajuda na adaptação a grandes mudanças no nível espiritual. Para facilitar essa transição, ela unifica os chakras* do coração e da coroa, limpa a aura* e estimula o amor incondicional. Esta pedra estimula a mudança vibracional e estabelece uma ligação com realidades superiores. Ao mesmo tempo favorece a cura física e emocional, além de ajudar-nos a aceitar que o momento presente é perfeito do jeito que é.

Do ponto de vista psicológico, a caroíta integra "qualidades negativas" e nos ajuda a aceitar com mais facilidade outras pessoas. Ela alivia medos profundos e é particularmente útil para quem quer superar a própria resistência ou ver as coisas em perspectiva. Ela nos dá impulso, vigor e espontaneidade e é capaz de reduzir o estresse e a preocupação, inspirando uma atitude descontraída. A caroíta pode ser usada para superar compulsões e obsessões. Pelo fato de harmonizar o chakra da coroa, ela nos ajuda a vencer o sentimento de alienação e frustração.

Do ponto de vista mental, a caroíta estimula a observação e a análise e nos ajuda a usá-las para tomar uma decisão rápida. Ajuda qualquer pessoa que esteja se deixando levar pelos pensamentos e programas de outras pessoas, em vez de defender as próprias opiniões.

Do ponto de vista espiritual, a caroíta ancora o eu espiritual na realidade do dia-a-dia e estimula um caminho de serviço pela humanidade. Essa pedra abre e equilibra o chakra da coroa, possibilita visões reveladoras de vidas passadas e sugere maneiras de abordar o karma no nível pessoal e coletivo.

CURA A caroíta transmuta a energia negativa em cura e converte a indisposição* em bem-estar. Ela revitaliza o corpo em casos de exaustão, cura e integra dualidades e regula a pressão sanguínea. A caroíta trata os olhos, o coração, o fígado e o pâncreas. Trata o fígado lesado pelo álcool e alivia cãibras, dores e mal-estares. Esta pedra possibilita um sono profundo, com sonhos carregados de significado, combate a insônia e favorece um sono tranqüilo em crianças. Ela é útil quando disfunções no sistema nervoso autônomo afetam o coração. A caroíta cura o autismo e o distúrbio bipolar.

POSIÇÃO Coloque-a sobre o coração ou no lugar mais apropriado, em contato com a pele. A "grade"* feita com a caroíta é extremamente eficiente. O elixir dessa pedra é um excelente purificador do corpo físico, além de estabilizar o corpo emocional em desequilíbrio.

LISTA DE CRISTAIS

QUIASTOLITA

TAMBÉM CONHECIDA COMO PEDRA-DE-CRUZ, ANDALUZITA

Andaluzita

Verde

Marrom

COR	Marrom e cinza, cor-de-rosa, cinza, marrom com matizes avermelhados, verde-oliva
APARÊNCIA	Desenho típico em forma de cruz no centro da pedra, em geral pequena e rolada
RARIDADE	Fácil de obter
ORIGEM	Chile, Rússia, Espanha

ATRIBUTOS A quiastolita é uma poderosa pedra de proteção. Em tempos antigos, era usada para combater maldições e mau-olhado. Ela tem a propriedade de transmutar desavenças em harmonia. Essa é uma pedra criativa com o poder de dispersar pensamentos e sentimentos negativos. Ela elimina conflitos e favorece a descoberta de soluções e as mudanças.

A quiastolita é um portal para mistérios e facilita viagens fora do corpo. Também facilita o entendimento e o estudo da imortalidade. Associada à morte e ao renascimento, ela é benéfica para aqueles que estão fazendo a transição para o mundo espiritual. Esta pedra pode propiciar respostas para acontecimentos misteriosos.

Do ponto de vista psicológico, a quiastolita dissipa ilusões e acalma o medo, possibilitando que enfrentemos a realidade; ela também é particularmente útil para superar o medo da loucura. Ajuda a passarmos de uma situação para outra, diferente, especialmente no nível psicológico, e a abandonarmos padrões e condicionamentos obsoletos.

Do ponto de vista mental, a quiastolita ajuda a solucionar problemas, aguçando a nossa capacidade analítica. Do ponto de vista emocional, a quiastolita mantém a fé no mundo espiritual durante doenças e traumas, invocando a proteção de forças superiores. Ela também nos ajuda a entrar em sintonia com o propósito da nossa alma.

CURA A quiastolita baixa a febre, estanca o fluxo sanguíneo e alivia a acidez, curando o reumatismo e a gota. Ela estimula a lactação em mães que estão amamentando. Essa pedra corrige anomalias nos cromossomos e equilibra o sistema imunológico. Pode curar a paralisia e fortalecer os nervos.

POSIÇÃO Coloque-a no local mais apropriado ou use-a no pescoço.

A **andaluzita verde** é uma pedra que restabelece o equilíbrio e cura os males do coração. Elimina bloqueios emocionais e nos chakras*, causados por acúmulo de raiva e antigos traumas, além de ser muito útil na psicoterapia e na terapia com cristais.

CLORITA

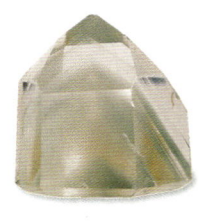

Clorita-fantasma

COR	Verde
APARÊNCIA	Várias formas, geralmente opaca, pode estar ocluída no quartzo (nome genérico de um grupo)
RARIDADE	Fácil de obter
ORIGEM	Rússia, Alemanha, Estados Unidos

ATRIBUTOS Poderosa pedra de cura, benéfica tanto para o ambiente quanto para o campo energético pessoal. Com a ametista ela elimina implantes* energéticos e combate ataques psíquicos*. Com a cornalina e o rubi, protege contra ataques psíquicos e ajuda espíritos presos à terra a se libertarem.

CURA A clorita ajuda na eliminação de toxinas e na assimilação das vitaminas A e E, do ferro, do magnésio e do cálcio. Trata-se de um analgésico poderoso, além de eliminar tumores de pele e sardas. Essa pedra estimula a proliferação das bactérias benéficas.

POSIÇÃO Segure-a ou coloque-a no lugar mais apropriado. "Gradeie"* uma área com essa pedra, para se proteger de energias ou entidades.

(*Ver também* a clorita-fantasma nas páginas 233-234 e a serafinita na página 262.)

LISTA DE CRISTAIS

PEDRA-CRISÂNTEMO

Natural

COR	Marrom, cinza com branco
APARÊNCIA	Pedra de tamanho médio, com uma figura que lembra o crisântemo
RARIDADE	Fácil de obter
ORIGEM	China, Japão, Canadá, Estados Unidos

ATRIBUTOS A pedra-crisântemo desliza suavemente através do tempo, facilitando a viagem no tempo. Ela irradia uma energia de serena confiança e eleva qualquer ambiente com a sua presença delicada. Exalando harmonia, essa pedra sintetiza mudança e equilíbrio e mostra como esse dois elementos podem trabalhar juntos. Essa pedra nos ajuda a ter satisfação em ficar centrados no momento presente e estimula o eu a desabrochar. Ela inspira e energiza, e facilita o avanço de qualquer empreendimento. A pedra-crisântemo nos ensina a conservar a pureza infantil, a descontração e a inocência à medida que trilhamos o nosso caminho espiritual, e estimula a nossa impetuosidade para buscar o desenvolvimento de nós mesmos. Por fortalecer o caráter, essa pedra combate o fanatismo, a ignorância, a intransigência, a hipocrisia e o ciúme, ao mesmo tempo que nos impulsiona a expressar mais amor pelo mundo, que em troca irradia mais amor para a nossa vida.

Do ponto de vista mental, a pedra-crisântemo desestimula a superficialidade. Ela dá mais profundidade aos pensamentos e reduz as distrações. Com a pedra-crisântemo conseguimos ter uma visão de conjunto e ver as situações em sua totalidade. Do ponto de vista emocional, essa pedra traz estabilidade e confiança, eliminando ressentimentos e a animosidade.

CURA A pedra-crisântemo promove o amadurecimento físico e a transição. Ela trata a pele, os ossos e os olhos. É uma pedra eficiente para eliminar toxinas e tumores.

POSIÇÃO Use-a ou carregue-a no bolso ou coloque-a num lugar da casa. Use-a na forma de elixir, mas faça-o pelo método indireto: coloque a pedra numa tigela de vidro e esta, dentro de uma outra cheia de água. Desse modo a "flor" não é afetada pela água.

CRISOCOLA

Bruta *Polida*

COR	Verde, azul, turquesa
APARÊNCIA	Opaca, muitas vezes com bandas ou inclusões, de todos os tamanhos, freqüentemente rolada ou polida
RARIDADE	Comum
ORIGEM	Estados Unidos, Grã-Bretanha, México, Chile, Peru, Zaire, Rússia

ATRIBUTOS A crisocola é uma pedra serena, que nos dá sustentação. Ela favorece a meditação e a comunicação. Dentro de casa, a crisocola absorve energias negativas de todos os tipos. Pode ajudar-nos a aceitar com serenidade situações em constante mudança, inspirando em nós uma grande força interior. Ela é benéfica para os relacionamentos que se tornaram instáveis, trazendo estabilidade tanto para o ambiente doméstico quanto para as interações pessoais.

A crisocola acalma, purifica e revigora todos os chakras* e os sintoniza com as energias divinas. No chakra do plexo solar absorve as emoções negativas como culpa e reverte programações emocionais destrutivas. No chakra do coração cura mágoas e aumenta a capacidade de amar. No chakra da garganta melhora a comunicação e nos ajuda a saber quando é hora de calar. No terceiro olho* abre a visão psíquica.

Do ponto de vista psicológico, a crisocola favorece a percepção de si mesmo e o equilíbrio interior, e inspira confiança e sensibilidade. Ela aumenta o poder pessoal e estimula a criatividade. Ajuda a superar fobias, absorve a negatividade e dá mais motivação àqueles que se deixaram levar pelo desânimo.

Do ponto de vista mental, a crisocola reduz as tensões mentais e nos ajuda a ficar de cabeça fria. Ela promove a expressão da verdade e a imparcialidade. Do ponto de vista emocional, a crisocola alivia a culpa e traz alegria.

CURA A crisocola trata a artrite, as doenças nos ossos, os espasmos musculares, a má digestão, as úlceras, as doenças no sangue e os problemas de pulmão. Ela desintoxica o fígado, os rins e os intestinos. Oxigena o sangue e a estrutura celular dos pulmões, aumentando as suas dimensões e capacidade respiratória; regenera o pâncreas, regulariza a produção de insulina e normaliza o sangue. Essa pedra fortalece os músculos e alivia as cãibras musculares. Com a sua ação refrescante, ela cura infecções, especialmente na faringe e nas amígdalas, baixa a pressão sanguínea e alivia queimaduras. Ela ameniza as dores causadas pela artrite, fortalece a tireóide e beneficia o metabolismo.

Trata-se de uma pedra excelente para mulheres, pois trata a tensão pré-menstrual e as cólicas menstruais. Num nível sutil, a crisocola dissolve miasmas*.

POSIÇÃO Coloque-a no local mais apropriado, em contato com a pele, ou sobre o terceiro olho*.

COMBINAÇÃO DE PEDRAS

A **crisocola drusiforme** combina as propriedades da crisocola com as do quartzo. Essa pedra tem grande clareza, e os seus efeitos são extremamente rápidos.

Crisocola drusiforme

CRISOPRÁSIO

Limão (rolada)

Rolada

Bruta

COR	Verde-maçã, limão
APARÊNCIA	Opaca, manchada, muitas vezes pequena e rolada
RARIDADE	Comum
ORIGEM	Estados Unidos, Rússia, Brasil, Austrália, Polônia, Tanzânia

ATRIBUTOS O crisoprásio confere a certeza de que somos parte do divino. Ele induz profundos estados meditativos. Segundo os antigos promove o amor pela verdade. O crisoprásio também dá esperança e favorece descobertas sobre nós mesmos. Ele traz à tona os nossos talentos e estimula a criatividade. Incentiva a fidelidade nos negócios e nos relacionamentos pessoais. Esse cristal energiza os chakras* do coração e do sacro e transfere a energia universal para o corpo físico.

Do ponto de vista psicológico, o crisoprásio promove a calma e o altruísmo, criando uma abertura para situações novas. Ele nos ajuda a encontrar motivos egoístas no passado e perceber os efeitos que eles exerceram sobre o nosso desenvolvimento, além de sintonizar o nosso comportamento com os nossos ideais. Por combater pensamentos e atitudes compulsivas e impulsivas, volta a nossa atenção para acontecimentos positivos. Essa pedra desestimula o julgamento e favorece a aceitação de nós mesmos e dos outros. É útil para pessoas que precisam desenvolver a compaixão e perdoar.

Do ponto de vista mental, o crisoprásio estimula a fluência ao falar e a agilidade mental. Também nos impede de falar sem pensar, num momento de raiva. Ela dissipa imagens opressivas e recorrentes, prevenindo pesadelos, especialmente em crianças. Do ponto de vista emocional, o crisoprásio traz um sentimento de segurança e confiança. Ela é útil nos casos de co-dependência, estimulando a independência e, ao mesmo tempo, o comprometimento.

Do ponto de vista físico, esse cristal tem uma poderosa ação desintoxicante. Pode ajudar o corpo a expelir metais pesados e estimular o funcionamento do fígado.

CURA O crisoprásio favorece o relaxamento e o sono tranqüilo. Por estar em sintonia com o chakra* do sacro, favorece a fertilidade, trata a infertilidade causada por infecções e dá proteção contra doenças sexualmente transmissíveis. Essa pedra cura a gota, problemas de visão e doenças mentais. Trata doenças de pele, problemas cardíacos e o bócio; equilibra os hormônios e favorece o funcionamento do sistema digestório. O crisoprásio ameniza a debilidade física e preenche o corpo com a energia universal. Ele aumenta a absorção da vitamina C. Combinado com o quartzo enfumaçado trata infecções por fungo. O elixir alivia os problemas digestivos causados por estresse. O crisoprásio cura a criança interior*, liberando emoções reprimidas desde a infância. Ele reduz a claustrofobia e os pesadelos.

POSIÇÃO Use-o ou coloque-o no local mais apropriado. Em casos agudos use-o em forma de elixir. Carregue o crisoprásio durante longos períodos, se quiser entrar em sintonia com o reino dévico*.

CINÁBRIO

TAMBÉM CONHECIDO COMO SANGUE-DE-DRAGÃO

Cristais brutos na matriz

COR	Vermelho, marrom e vermelho, cinza
APARÊNCIA	Massa pequena, cristalina ou granular, sobre matriz
RARIDADE	Fácil de obter, mas caro
ORIGEM	China, Estados Unidos

ATRIBUTOS O cinábrio atrai abundância. Ele aumenta a persuasão e a assertividade nas vendas e nos ajuda a prosperar em nossos empreendimentos, sem estimular a agressividade. Também favorece a organização, o trabalho comunitário, os negócios e as finanças. O cinábrio é útil quando queremos aperfeiçoar a nossa persona ou mudar nossa imagem de nós mesmos, tornando-nos cheios de dignidade e poder. Ela dá à pessoa um ar agradável, do ponto de vista estético, e elegante. Do ponto de vista mental, o cinábrio favorece a fluência verbal e o raciocínio. Do ponto de vista espiritual, esse cristal favorece a aceitação de que tudo é perfeito do que jeito que é. Ele elimina bloqueios energéticos e realinha os centros de energia.

CURA O cinábrio cura e purifica o sangue. Confere força e flexibilidade ao corpo físico, estabiliza o peso e aumenta a fertilidade.

POSIÇÃO Coloque-o ou segure-o no local mais apropriado. Guarde-o dentro da caixa registradora ou na carteira.

LISTA DE CRISTAIS

CITRINO

Também conhecido como cairngorm (nome celta)

Ponta

Geodo

COR	Do amarelo ao marrom-amarelado ou cinza e marrom enfumaçados
APARÊNCIA	Cristais transparentes, de todos os tamanhos, muitas vezes na forma de geodos, pontas ou aglomerados
RARIDADE	O citrino natural é raro; a ametista é muitas vezes vendida como citrino depois de submetida a altas temperaturas
ORIGEM	Brasil, Rússia, França, Madagáscar, Grã-Bretanha, Estados Unidos

LISTA DE CRISTAIS

Aglomerado

ATRIBUTOS O citrino é um poderoso purificador e regenerador. Carregado com a energia do Sol, é uma pedra extremamente benéfica. Ela aquece, revitaliza e é altamente criativa. É um dos cristais que nunca precisam passar por uma limpeza. Ele absorve, transmuta, dissipa e ancora a energia negativa, além de proteger muito bem o ambiente. O citrino energiza todos os níveis da vida. Como protetor áurico age como um sistema de alerta, de modo que possamos tomar providências para nos proteger. Ele tem a propriedade de purificar os chakras*, especialmente os do plexo solar e do umbigo. Ativa o chakra da coroa e abre a intuição. Purifica e equilibra os corpos sutis*, alinhando-os com o físico.

O citrino é uma das pedras da abundância. Essa pedra dinâmica ensina como manifestar e atrair riqueza e prosperidade, sucesso e todas as coisas boas da vida. O citrino é uma pedra de felicidade e generosidade, e nos estimula a compartilhar o que temos e ainda assim conservar os nossos bens. Ela tem o poder de transmitir alegria a todos que o contemplam. Desânimo e negatividade não têm lugar com o citrino. Trata-se de uma pedra útil para amenizar discórdias dentro de um grupo ou da família.

Do ponto de vista psicológico, o citrino aumenta a auto-estima e a autoconfiança e combate tendências destrutivas. Acentua a individualidade, aumenta a motivação, ativa a criatividade e encoraja a expressão de nós mesmos. Ele nos torna menos sensíveis, principalmente à crítica, e nos estimula a agir com base na crítica construtiva. Ajuda-nos a desenvolver uma atitude positiva e a olhar o futuro com otimismo, seguindo o fluxo, em vez de nos prender ao passado. Essa pedra nos leva a apreciar experiências novas e nos estimula a explorar todas as alternativas até encontrarmos a melhor solução.

Do ponto de vista mental, o citrino aumenta a concentração e revitaliza a mente. É excelente para combater a depressão, o medo e as fobias. Promove a calma interior, de modo que a sabedoria possa vir à tona. Ajuda-nos a digerir informações, analisar situações e dar a elas um rumo positivo. Essa pedra desperta a mente superior. O uso de um pingente de citrino nos ajuda a superar a dificuldade de expressar pensamentos e sentimentos.

Do ponto de vista emocional, o citrino promove a alegria de viver. Ele libera traços de caráter negativos, medos e sentimentos nos níveis mais profundos. Ajuda-nos a superar o medo da responsabilidade e a raiva. Essa pedra também nos auxilia a seguir o fluxo dos sentimentos e a nos tornarmos mais equilibrados emocionalmente.

Do ponto de vista físico, o citrino confere energia e vigor ao corpo físico. É útil para pessoas que são particularmente sensíveis ao ambiente e a outras influências exteriores.

CURA O citrino é uma pedra excelente para trabalhos de energização e para recarregar as nossas baterias. É extremamente benéfica nos casos de síndrome de fadiga crônica* e de doenças degenerativas. O citrino estimula a digestão, o baço e o pâncreas. Combate infecções nos rins e na vesícula biliar, ajuda nos problemas de visão, aumenta a circulação sanguínea, desintoxica o sangue, ativa o timo e equilibra a tireóide. Aquece e fortifica os nervos. O citrino tem uma ação excretora: alivia a constipação e elimina a celulite. Como elixir, ajuda na solução de problemas menstruais e alivia os sintomas da menopausa, como as ondas de calor, além de equilibrar os hormônios e amenizar a fadiga.

POSIÇÃO use nos dedos ou na garganta, em contato com a pele. O citrino, quando posicionado com a ponta para baixo, traz os raios dourados do espírito para o reino físico. Posicione-o como for mais apropriado para a cura. Use uma esfera de citrino na meditação. Coloque-o no Canto da Abundância da sua casa ou estabelecimento comercial, segundo o Feng Shui, ou dentro da caixa registradora. O citrino desbota à luz do Sol.

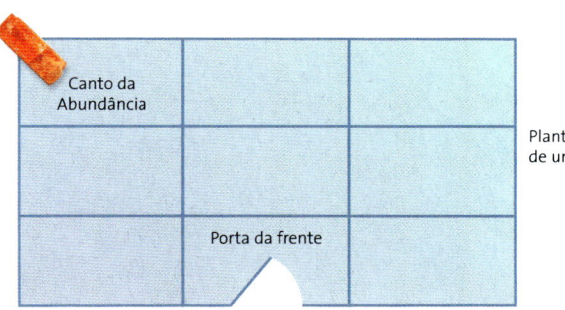

O Canto da Abundância fica no canto esquerdo mais distante da porta da frente ou da porta principal de um cômodo

DANBURITA

Cor-de-rosa

COR	Cor-de-rosa, amarelo, branco, lilás
APARÊNCIA	Claro com estrias, todos os tamanhos
RARIDADE	Fácil de obter
ORIGEM	Estados Unidos, República Tcheca, Rússia, Suíça, Japão, México, Mianmá

ATRIBUTOS A danburita é uma pedra extremamente espiritual, que irradia uma vibração puríssima e age sobre a energia do coração. Ativa tanto o intelecto quanto a consciência superior, promovendo uma ligação com os reinos angélicos*. O brilho da danburita vem da luz cósmica, e às vezes apresenta uma inclusão em forma de buda que propicia a iluminação e atrai luz espiritual. Ela também suaviza o caminho que temos pela frente.

Jóias de danburita criam um vínculo com a serenidade e com a sabedoria eterna. Usada na meditação leva-nos a um estado elevado de consciência e facilita a orientação espiritual.

A danburita é uma pedra excelente para facilitar a mudança profunda e para nos libertar do passado. Pode agir como um purificador kármico, eliminando os miasmas* e imperativos mentais que carregamos conosco pela vida. Ela ajuda a alma a tomar novos rumos. Colocada na cabeceira da cama, esse cristal pode orientar os que estão na iminência da morte a empreender a sua jornada para o além, possibilitando uma transição espiritual consciente.

Do ponto de vista espiritual, a danburita estimula os chakras* do terceiro olho*, da coroa e da coroa superior, abrindo-os para o décimo quarto nível. Ela alinha o chakra do coração com os chakras* superiores da coroa (ver páginas 364-365, Os Cristais e os Chakras). Esse cristal clarifica a aura* e propicia sonhos lúcidos.

Do ponto de vista psicológico, a danburita inspira tranqüilidade e muda atitudes recalcitrantes, promovendo a paciência e a paz de espírito.

CURA A danburita é uma pedra de cura muito poderosa. Alivia alergias e doenças crônicas e tem ação desintoxicante. Trata o fígado e a vesícula biliar, facilita o ganho de peso quando necessário e ajuda a função muscular e motora.

POSIÇÃO Coloque-a no local mais apropriado, especialmente sobre o coração. A danburita sob o travesseiro promove sonhos lúcidos.

CORES ESPECÍFICAS Além dos atributos genéricos, a cor a seguir tem propriedades adicionais:
   A **danburita cor-de-rosa** abre o coração e estimula o amor por si mesmo.

Danburita lilás

LISTA DE CRISTAIS

DIAMANTE

Lapidado   *Bruto*

COR	Branco, amarelo, azul, marrom, cor-de-rosa
APARÊNCIA	Gemas pequenas, transparentes, sem manchas, quando lapidadas e polidas
RARIDADE	Caro
ORIGEM	África, Austrália, Brasil, Índia, Rússia, Estados Unidos

ATRIBUTOS O diamante é um símbolo de pureza. A sua luz branca imaculada pode ajudar-nos a transformar a nossa vida num todo coeso. Ele estreita relacionamentos, estimulando o amor e a lucidez numa parceria. Acredita-se que o diamante aumente o amor do marido pela esposa, pois ele é um sinal de fidelidade e comprometimento. O diamante é um símbolo de riqueza há milhares de anos e é uma das pedras de manifestação, atraindo abundância. Quanto maior o diamante, mais a abundância. Os grandes diamantes também são excelentes para bloquear o estresse geopático* ou eletromagnético e para neutralizar os efeitos nocivos da radiação dos telefones celulares.

O diamante é um amplificador de energia. É uma das poucas pedras que nunca precisam ser recarregadas. Ela aumenta a energia de tudo com que entra em contato e é muito eficiente quando usado com outros cristais para cura, pois aumenta o poder de outras pedras. No entanto, ele tanto pode intensificar a energia positiva quanto a negativa. Num nível sutil, ele preenche "buracos" na aura*, doando-lhe energia.

Do ponto de vista psicológico, o diamante confere qualidades como destemor, invencibilidade e firmeza. Contudo, a luz misericordiosa do diamante destaca tudo o que é negativo e precise de transformação. O diamante elimina a dor emocional e mental, reduz o medo e possibilita novos começos. Ele é uma pedra altamente criativa, que estimula a iluminação e a inventividade.

Do ponto de vista mental, o diamante promove um vínculo entre o intelecto e a mente superior. Traz clareza mental e ajuda na iluminação.

No nível espiritual, o diamante limpa a aura de qualquer coisa que esteja cobrindo a nossa luz interior, deixando que a luz da nossa alma brilhe. Ele nos lembra das aspirações da nossa alma e ajuda na nossa evolução espiritual. O diamante também ativa o chakra* da coroa, ligando-o à luz divina.

CURA o diamante trata o glaucoma, clareia a vista e estimula o cérebro. Trata alergias e doenças crônicas e restitui o equilíbrio do metabolismo. Por tradição, ele é usado como antídoto de venenos.

POSIÇÃO Use-o próximo à pele, coloque-o ou segure-o no lugar mais apropriado. Particularmente eficaz quando usado nas orelhas, especialmente para nos proteger contra as emanações dos telefones celulares.

LISTA DE CRISTAIS

DIOPTÁSIO

Verde-azulado (não-cristalino)

Cristalino

COR	Verde-azulado profundo ou verde-esmeralda
APARÊNCIA	Cristais brilhantes e pequenos, geralmente na matriz, ou massa não-cristalina
RARIDADE	Muito raro e caro
ORIGEM	Irã, Rússia, Namíbia, República Democrática do Congo, norte da África, Chile, Peru

ATRIBUTOS O dioptásio é excelente para curar o coração e abrir o chakra cardíaco superior. A sua maravilhosa cor verde-azulada leva todos os chakras* a um nível maior de eficiência e facilita a sintonização espiritual, proporcionando níveis mais elevados de consciência. Ele tem um efeito crucial sobre o campo energético humano.

Do ponto de vista psicológico, o dioptásio nos ajuda a viver no momento presente e, paradoxalmente, ativa lembranças de vidas passadas. Ele apóia atitudes positivas com relação à vida e nos inspira a buscar os nossos recursos interiores. Atuando sobre todas as áreas da vida no sentido de transmutar o negativo em positivo, essa pedra nos ajuda a superar o sentimento de escassez e a realizar todo o nosso potencial. Ela é especialmente útil quando não sabemos o que fazer em seguida, pois nos indica uma direção.

Do ponto de vista mental, o dioptásio purifica e desintoxica a mente de maneira formidável. Ele diminui a nossa necessidade de controlar os outros. Do ponto de vista emocional, essa pedra pode agir como uma ponte para a cura emocional, especialmente no caso de crianças. O seu raio verde penetra fundo no coração, absorvendo feridas abertas e mágoas esquecidas. Ela dissipa a dor, a traição e a tristeza e é extremamente eficaz para curar corações partidos e a dor causada pelo abandono.

O dioptásio ensina que a dor e as dificuldades causadas por um relacionamento acabam servindo como um espelho que reflete uma separação interior do nosso próprio eu. Restabelecendo esse elo e inspirando o amor em todos os níveis, ele pode curar a sensação de vazio que provoca a falta de amor. Esse cristal promove percepções mais claras sobre como o amor deveria ser e nos faz sentir uma nova vibração de amor.

Do ponto de vista espiritual, o dioptásio colocado sobre o terceiro olho* ativa a sintonia com o plano espiritual e ativa a visão psíquica*. Ele também possibilita a consciência das nossas riquezas interiores.

CURA O dioptásio corrige distúrbios no nível celular, ativa as células T e o timo, alivia a labirintite, baixa a pressão sanguínea alta e alivia a dor e a enxaqueca. Previne ataques cardíacos e cura os problemas do coração. O dioptásio ameniza a fadiga e nos ajuda a superar choques. Ele é desintoxicante, alivia náuseas e regenera o fígado. É particularmente eficaz nos tratamentos contra vícios e estresse. Usado como elixir, cura dores de cabeça e dores.

POSIÇÃO Sobre o chakra do coração superior. Excelente em essências de pedras.

ESMERALDA

Bruta

COR	Verde
APARÊNCIA	Gemas pequenas e brilhantes ou cristais grandes e anuviados
RARIDADE	As pedras com qualidade de gema são caras, mas a esmeralda bruta tem preço acessível
ORIGEM	Índia, Zimbábue, Tanzânia, Brasil, Egito, Áustria

ATRIBUTOS A esmeralda é uma pedra de inspiração e infinita paciência. Ela é vibrante e tem grande integridade. Conhecida como a "pedra do amor bem-sucedido", ela propicia a felicidade doméstica e a lealdade. Promove a unidade, o amor incondicional, a parceira e a amizade. A esmeralda mantém o relacionamento em equilíbrio. Se ela muda de cor, diz-se que é sinal de infidelidade. A esmeralda abre o chakra* do coração e acalma as emoções.

Essa pedra garante o equilíbrio físico, emocional e mental. Elimina a negatividade e inspira atitudes positivas, concentrando a atenção e elevando a consciência. Ela intensifica as faculdades psíquicas, abre a clarividência* e estimula a busca de sabedoria nos planos mentais. Por tradição, a esmeralda é considerada uma pedra com poderes para prever o futuro e combater encantamentos e trabalhos mágicos.

Do ponto de vista psicológico, a esmeralda nos dá força de caráter para suportar as desventuras da vida. Trata-se da pedra da regeneração e da redescoberta e pode eliminar emoções negativas. Ela aumenta a nossa capacidade de aproveitar a vida plenamente e ajuda nos casos de claustrofobia.

A esmeralda confere clareza mental, fortalece a memória e inspira um conhecimento interior profundo, além de ampliar a visão. Trata-se da pedra da sabedoria, que promove o discernimento e a verdade, e facilita a expressão eloqüente. Ela ajuda a trazer à superfície o que está na mente inconsciente. Essa pedra é extremamente benéfica para o entendimento mútuo dentro de um grupo de pessoas, pois estimula a cooperação.

CURA A esmeralda ajuda na recuperação após doenças infecciosas. Trata a sinusite, os pulmões, o coração, a coluna vertebral e os músculos, além de descansar os olhos. Ela melhora a visão e tem um efeito desintoxicante sobre o fígado. A esmeralda alivia o reumatismo e o diabete. Tem sido usada como antídoto contra venenos. Usada no pescoço, a esmeralda supostamente evita a epilepsia. O seu raio verde pode ajudar na cura de tumores malignos.

POSIÇÃO Use-a no dedo mínimo, no dedo anular, sobre o coração ou no braço direito. Posicione-a como for mais apropriado para a cura. Não a use constantemente, pois ela pode inspirar emoções negativas. As esmeraldas opacas não são adequadas para a harmonização mental.

LISTA DE CRISTAIS

FLUORITA

Incolor

Verde

Marrom

Roxo

Roxo

COR	Incolor, azul, verde, roxo, amarelo, marrom
APARÊNCIA	Cristais transparentes, cúbicos ou octaédricos, de todos os tamanhos
RARIDADE	Comum
ORIGEM	Estados Unidos, Grã-Bretanha, Austrália, Alemanha, Noruega, China, Peru, México, Brasil

ATRIBUTOS A fluorita é uma pedra que confere grande proteção, principalmente no nível psíquico. Ela nos ajuda a perceber quando influências externas estão afetando o nosso comportamento e a combater a manipulação psíquica e a influência mental indesejável. Essa pedra purifica e estabiliza a aura*. Ela é extremamente eficaz contra o estresse eletromagnético e a irradiação eletromagnética dos computadores. Posicionada da maneira adequada, ela bloqueia o estresse geopático*. Usada na cura, a fluorita repele energias negativas de todos os tipos. Ela limpa, purifica e dispersa tudo que não está em perfeita ordem dentro do corpo. É o melhor cristal para acabar com qualquer tipo de desorganização.

A fluorita aterra e integra energias espirituais. Promove a imparcialidade sem preconceitos e eleva os poderes intuitivos; aumenta a consciência das realidades espirituais superiores e acelera o despertar espiritual, além de focar a mente e ligá-la à mente universal. A fluorita traz estabilidade aos grupos, ligando-os a um propósito comum.

A fluorita está associada ao progresso em muitos níveis, dando estrutura à vida diária. Essa pedra pode combater o caos e reorganizar os corpos físico, emocional e mental.

Do ponto de vista psicológico, a fluorita dissipa padrões fixos de comportamento e abre suavemente as portas do subconsciente, trazendo à tona sentimentos reprimidos, de modo que possam ser processados. Ela aumenta a autoconfiança e a inteligência.

Essa pedra melhora a coordenação física e mental e combate distúrbios mentais. Por dissolver idéias fixas, ela ajuda a superarmos a estreiteza de visão e alarga os nossos horizontes. Ela dissipa ilusões e revela a verdade. É muito útil quando precisamos agir com imparcialidade e objetividade.

A fluorita é um excelente recurso para melhorar o aprendizado, pois organiza e processa informações, ligando o que já se sabe com o que é aprendido, além de aumentar a concentração. Ela nos ajuda a absorver informações novas e promove o raciocínio rápido.

Do ponto de vista emocional, a fluorita tem um efeito estabilizador. Ela nos ajuda a entender o efeito da mente e das emoções sobre o corpo, nos relacionamentos ensina a importância da harmonia. Do ponto de vista físico, esse cristal favorece o equilíbrio e a coordenação.

CURA A fluorita é um poderoso instrumento de cura que combate infecções e distúrbios. Ela beneficia os dentes, as células e os ossos, e corrige danos ao DNA. É extremamente eficaz contra vírus, especialmente na forma de elixir. A fluorita regenera a pele e cura ulcerações e feridas. É benéfica para gripes, resfriados e sinusite. Dissolve adesões e solta as articulações presas. Essa pedra alivia a artrite, o reumatismo e os problemas de coluna. Passada sobre o corpo, na direção do coração, a fluorita alivia a dor. Ela também alivia os desconfortos causados pelo herpes-zóster e dores relacionadas aos nervos, além de melhorar as condições da pele, removendo rugas e manchas. Ela também pode ser usada durante o tratamento dentário. A fluorita aumenta a libido sexual.

POSIÇÃO Use-a no lóbulo das orelhas ou coloque-a no ambiente. Posicione-a da maneira mais apropriada para a cura. A fluorita combate a energia negativa e o estresse, e precisa ser purificada cada vez que é usada. Coloque-a sobre o computador ou entre você e a fonte de neblina* eletromagnética. Borrife a essência dessa pedra no ambiente e recupere a tranqüilidade segurando na mão essa pedra.

CORES ESPECÍFICAS Além dos atributos genéricos, as cores a seguir têm propriedades adicionais:

A **fluorita azul** estimula o pensamento criativo e organizado e elimina os bloqueios à comunicação. Pedra de dupla ação, ela acalma e revitaliza, conforme a necessidade dos corpos* físico e biomagnéticos. A fluorita azul é eficaz no tratamento de problemas nos olhos, no nariz, nos ouvidos e na garganta. Ela amplia o potencial de cura do organismo concentrando a atividade cerebral, além de poder ser usada para acelerar o despertar espiritual.

Fluorita azul

LISTA DE CRISTAIS

A **fluorita incolor** estimula o chakra da coroa, energiza a aura e harmoniza o intelecto com o espírito. Ela alinha todos os chakras*, preenchendo o corpo físico de energia universal. Essa pedra aumenta os efeitos dos outros cristais durante o trabalho de cura e pode clarear a visão obscurecida.

Fluorita transparente na matriz

A **fluorita verde** aterra o excesso de energia, dissipa o trauma emocional e debela infecções. É particularmente eficaz na absorção de energias negativas do ambiente. Ela ajuda a trazer à tona informações guardadas na mente subconsciente e aumenta a intuição. É um eficaz purificador dos chakras*, da aura e da mente, dissipando condicionamentos obsoletos. Alivia problemas digestivos e cólicas intestinais.

A **fluorita violeta** e a **fluorita roxa** estimulam o terceiro olho e ajudam a avaliar a comunicação psíquica com bom senso. Trata-se de excelentes pedras de meditação. Usadas no tratamento dos ossos e em distúrbios na medula óssea.

Fluorita verde

Fluorita violeta

A **fluorita amarela** aumenta a criatividade e estabiliza a energia grupal. É particularmente útil em empreendimentos em que é necessária a cooperação. Ela favorece as atividades intelectuais e, no nível físico, ajuda a liberar toxinas. Trata o colesterol alto e é benéfica para o fígado.

A **fluorita ítrica** assume uma forma ligeiramente diferente das outras fluoritas e não corrige a desorganização. No entanto, ela é um agente de cura eficaz para outros problemas associados a esse cristal. Trata-se de uma pedra voltada para o serviço. Ela atrai riqueza e abundância, ensinando os princípios da manifestação. Acentua a atividade mental.

Fluorita amarela

FUCHSITA

TAMBÉM CONHECIDA COMO MOSCOVITA VERDE

Bruta

COR	Verde
APARÊNCIA	Em forma de prato ou estratificada (forma de mica), todos os tamanhos
RARIDADE	Obtida em lojas especializadas
ORIGEM	Brasil

ATRIBUTOS A fuchsita leva ao conhecimento de grande valor prático. Ela pode canalizar informações sobre tratamento com ervas e remédios holísticos. Sugere uma postura mais holística no momento de transmitir e receber orientações acerca de questões ligadas à saúde e ao bem-estar. A fuchsita nos ajuda a entender a nossa interação com as outras pessoas e as questões básicas da vida.

Do ponto de vista psicológico, a fuchsita resolve questões ligadas a uma atitude de servidão em vidas passadas ou presentes. Ela reverte a tendência para nos fazermos de mártires. É excelente para as pessoas que tendem a desempenhar o papel de salvador da pátria, seja relacionado a uma pessoa ou a um grupo, e que em seguida caem na vitimização. Ela mostra como prestar serviço sem envolver-se em lutas pelo poder ou demonstrar uma falsa humildade. Muitas pessoas que se dispõem a ajudar os outros fazem isso por sentirem que não são boas o suficiente, e essa pedra as ajuda a aprender o que é a verdadeira valorização de si mesmo.

A fuchsita nos mostra como fazer só o que é realmente necessário ou apropriado para o crescimento espiritual de outra pessoa e nos ajuda a não interferir enquanto ela aprende as suas próprias lições. Ela combina o amor incondicional com o amor firme que diz, "agora chega". É útil para acabar com situações em que parece que estamos "ajudando", mas que na verdade estamos sentindo um grande prazer por tornar a outra pessoa dependente. A fuchsita liberta as duas almas, para que cada uma delas possa seguir o seu próprio caminho.

Essa pedra é particularmente útil para o "paciente identificado" com uma situação familiar ou grupal sobre a qual se projetam indisposição* e tensão. O paciente identificado fica então doente ou dependente para defender a família. Quando ele quer melhorar, a família muitas vezes o pressiona a continuar "doente" ou dependente. A fuchsita dá ao paciente identificado força para buscar o seu bem-estar e defender-se do conflito com a família. Essa pedra nos ajuda a combater a dependência mútua e a chantagem emocional. Ela nos dá resistência depois de um trauma ou tensão emocional.

CURA A fuchsita amplia a energia dos cristais e facilita a sua transferência. Ela movimenta a energia circular para o ponto mais inferior, restabelecendo o equilíbrio. Também elimina bloqueios causados pelo excesso de energia e faz com que ela seja canalizada para atividades positivas. A fuchsita equilibra a taxa dos glóbulos brancos e vermelhos do sangue, trata a síndrome do túnel do carpo e lesões por esforço repetitivo, além de realinhar a coluna vertebral. Essa pedra também aumenta a flexibilidade do sistema musculoesquelético.

POSIÇÃO Coloque-a no lugar mais apropriado ou segure-a durante a meditação.

(*Ver também* Moscovita, na página 192.)

GALENA

Bruta

COR	Lilás-acinzentado-metálico
APARÊNCIA	Pequena massa brilhante ou pedras maiores granulares e nodosas
RARIDADE	Obtida em lojas especializadas
ORIGEM	Estados Unidos, Grã-Bretanha, Rússia

ATRIBUTOS Galena é a "pedra da harmonia", que traz equilíbro em todos os níveis e harmoniza os planos físico, etérico e espiritual. Trata-se de uma pedra que aterra, ancora e centra a energia. Ela apóia a cura holística e é um recurso excelente para médicos, homeopatas e herbalistas. Ela estimula investigações mais detalhadas e estudos experimentais. A galena abre os horizontes mentais, expande as idéias e dissipa as crenças autolimitantes do passado.

CURA A galena reduz a inflamação e as erupções, estimula a circulação e limpa as veias, além de aumentar a assimilação de selênio e zinco. É benéfica para o cabelo.

POSIÇÃO coloque-a no lugar mais apropriado. Como a galena tem chumbo em sua composição, só se deve fazer elixir pelo método indireto (ver página 371) e aplicá-lo externamente na pele intacta.

LISTA DE CRISTAIS

GRANADA

Bruta

Polida

Cristais de granada

Seixo de granada

COR	Vermelho, cor-de-rosa, laranja, amarelo, marrom, preto
APARÊNCIA	Cristal transparente ou translúcido, muitas vezes pequeno e lapidado ou grande e opaco
RARIDADE	Comum
ORIGEM	No mundo todo

LISTA DE CRISTAIS

ATRIBUTOS A granada é uma pedra de ação extremamente energizante e regeneradora. Ela purifica e energiza os chakras*. Revitaliza, purifica e equilibra a energia, trazendo serenidade ou entusiasmo, dependendo da situação. Diz-se que essa pedra é capaz de prever a aproximação do perigo e desde há muito tempo é considerada um talismã de proteção. A granada é uma das pedras mais abundantes que existem no planeta. Assume várias formas, dependendo dos minerais que a compõem, e cada uma delas tem propriedades próprias, além das comuns a todas as pedras da sua espécie.

A granada inspira amor e devoção. Ela equilibra o impulso sexual e ameniza os desequilíbrios emocionais. A granada vermelha, em particular, estimula e controla a subida da energia kundalini* e estimula a potência sexual. Essa é a pedra do compromisso.

A granada é um cristal útil em tempos de crise. Ela é particularmente eficaz em situações aparentemente sem saída ou quando a vida se torna incerta ou traumática. Ela fortalece, ativa e fortalece o instinto de sobrevivência, e dá coragem e esperança em situações praticamente insolúveis. Sob a influência dessa pedra, a crise se torna um desafio. Ela promove a assistência mútua em tempos tumultuados.

A granada tem uma forte ligação com a glândula pituitária e pode estimular a consciência expandida e a lembrança de vidas passadas. Ela ativa outros cristais, ampliando os efeitos destes. Também elimina a energia negativa dos chakras*.

Diz-se que a granada com lapidação quadrada traz sucesso nos negócios.

Do ponto de vista psicológico, as granadas aguçam a percepção de nós mesmos e das outras pessoas. Ela dissipa os padrões de comportamento arraigados, mas que não nos servem mais, e diminui a resistência ou a sabotagem auto-induzida. Do ponto de vista mental, a granada nos ajuda a abandonar idéias obsoletas ou que não nos têm serventia. Do ponto de vista emocional, a granada reduz a inibição e os tabus. Ela abre o coração e aumenta a autoconfiança.

CURA A granada regenera o corpo e estimula o metabolismo. Trata os problemas de coluna e os distúrbios celulares, purifica e reenergiza o sangue, o coração e os pulmões e regenera o DNA. Ela ajuda na assimilação de minerais e vitaminas.

POSIÇÃO Nos lóbulos das orelhas, no dedo ou sobre o coração. Use-a em contato com a pele. Coloque-a sobre o corpo nu quando usada para a cura. Para estimular a lembrança de vidas passadas, coloque-a sobre o terceiro olho*.

VARIEDADES DE GRANADA Além dos atributos genéricos, as formas e cores a seguir têm propriedades adicionais.

A **granada almandina** é uma pedra de cura que estimula a regeneração, dá força e resistência. Ela nos ajuda a reservar um tempo para nós mesmos, evoca o amor profundo e ajuda na integração da verdade e na sintonização com o eu superior. Ela abre a mente superior e estimula a caridade e a compaixão. A almandina abre o canal entre os chakras* da base e da coroa, canaliza e ancora as energias espirituais para o corpo físico e ancora o corpo sutil na encarnação física. A almandina também nos ajuda a absorver ferro nos intestinos e estimula os olhos, o fígado e o pâncreas.

Granada almandina

A **andradita** é uma pedra dinâmica e flexível. Ela estimula a criatividade e atrai para o relacionamento o que mais precisa para o seu desenvolvimento. Ela dissipa sentimentos de isolamento ou alienação e atrai encontros românticos. A andradita estimula qualidades masculinas como a coragem, a resistência e a força. Ela realinha os campos magnéticos do corpo. Limpa e expande a aura e abre a visão psíquica. Essa pedra também estimula a formação de sangue e energiza o fígado. Ela ajuda na assimilação do cálcio, do magnésio e do ferro.

A **grossulária** é uma pedra útil quando enfrentamos desafios e processos judiciais. Ela ensina a relaxar e a seguir com o fluxo, além de inspirar a ajuda mútua e a cooperação. Essa pedra aumenta a fertilidade e a assimilação da vitamina A. É excelente para a artrite e para o reumatismo, e fortalece os rins. É benéfica para as membranas mucosas e para a pele.

A **hessonita** aumenta o respeito por si, elimina sentimentos de culpa e inferioridade e estimula a vontade de servir. Ela nos ajuda a buscar novos desafios. Ativa a intuição e as capacidades psíquicas. Usada em viagens* fora do corpo, leva-nos ao nosso destino. Ela regula a produção de hormônios, auxilia nos tratamentos de infertilidade e a impotência, ajuda pessoas que perderam o olfato a recuperá-lo e repele influências negativas que afetam a saúde.

A **melonita** fortalece a resistência e promove a honestidade. Diminui bloqueios nos chakras* do coração e da garganta, ajudando-nos a falar a verdade. Ela supre a falta de amor em qualquer situação, dissipa a raiva, a inveja, o ciúme e a desconfiança. Ela ajuda as parcerias a atingir um patamar mais alto, seja qual for o caso. Fortalece os ossos e ajuda o corpo a adaptar-se à medicação. Ela trata o câncer, paralisias, reumatismos e artrite.

O **piropo** aumenta a vitalidade e o carisma e promove uma excelente qualidade de vida. Ele reúne as forças criativas dentro de nós mesmos. Essa pedra protege os chakras* da base e da coroa, alinha os chakras* com os corpos sutis e liga a materialidade dos chakras* da base com a sabedoria do chakra da coroa. O piropo é uma pedra estabilizadora. Ele ativa a circulação e trata o sistema digestório. Diminui a azia e suaviza a dor de garganta.

A **rodolita** é uma pedra que estimula o calor humano, a confiança e a sinceridade. Ela favorece a contemplação, a intuição e a inspiração. A rodolita protege o chakra da base e incentiva a sexualidade saudável, combatendo a frigidez. Ela estimula o metabolismo e trata o coração, os pulmões e os quadris.

A **espessartita** vibra numa freqüência muito alta. Ela acentua a vontade de ajudar os outros e fortalece o coração. Estimula os processos analíticos e a mente racional. É antidepressiva e combate pesadelos. A espessartita ameniza os problemas sexuais e trata a intolerância à lactose e a falta ou excesso de cálcio.

A **uvarovita** promove a individualidade sem egocentrismo e, ao mesmo tempo, conecta a alma à sua natureza universal. Ela estimula o chakra do coração e eleva os relacionamentos espirituais. Essa é uma pedra calmante e pacífica, útil nos períodos em que queremos ficar em solidão, mas não queremos nos sentir sozinhos. Ela é desintoxicante, reduz inflamações e baixa a febre. Trata a acidose, a leucemia e a frigidez.

A **granada vermelha** representa o amor. Ela está sintonizada com o chakra do coração. Revitaliza sentimentos e estimula a sexualidade. A granada vermelha controla a raiva, especialmente a dirigida contra nós mesmos.

LISTA DE CRISTAIS

HEMATITA

Bruta (cristalina)

Rolada

Bruta

COR	Prateado, vermelho
APARÊNCIA	Forma "cerebróide", vermelha ou cinza, quando não polida. Brilhante quando polida. Pesada. Todos os tamanhos
RARIDADE	Comum
ORIGEM	Grã-Bretanha, Itália, Brasil, Suécia, Canadá, Suíça

ATRIBUTOS a hematita é particularmente eficaz quando usada para aterrar energias e como proteção. Ela harmoniza a mente, o corpo e o espírito. Usada durante as viagens fora do corpo, ela protege a alma e a traz de volta para o corpo. Essa pedra tem uma energia yang, masculina, muito forte e equilibra os meridianos* do corpo, principalmente quando há excesso de energia yin. Ela dissipa a negatividade e evita que energias negativas se prendam à aura*, restaurando a paz e a harmonia do corpo. Acredita-se que a hematita seja benéfica nas questões judiciais.

Do ponto de vista psicológico, a hematita é forte. Ela dá força às mulheres tímidas, fortalece a auto-estima e o instinto de sobrevivência, aumenta a força de vontade, a confiança e a segurança. Essa pedra elimina a autolimitação e promove a expansão. É uma pedra útil para superar compulsões e vícios. A hematita volta a atenção para os nossos desejos insatisfeitos que afetam negativamente a nossa vida. Ela trata a compulsão alimentar, o tabagismo e qualquer tipo de hábito prejudicial. A hematita ajuda a aceitar os próprios erros com naturalidade e vê-los como experiências de aprendizado em vez de desastres.

Do ponto de vista mental, a hematita estimula a concentração e o foco. Ela estimula a memória e o pensamento original. Volta a atenção da mente para as necessidades básicas de sobrevivência e ajuda a resolver problemas de todos os tipos. Essa é uma pedra útil para o estudo da matemática e de assuntos técnicos.

Do ponto de vista físico, a hematita tem uma ligação forte com o sangue. Ela restaura, fortalece e regula o suprimento de sangue. Também pode absorver o calor do corpo.

CURA A hematita complementa o tratamento de problemas circulatórios, como a doença de Reynaud e os problemas no sangue, como a anemia. Ela ajuda os rins a limpar o sangue e regenera os tecidos. A hematita estimula a absorção de ferro e a formação de glóbulos vermelhos. Trata as cãibras nas pernas, a ansiedade e a insônia, além de ajudar a alinhar a coluna vertebral e nos casos de fratura.

POSIÇÃO Para facilitar a manipulação espinal, coloque uma hematita na base e outra no alto da coluna. Essa pedra não deve ser usada em casos de inflamação ou por períodos prolongados.

DIAMANTE DE HERKIMER

Pequeno   *Grande, com oclusões enfumaçadas*

COR	Incolor
APARÊNCIA	Transparente, leitoso, com inclusões de arco-íris, geralmente com terminação dupla, de pequeno para grande
RARIDADE	Caro, mas fácil de obter
ORIGEM	Estados Unidos, México, Espanha, Tanzânia

ATRIBUTOS O diamante energiza, rejuvenesce e promove a criatividade. É um poderoso cristal de sintonização, especialmente quando pequeno e sem inclusões. Ele estimula as capacidades psíquicas, como a clarividência*, a visão espiritual e a telepatia; possibilita a ligação com uma fonte de orientação proveniente de dimensões mais elevadas e facilita a recordação e interpretação de sonhos. Essa pedra estimula a sintonização consciente com planos espirituais mais elevados e a realização do nosso potencial. Ela clareia os chakras* e abre os canais para a energia espiritual fluir. Pode ser usado para dar acesso a informações sobre vidas passadas, de modo que possamos reconhecer bloqueios ou resistências ao crescimento espiritual. O Herkimer facilita a liberação suave e a transformação, apresentando o propósito da nossa alma. Ele ativa o corpo de luz*.

O Herkimer sintoniza as pessoas e estreita os laços de amizade entre elas quando estão distantes umas das outras. Para isso, cada pessoa deve manter consigo uma pedra. O Herkimer intensifica a telepatia, especialmente nos estágios práticos iniciais, além de sintonizar o paciente com o agente de cura. O Herkimer tem uma memória cristalina na qual podemos armazenar informações para uso posterior. Podemos programá-lo para transmitir essas informações para outras pessoas. Os diamantes de Herkimer são um dos cristais mais eficazes para eliminar a poluição eletromagnética ou a radioatividade. Eles bloqueiam o estresse geopático* e são excelentes para "gradear" * a casa ou a nossa cama. Nesse caso, é preciso usar pedras maiores.

CURA O diamante de Herkimer é desintoxicante. Ele protege contra a radioatividade e trata doenças causadas por ela. Alivia a insônia causada pelo estresse geopático ou pela poluição eletromagnética; corrige o DNA, distúrbios celulares e desequilíbrios metabólicos. Elimina o estresse e a tensão do corpo. Facilita a lembrança de ferimentos e doenças de vidas passadas que ainda afetam o presente. O diamante de Herkimer é um cristal maravilhoso para fazer elixir de pedras ou *sprays* para borrifar no ambiente.

POSIÇÃO Use como pingente ou em brincos (apenas por períodos curtos). Coloque na base da espinha ou como for mais apropriado. Posicione entre você e a fonte de neblina* eletromagnética ou borrife pela casa.

O **Herkimer enfumaçado** tem uma energia de aterramento particularmente forte que equilibra o chakra da terra e o ambiente, eliminando a poluição eletromagnética e o estresse geopático. Ele pode ser usado para "gradear" a cama quando estamos nos sentindo agitados.

O **Herkimer com citrino** é um excelente antídoto para a fadiga causada por energias negativas.

HOWLITA

Rolada

COR	Verde, branco, azul – muitas vezes colorida artificialmente
APARÊNCIA	Pedra marmórea, geralmente rolada. Todos os tamanhos
RARIDADE	Fácil de obter
ORIGEM	Estados Unidos

ATRIBUTOS A howlita é uma pedra com um poderoso efeito calmante. Colocada sob o travesseiro, ela é um excelente antídoto para a insônia, especialmente a causada por uma mente hiperativa. Também pode ser usada como elixir; basta tomarmos um gole antes de ir para a cama.

A howlita nos liga a dimensões espirituais, nos sintoniza com esses planos e prepara a mente para receber informações e ensinamentos. Ela favorece as viagens fora do corpo e possibilita o acesso a lembranças de vidas passadas. Se fixarmos os olhos nessa pedra, ela pode nos transportar para outro tempo ou dimensão. Colocada sobre o terceiro olho*, ela ativa a memória de outras vidas, incluindo o período entre-vidas, quando estávamos no plano espiritual.

A howlita nos ajuda a estabelecer nossas metas, tanto espirituais quanto materiais, e nos ajuda a alcançá-las.

Do ponto de vista psicológico nos ensina a paciência e nos ajuda a expurgar o ódio e a raiva incontrolável. Se guardada no bolso absorve a raiva que sentimos ou que nos é dirigida. Também nos ajuda a superar a tendência para o criticismo e o egoísmo, além de fortalecer as nossas características positivas.

A howlita acalma a mente e favorece o sono e a meditação. Ela possibilita uma comunicação serena e baseada no bom senso. Essa pedra também estimula a memória e a sede por conhecimento.

A howlita pode acalmar emoções conturbadas, especialmente as causadas por acontecimentos de vidas passadas. Ela solta as amarras que vinculam antigas emoções à vida atual.

CURA A howlita alivia a insônia. Equilibra o nível de cálcio do organismo e fortalece os dentes, os ossos e os tecidos moles. Ela também é muito eficaz em forma de elixir.

POSIÇÃO Coloque-a no lugar apropriado e segure-a durante a meditação ou para amenizar a raiva. Use-a para "gradear"* a cama, em caso de insônia. Guarde-a no bolso para absorver negatividade.

CORES ESPECÍFICAS Além dos atributos genéricos, as cores a seguir têm propriedades adicionais:

A **howlita azul** favorece a lembrança de sonhos, ajudando-nos a lembrar das revelações que eles fazem.

Howlita azul (colorida artificialmente)

IDOCRÁSIO

Rolada

COR	Verde, marrom, azul-pálido, vermelho
APARÊNCIA	Cristal transparente, pequeno e resinoso, com pintas
RARIDADE	Obtido em lojas especializadas
ORIGEM	Estados Unidos

ATRIBUTOS O idocrásio proporciona uma ligação com o eu superior e com as informações que ele pode transmitir à alma nesta encarnação. Do ponto de vista psicológico elimina a sensação de restrição e aprisionamento. Ajuda na cura de experiências de vidas passadas relacionadas ao ser prisioneiro, passar por extremo perigo ou ter restrições mentais ou emocionais. Essa pedra alivia a raiva e o medo, criando uma sensação de segurança interior. O idocrásio tem poderosas conexões mentais. Ele abre a mente e elimina os padrões de pensamento negativos, de modo que a mente possa funcionar mais livremente. Estimula a inventividade e o desejo de investigar, ligado à criatividade.

CURA O idocrásio fortalece o esmalte dos dentes e restitui o sentido do olfato a quem o perdeu. Ela ajuda na assimilação dos nutrientes dos alimentos. Também ajuda a combater a depressão.

POSIÇÃO No lugar que for mais apropriado.

IOLITA

Bruta

COR	Cinza, violeta, azul, amarelo
APARÊNCIA	Pequena e translúcida; a cor muda dependendo do ângulo de visão
RARIDADE	Obtida em lojas especializadas
ORIGEM	Estados Unidos

ATRIBUTOS A iolita é uma pedra da visão. Ela ativa o terceiro olho* e facilita a visualização e os lampejos intuitivos, quando todos os chakras* estão alinhados. Ela estimula a conexão com o conhecimento interior. É usada nas cerimônias xamânicas e dá suporte às viagens fora do corpo. Em contato com o campo áurico, a iolita produz uma descarga elétrica que reenergiza o campo e alinha os corpos sutis*.

Do ponto de vista psicológico, a iolita ajuda a entender e superar as causas dos vícios e nos ajuda a expressar o nosso verdadeiro eu, livre das expectativas das pessoas à nossa volta. No nível mental, a iolita elimina formas-pensamento* negativas.

Do ponto de vista emocional, a iolita ameniza a discórdia nos relacionamentos. Pelo fato de estimular-nos a assumir a responsabilidade por nós mesmos, a iolita nos ajuda a superar a co-dependência numa parceria.

CURA A iolita fortalece a constituição do corpo. Ela reduz depósitos de gordura, ameniza os efeitos do álcool e favorece a desintoxicação e a regeneração do fígado. Essa pedra trata a malária e a febre, estimula a pituitária, limpa os sínus e o sistema respiratório e alivia a enxaqueca. Também mata bactérias.

POSIÇÃO Como for mais apropriado e sobre o terceiro olho, se todos os chakras* estiverem alinhados.

LISTA DE CRISTAIS

PIRITA

TAMBÉM CONHECIDA COMO OURO-DE-TOLO

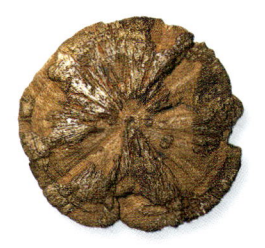

Flor de pirita   *Cubo de pirita*

COR	Marrom ou marrom-acinzentado
APARÊNCIA	Metálica, pode ser cúbica, de pequena a média
RARIDADE	Fácil de encontrar
ORIGEM	Grã-Bretanha, América do Norte, Chile, Peru

ATRIBUTOS A pirita é um escudo energético excelente. Ela bloqueia energia negativa e poluentes em todos os níveis, incluindo as doenças infecciosas. Usada em torno de pescoço, ela protege todos os corpos sutis e o físico, rechaçando o perigo e o mal.

A pirita é uma pedra muito positiva. Ela combate a inércia e os sentimentos de inadequação. Facilita a realização do nosso potencial e o desenvolvimento dos nossos talentos, além de estimular o fluxo de idéias. Um pedaço de pirita sobre a escrivaninha é suficiente para energizar todo o ambiente. Ela é útil quando no planejamento de grandes negócios. Essa pedra nos ensina a ver o que há por trás das fachadas e promove a diplomacia.

Do ponto de vista psicológico, a pirita alivia a ansiedade e a frustração e aumenta a valorização e a confiança em si mesmo. Ela é útil para homens que se sentem inferiores, pois fortalece a confiança em si e na sua masculinidade. No entanto pode acentuar a agressividade de homens muito viris ou machistas, podendo levar a comportamentos abusivos. Ela ajuda as mulheres a vencer o temperamento servil e os complexos de inferioridade.

A atividade mental é acelerada pela pirita, pois essa pedra aumenta o fluxo sanguíneo no cérebro. Ela estimula a memória. O cubo de pirita, em particular, expande e estrutura as faculdades mentais, equilibrando instinto e intuição, criatividade e análise.

Do ponto de vista emocional, a pirita combate a melancolia e o desespero profundo. Do ponto de vista físico, ela aumenta o vigor e diminui a fadiga, impedindo que o corpo físico e a aura* percam energia. A pirita aumenta o suprimento de oxigênio no sangue e fortalece o sistema circulatório. É uma pedra que irradia o ideal de perfeição com relação à saúde e ao bem-estar. Ela tem um efeito extremamente rápido quando é usada para curas, pois traz à superfície a causa da indisposição*, de modo que ela possa ser examinada. É particularmente útil quando se precisa encontrar a raiz do desequilibro kármico ou psicossomático.

CURA a pirita trata os ossos e estimula a renovação celular, restaura lesões no DNA, alinha os meridianos e combate distúrbios do sono em virtude de problemas digestivos. Ela fortalece o trato digestivo e neutraliza a intoxicação alimentar; beneficia os sistemas circulatório e respiratório e oxigena o sangue. A pirita é benéfica para os pulmões, aliviando a asma e a bronquite.

POSIÇÃO Coloque-a sobre a garganta, dentro de um saquinho de pano, ou embaixo do travesseiro.

JADE

TAMBÉM CONHECIDA COMO JADEÍTA OU NEFRITA

Verde (rolada)

Verde (polida)

Azul

COR	Verde, laranja, azul, azul-esverdeado, creme, violeta, vermelho, branco
APARÊNCIA	Translúcida (jadeíta) ou leitosa (nefrita), dando a impressão de estar ensaboada. Todos os tamanhos
RARIDADE	A maioria das cores é fácil de encontrar, mas algumas são raras. A nefrita é mais comum que a jadeíta
ORIGEM	Estados Unidos, China, Itália, Mianmá, Rússia, Oriente Médio

ATRIBUTOS O jade é um símbolo de pureza e serenidade. Muito apreciado no Oriente, ele simboliza a sabedoria acumulada com tranqüilidade. O jade, associado ao chakra* do coração, promove o amor e o carinho. Ele é uma pedra protetora, que protege seu portador do perigo e traz harmonia. Acredita-se que atraia sorte e amizades.

Do ponto de vista psicológico, o jade estabiliza a personalidade e integra a mente e o corpo. Ele promove a auto-suficiência. Do ponto de vista mental, o jade ameniza os pensamentos negativos e acalma a mente. Estimula idéias e faz as tarefas parecerem menos complexas, de modo que elas possam ser concluídas sem demora.

Do ponto de vista emocional, o jade é a "pedra dos sonhos". Colocada sobre a testa, ela provoca sonhos reveladores. Ela ajuda a extravasar sentimentos, especialmente a irritação.

Do ponto de vista espiritual, o jade nos estimula a ser mais o que somos. Ela ajuda a nos reconhecermos como seres espirituais numa jornada humana e desperta o nosso conhecimento adormecido.

Do ponto de vista físico, o jade é uma pedra de purificação, que ajuda os órgãos do corpo responsáveis pela filtragem e excreção de substâncias nocivas. É a pedra por excelência para os rins. A jadeíta e a nefrita têm as mesmas propriedades terapêuticas, mas cores e atributos diferentes.

CURA O jade trata os rins e as glândulas supra-renais, elimina toxinas, recompõe as células e os ossos e cura dores súbitas. Ele aumenta a fertilidade e auxilia nos nascimentos. Atua sobre os quadris e sobre o baço. Essa pedra também regula os fluidos corporais e ajusta o equilíbrio ácido-alcalino do corpo.

POSIÇÃO Coloque-o ou use-o como for mais apropriado. Os chineses acreditam que o jade transfere as suas virtudes para nós, quando os seguramos na mão.

CORES ESPECÍFICAS Além dos atributos genéricos, as cores a seguir têm propriedades adicionais:

LISTA DE CRISTAIS

O **jade azul ou azul-esverdeado** simboliza a paz e a reflexão. Ele traz serenidade interior e paciência. É a pedra do progresso lento, mas constante. Ela ajuda as pessoas que se sentem oprimidas por situações fora do controle.

O **jade marrom** é uma pedra com um poderoso efeito de aterramento. Ela nos conecta à terra e traz conforto e segurança. Ajuda as pessoas que precisam adaptar-se a novos ambientes.

Jade azul-esverdeado

O **jade verde** é o mais comum. Ele acalma o sistema nervoso e canaliza a energia de entusiasmo para atividades construtivas. O jade verde pode ser usado para harmonizar relacionamentos problemáticos.

O **jade lavanda** alivia a mágoa e o trauma, e inspira paz interior. Ele ensina a sutileza e a moderação nas questões emocionais e estabelece fronteiras bem definidas.

O **jade laranja** é uma pedra energética e suavemente estimulante. Ela inspira alegria e ensina sobre a interligação entre todos os seres.

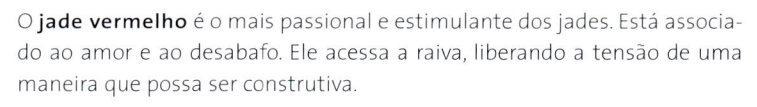

Jade lavanda

O **jade vermelho** é o mais passional e estimulante dos jades. Está associado ao amor e ao desabafo. Ele acessa a raiva, liberando a tensão de uma maneira que possa ser construtiva.

O **jade branco** direciona a energia de uma maneira mais positiva. Ele filtra as distrações, enfatiza o melhor resultado possível e ajuda na tomada de decisões, na medida em que dá destaque às informações relevantes.

Jade multicolorido

O **jade amarelo** é energético e estimulante, mas faz isso com suavidade, inspirando alegria e felicidade. Ele ensina a inter-relação de todos os seres. Trata os sistemas digestório e das excreções do corpo.

JASPE

Rolado

Bruto, brechado

Bruto, vermelho

COR	Vermelho, marrom, amarelo, verde, azul, roxo
APARÊNCIA	Opaca, com padronagens, muitas vezes desgastada pela água ou pequena e rolada
RARIDADE	Comum
ORIGEM	No mundo todo

ATRIBUTOS O jaspe é conhecido como "a suprema pedra nutriz". Ela dá apoio e sustento durante períodos de estresse e traz tranqüilidade e integridade. Usada na cura, unifica todos os aspectos da nossa vida. O jaspe lembra as pessoas de se ajudarem mutuamente.

Essa pedra alinha os chakras* e pode ser usada sobre cada um deles. Cada cor é apropriada para um chakra diferente. O jaspe facilita as viagens xamânicas e a lembrança dos sonhos. Ela dá proteção e aterra as energias do corpo. Absorve a energia negativa do corpo e limpa e alinha os corpos físico, emocional e mental com o reino etérico. Elimina a poluição eletromagnética e ambiental, incluindo a radiação, e pode ser usada em radiestesia.

Do ponto de vista psicológico, o jaspe dá determinação em todos os empreendimentos. Inspira coragem para lidarmos com os problemas de modo mais assertivo e estimula a honestidade com relação a nós mesmos. Ela ajuda durante conflitos necessários.

Do ponto de vista mental, o jaspe estimula o pensamento rápido e promove a capacidade de organização e a visualização de projetos. Estimula a imaginação e transforma idéias em ação.

Do ponto de vista físico, o jaspe prolonga o prazer sexual. Dá sustentação em períodos de doença prolongada ou hospitalização e revigora o corpo.

CURA O jaspe favorece os sistemas circulatório e digestório, e os órgãos sexuais. Também equilibra a quantidade de sais minerais no corpo. É particularmente útil na forma de elixir de pedras, pois não superestimula o corpo.

POSIÇÃO No local mais apropriado, em contato com a pele. Os locais específicos dependem da cor da pedra. Use por longos períodos, pois o jaspe age lentamente. Coloque uma grande pedra de jaspe marrom, próprio para decoração, num cômodo, para que ele absorva energia negativa.

CORES E FORMAS ESPECÍFICAS
Além dos atributos genéricos, as cores e formas a seguir têm propriedades adicionais:

LISTA DE CRISTAIS

Jaspe azul (rolado)

O **jaspe azul** nos liga ao mundo espiritual. Ele estimula o chakra* da garganta, equilibra as energias yin e yang e estabiliza a aura*. Essa pedra dá sustentação energética durante os jejuns, cura doenças degenerativas e corrige a deficiência de sais minerais. Ao fazer viagens astrais, posicione essa pedra no chakra do umbigo e no chakra do coração.

O **jaspe marrom** (incluindo o jaspe-paisagem) está ligado à terra e ativa a consciência ecológica. Em resultado, ele traz estabilidade e equilíbrio. É particularmente útil para aliviar o estresse* geopático e ambiental. Ele facilita a meditação profunda, o centramento e a regressão a vidas passadas, revelando causas kármicas. Essa pedra aumenta a visão noturna, estimula a viagem astral* e ativa o chakra da terra. Ele fortalece o sistema imunológico e limpa o organismo. Melhora a pele. O jaspe marrom fortalece a decisão de parar de fumar. Posicione-o na testa ou no local mais apropriado.

O **jaspe verde** cura e ameniza indisposições* e obsessões. Ele equilibra áreas da vida que adquiriram importância demais, em detrimento de outras. Essa pedra estimula o chakra do coração. O jaspe verde trata os problemas de pele e diminui inchaços. Cura doenças na parte superior do tronco, no trato digestivo e nos órgãos de purificação. Reduz intoxicações e inflamações.

O **jaspe roxo** estimula o chakra da coroa. Elimina contradições. Posicione-a sobre o chakra da coroa.

Jaspe verde (bruto)

O **jaspe vermelho** (inclusive o jaspe brechado) proporciona um estímulo suave. Ele aterra a energia e retifica questões de injustiça. O jaspe vermelho traz problemas à luz antes que eles se tornem grandes demais e favorece lampejos intuitivos sobre as situações mais difíceis. É uma pedra excelente para dias em que estamos preocupados, pois acalma as emoções enquanto a pegamos na mão e brincamos com ela. Colocada sob o travesseiro, ela ajuda na recordação de sonhos. Limpa e estabiliza a aura e fortalece fronteiras. Essa é uma pedra da saúde, que fortalece e desintoxica o sistema circulatório, o sangue e o fígado. Ela dissolve bloqueios no fígado ou nos ca-

LISTA DE CRISTAIS

nais por onde passa a bile. Coloque-a no chakra da base ou onde for mais apropriado.

O **jaspe amarelo** garante proteção durante trabalhos espirituais e viagens físicas. Ela canaliza energia positiva, promove o bem-estar físico e revigora o sistema endócrino. O jaspe amarelo estimula o chakra do plexo solar. Libera toxinas e ajuda a digestão e o estômago. Posicione-a sobre a testa, o peito, a garganta, o pulso ou no local dolorido, até sentir algum alívio.

A **bassanita (jaspe negro)** é muito usada como pedra de escriação*. Ela nos induz a um estado alterado de consciência e inspira sonhos proféticos e visões.

Jaspe amarelo (rolado)

A **moukaita (jaspe australiano)** proporciona o equilíbrio necessário entre experiências interiores e exteriores. Ela instiga o desejo de passar por novas experiências e, ao mesmo tempo, confere uma calma profunda para enfrentá-las. A flexível moukaita estimula a versatilidade. Ela mostra todas as possibilidades e ajuda na escolha da mais apropriada. Essa é uma pedra que estabiliza o corpo físico, fortalecendo o sistema imunológico, curando feridas e purificando o corpo.

Diz-se que o **jaspe-paisagem, picture ou marrom** é a Mãe Terra falando com os seus filhos. Ele contém, em suas figuras, uma mensagem do passado para aqueles que conseguem decifrá-la. Essa pedra traz à superfície sentimentos de culpa, inveja, ódio e amor reprimidos, além dos pensamos normalmente postos de lado, seja de vidas passadas ou da atual. Depois que esses sentimentos são extravasados, eles são vistos como lições. O jaspe paisagem instila um senso de proporção e harmonia. Traz conforto e alivia o medo. Estimula o sistema imunológico e limpa os rins.

Moukaita (rolado)

LISTA DE CRISTAIS

Ferro-de-tigre (bruto)

O **jaspe orbicular** inspira o serviço, a aceitação de responsabilidades e a paciência. As marcações circulares dessa pedra são associadas ao ciclo da respiração, por isso ela a facilita. Elimina as toxinas que causam o odor desagradável no corpo.

O **jaspe pluma-real** abre o chakra* da coroa e alinha as energias espirituais com o propósito pessoal, proporcionando *status* e poder. Essa pedra elimina contradições e apóia a preservação da nossa dignidade. Traz estabilidade emocional e mental.

Jaspe orbicular

O **jaspe brechado** (jaspe com hematita) é excelente para nos ajudar a manter os pés no chão e manter a estabilidade emocional. Ele absorve o excesso de energia da cabeça, promovendo a lucidez.

(Ver também o Riólito, nas páginas 248-249.)

COMBINAÇÃO DE PEDRAS

O **ferro-de-tigre (olho-de-ferro ou *tiger iron*)** é uma combinação de jaspe, hematita e olho-de-tigre. Ele promove a vitalidade e nos ajuda a passar por uma mudança, apontando um ponto de fuga quando somos ameaçados pelo perigo. Ele é extremamente útil para pessoas que se sentem exaustas em qualquer nível, especialmente por esgotamento mental ou emocional ou tensão em família. Essa pedra promove a mudança, abrindo espaço para contemplarmos o que é necessário e depois nos insuflando energia suficiente para entrarmos em ação. As soluções do ferro-de-tigre são normalmente pragmáticas e simples. Trata-se de uma pedra criativa e artística, que traz à tona talentos adormecidos.

Ferro-de-tigre (rolado)

O ferro-de-tigre atua sobre o sangue, equilibrando os glóbulos vermelhos e brancos, eliminando toxinas e curando os quadris, os membros inferiores e os pés, e fortalecendo os músculos. Ele ajuda na assimilação da vitamina B e produz esteróides naturais. Mantenha o ferro-de-tigre em contato com a pele.

LISTA DE CRISTAIS

AZEVICHE

Formado

Bruto

COR	Preto
APARÊNCIA	Semelhante ao carvão, normalmente polida e pequena
RARIDADE	Fácil de obter
ORIGEM	No mundo todo, especialmente nos Estados Unidos

ATRIBUTOS O azeviche é, na verdade, formado de madeira fossilizada, embora tenha a aparência de carvão. Ele tem sido usado como talismã desde a Idade da Pedra. O azeviche absorve energia negativa e alivia medos irracionais. Usado em torno do pescoço, ele é uma pedra de proteção. Protege contra a violência e a doença, e garante uma viagem astral segura. Nos tempos antigos era usada para proteger contra "entidades das trevas".

Diz-se que aqueles que são atraídos para essa pedra são "almas antigas", que já tiveram muitas encarnações na Terra.

O azeviche também é usado para proporcionar experiências espirituais e ajudar na busca da iluminação espiritual.

Segundo a tradição, as jóias de azeviche passam a fazer parte do corpo de quem as usa. Isso indica que as jóias de azeviche herdadas ou compradas em lojas de antiguidade devem passar por uma cuidadosa limpeza. O azeviche usado na cura também deve ser limpo depois de cada aplicação.

Diz-se que essa pedra estabiliza as finanças e protege os negócios. Ela pode ser colocada na caixa registradora ou na Área da Abundância, segundo o Feng Shui (canto esquerdo mais distante da casa com relação à porta da frente).

Do ponto de vista psicológico, o azeviche nos ajuda a assumir o controle da nossa vida. Ele equilibra as oscilações de humor e alivia a depressão, trazendo estabilidade e equilíbrio.

O azeviche limpa o chakra* da base e estimula a subida da kundalini*. Colocada sobre o peito, direciona a kundalini para o chakra da coroa.

CURA O azeviche trata a enxaqueca, a epilepsia e a gripe. Diminui o inchaço de glândulas e linfático e cura a dor de estômago. Por tradição, é usada para amenizar cólicas menstruais.

POSIÇÃO Em qualquer lugar. Em jóias, deve ser incrustada em prata.

KUNZITA

Verde (hidenita)

Cor-de-rosa

COR	Cor-de-rosa, verde, amarelo, lilás, incolor
APARÊNCIA	Cristal transparente ou translúcido, estriado e de todos os tamanhos
RARIDADE	Cada vez mais fácil de obter
ORIGEM	Estados Unidos, Madagáscar, Brasil, Mianmá, Afeganistão

ATRIBUTOS A tranqüila kunzita é uma pedra extremamente espiritual, com uma vibração elevadíssima. Ela desperta o centro do coração e o amor incondicional, produzindo pensamentos amorosos e facilitando a comunicação. Essa pedra irradia paz e nos conecta com o amor universal. A kunzita induz a um estado meditativo profundo e centrado, que é benéfico para aqueles que sentem dificuldade para meditar. Ela também aumenta a criatividade, estimula a humildade e a disposição para servir.

A kunzita é uma pedra de proteção, que atua sobre o indivíduo e sobre o ambiente. Ela tem o poder de dissipar a negatividade. Essa pedra protege a aura, combatendo energias indesejáveis, servindo como um escudo de proteção em torno dela e libertando entidades presas à aura e influências mentais*. A kunzita nos ajuda a ficar centrados, mesmo em meio a uma multidão. Também fortalece o campo energético que envolve o corpo.

Do ponto de vista psicológico, a kunzita estimula a expressão de nós mesmos e o extravasamento dos sentimentos. Ela remove obstáculos do nosso caminho e nos ajuda a adaptarmo-nos às pressões da vida e a recuperar lembranças reprimidas. É útil também para curar pessoas que tiveram de amadurecer muito depressa, restituindo-lhes a confiança e inocência. Essa pedra promove a tolerância com relação a nós mesmos e aos outros. A kunzita também é útil na redução da ansiedade relacionada ao estresse.

Do ponto de vista mental, a kunzita facilita a introspecção e a capacidade de aceitar a crítica construtiva. Ela tem o poder de combinar intelecto, intuição e inspiração.

A kunzita pode ser usada para eliminar resíduos emocionais e liberar emoções, curando dores de cabeça, especialmente aquelas cuja causa está em vidas passadas. Ela elimina a resistência e ajuda a conciliar as necessidades alheias com as nossas. A capacidade dessa pedra para elevar o nosso ânimo faz com que ela seja útil em casos de depressão com causas emocionais. É uma pedra excelente para aliviar ataques de pânico.

Do ponto de vista espiritual, a kunzita ativa o chakra* do coração e o alinha com o chakra da garganta e do terceiro olho.

Do ponto de vista físico, a kunzita pode ser usada para bloquear o estresse*. Ela é mais eficaz quando usada como pingente ou fixada no telefone celular ou outro equipamento eletromagnético com uma fita adesiva.

CURA Esta pedra fortalece o sistema circulatório e o músculo do coração. É útil para problemas que afetam os nervos do corpo, como a nevralgia. Ela acalma a epilepsia e suaviza as dores nas articulações. Neutraliza os efeitos da anestesia e estimula o sistema imunológico. A kunzita contém lítio e por isso é benéfica para distúrbios psiquiátricos e depressão, especialmente quando ingerida em forma de elixir. Essa pedra ajuda o corpo físico a se recuperar dos efeitos do estresse emocional. Ela pode ser usada pelos praticantes de radiônica*, para representar o paciente durante tratamento feito a distância.

POSIÇÃO Segure-a ou coloque-a onde for mais apropriado, ou use como elixir. (A cor da kunzita pode empalidecer à luz do Sol.) Use como pingente ou fixe no celular ou computador com uma fita adesiva. Segure a kunzita na mão ou coloque-a sobre o plexo solar, para aliviar ataques de pânico.

CORES ESPECÍFICAS Além dos atributos genéricos, as cores a seguir têm propriedades adicionais:

A **kunzita incolor** ajuda no trabalho de restauração* da alma. Ela facilita a viagem para o local onde a alma se perdeu e pode servir de receptáculo para a alma até que ela se reintegre ao corpo.

A **kunzita amarela** elimina a neblina eletromagnética* do ambiente e neutraliza a radiação e microondas do campo áurico. Ela alinha os chakras*, reestrutura o DNA e estabiliza a estrutura celular e o equilíbrio cálcio-magnésio do corpo.

Kunzita incolor

A **kunzita lilás** é um Portal Celeste* e um símbolo do infinito. Ela facilita a transição para o mundo espiritual, conferindo à alma de partida o conhecimento necessário para avançar rumo à iluminação. A kunzita lilás rompe as barreiras do tempo, rumo ao infinito.

A cor da **hidenita (kunzita verde)** varia do amarelo ao verde esmeralda. Ela nos conecta a outros mundos, possibilitando a transferência de conhecimento dos reinos superiores. A kunzita beneficia as experiências intelectuais e emocionais. Elimina sentimentos de fracasso e ajuda as pessoas que só aceitam com muita dificuldade o consolo e apoio das outras e

Kunzita lilás

do universo. Essa pedra tem o poder de ligar o intelecto ao amor, para dar à luz o desconhecido. A kunzita verde ancora o amor espiritual e apóia novos começos. Na cura, a hidenita facilita o diagnóstico, pois "esquadrinha" o corpo, mostrando áreas de debilidade, indisposição* e friagem. Ela beneficia o timo e a região do peito. Para estimular vislumbres intuitivos, basta colocá-la sobre o terceiro olho*.

Hidenita

LISTA DE CRISTAIS

CIANITA

TAMBÉM CONHECIDA COMO DISTÊNIO

Azul
(lâminas perolizadas)

COR	Azul esbranq., cor-de-rosa, verde, amarelo, cinza, preto
APARÊNCIA	Cristal estriado em forma de lâmina, pode ser transparente ou opaco e "perolizado", de todos os tamanhos
RARIDADE	Fácil de obter
ORIGEM	Brasil

ATRIBUTOS A cianita é excelente para sintonização e meditação. Trata-se de um cristal tranqüilizante e um poderoso transmissor e amplificador de energias de alta freqüência, que estimula as faculdades psíquicas e a intuição. Com a sua capacidade para entrar em sintonia com o nível causal, essa pedra pode ajudar a energia espiritual a manifestar-se no nível mental. Esse cristal conecta os guias espirituais* e inspira compaixão. As suas vibrações espirituais de aterramento promovem a integridade e maturidade espirituais. Ela facilita a lembrança dos sonhos e provoca sonhos terapêuticos. A cianita também é útil para aqueles que estão fazendo a sua transição para o mundo espiritual.

A cianita alinha instantaneamente os chakras* e os corpos sutis*, desobstruindo os seus canais e medianos. Ela restaura o *ki** do corpo físico e dos seus órgãos. Na cura, ela estabiliza o campo biomagnético*, depois do trabalho de limpeza e transformação.

Como a cianita não absorve negatividade, ela nunca requer limpeza.

Do ponto de vista psicológico, a cianita estimula a expressão da verdade, eliminando medos e bloqueios. Por abrir o chakra da garganta, essa pedra estimula a expressão de nós mesmos e a comunicação. Ela combate à ignorância e nos abre para a verdade espiritual e psicológica.

A cianita dissipa a confusão e os bloqueios, a ilusão, a raiva, a frustração e o estresse. Ela estimula o pensamento lógico e linear e a mente superior e a conecta ao nível causal.

Do ponto de vista espiritual, a cianita nos ajuda a abandonar a idéia de determinismo ou carma* implacável. Ela mostra o papel desempenhado pelo eu na criação das causas e as providências necessárias para equilibrar o passado. A cianita facilita o processo de ascensão, atraindo o corpo de luz* para o reino físico e conectando a mente superior a planos de freqüência mais elevada.

CURA A cianita trata distúrbios musculares, febre e problemas no sistema urogenital, na tireóide e na paratiróide, nas glândulas supra-renais, na garganta e no cérebro. Analgésico natural, a cianita baixa a pressão sanguínea e cura infecções. Combate o excesso de peso e apóia o cerebelo e as reações motoras do corpo. A cianita também ajuda a equilibrar as energias yin-yang.

POSIÇÃO Onde for mais apropriado, particularmente entre o umbigo e o coração. Use como pingente.

CORES ESPECÍFICAS Além dos atributos genéricos, as cores a seguir têm propriedades adicionais:

A **cianita azul** fortalece a voz e cura a garganta e a laringe. É útil para atores e para quem fala em público.

A **cianita preta** aterra o corpo quando alinha os chakras* e durante ou depois da meditação.

LABRADORITA

TAMBÉM CONHECIDA COMO ESPECTROLITA

Polida

COR	De acinzentado a preto, com azul, amarelo
APARÊNCIA	Todos os tamanhos, geralmente polida: negra a ponto de refletir a luz, então azul iridescente ou com brilho amarelo
RARIDADE	Fácil de obter
ORIGEM	Itália, Groenlândia, Finlândia, Rússia, Canadá, Escandinávia

ATRIBUTOS A labradorita iridescente é uma pedra extremamente mística e protetora, uma portadora da luz. Ela eleva a consciência e nos conecta com as energias universais. A labradorita repele energias indesejáveis da aura e previne perdas energéticas. Ela forma uma barreira contra as energias negativas liberadas durante a terapia. Pode levar-nos a outro mundo ou para outras vidas. Pedra de conhecimento esotérico, a labradorita facilita a iniciação aos mistérios.

A labradorita alinha os corpos* físico e etérico e nos ajuda a descobrir o nosso propósito espiritual. Ela eleva a consciência e fixa energias espirituais no corpo físico. Essa pedra estimula a intuição e os dons psíquicos, incluindo a arte de trazer à tona, no momento certo, mensagens da mente inconsciente, e facilitar a sua compreensão.

Do ponto de vista psicológico, a labradorita combate o medo, inseguranças e os resíduos psíquicos deixados por decepções, incluindo aquelas ocorridas em vidas passadas. Ela fortalece a fé no eu e a confiança no universo. Remove as projeções de outras pessoas, incluindo formas-pensamento presas à aura*.

A labradorita acalma a mente hiperativa e dá asas à imaginação, dando origem a novas idéias. O poder de análise e a racionalidade são equilibrados com a visão interior. A labradorita traz contemplação e introspecção. Combinando o pensamento intelectual com a sabedoria intuitiva, essa pedra é um excelente dispersor de ilusões, pois nos ajuda a chegar à raiz de uma questão e mostra as intenções reais por trás de pensamentos e ações. Essa pedra traz à tona lembranças reprimidas do passado.

A labradorita é uma companhia útil em tempos de mudança, pois nos dá força e perseverança. Uma pedra de transformação, ela prepara o corpo e a alma para o processo de ascensão.

CURA A labradorita trata problemas nos olhos e no cérebro, alivia o estresse e regula o metabolismo. Ela combate gripes, gota e reumatismo, equilibrando os hormônios e aliviando a tensão menstrual e baixando a pressão sanguínea. A labradorita pode ser usada como testemunho durante o tratamento radiônico*, apontando a causa da indisposição*.

POSIÇÃO Use-a sobre o chakra do coração* superior ou coloque-a sobre o lugar apropriado.

COR ESPECÍFICA Além dos atributos genéricos, a cor a seguir tem propriedades adicionais:

A **LABRADORITA AMARELA** dá acesso a níveis superiores de consciência, intensifica a visualização, o transe, a clarividência e a canalização*. Ela é benéfica para o chakra do plexo solar e expande o corpo mental, proporcionando uma sabedoria mais elevada. Trata o estômago, o baço, o fígado, a vesícula biliar e as glândulas supra-renais.

Labradorita amarela

Posição: coloque-a sobre o terceiro olho*, no plexo solar ou segure-a na mão.

LÁPIS-LAZÚLI

Bruta   *Polida*

COR	Azul profundo com manchas douradas
APARÊNCIA	Densa e com veios, o lápis-lazúli lembra o céu noturno. Todos os tamanhos, às vezes rolada
RARIDADE	Fácil de obter, mas cara
ORIGEM	Rússia, Afeganistão, Chile, Itália, Estados Unidos, Egito, Oriente Médio

ATRIBUTOS O lápis-lazúli abre o terceiro olho* e equilibra o chakra da garganta*. Ele estimula a iluminação e intensifica o trabalho com sonhos e as capacidades psíquicas, facilitando a viagem astral e aumentando o poder pessoal e espiritual. Essa pedra libera rapidamente o estresse, trazendo uma paz profunda. Ela possui uma enorme serenidade e é a chave para a realização espiritual.

O lápis-lazúli é uma pedra protetora que facilita o contato com os guardiões espirituais. Essa pedra reconhece um ataque psíquico*, bloqueia-o e devolve a energia para a sua fonte. Ela ensina o poder da palavra falada e reverte e maldições ou indisposições* causadas pela incapacidade de nos expressarmos verbalmente no passado.

Essa pedra harmoniza os níveis físico, emocional, mental e espiritual. Ela promove o equilíbrio entre esses níveis, evitando a depressão, indisposições e a falta de propósito. A harmonia entre esses níveis possibilita um profundo autoconhecimento.

O lápis-lazúli estimula a nossa vontade de assumir a responsabilidade sobre a nossa vida. Ela revela a verdade interior, favorece a consciência de nós mesmos e nos permite a expressão de nós mesmos sem que precisemos nos reprimir nem fazer concessões. Se a raiva reprimida causa problemas na garganta ou dificulta a comunicação, o lápis-lazúli facilita a sua liberação. Essa pedra promove qualidades como a honestidade, a compaixão e a retidão.

O lápis-lazúli é um poderoso amplificador de pensamentos. Ele estimula as faculdades superiores da mente, trazendo objetividade e lucidez. Ele estimula a criatividade por meio da sintonização com a fonte. Essa pedra nos ajuda a confrontar a verdade, seja quando for, e aceitar o que ela ensina. Ajuda na expressão das nossas próprias opiniões e harmoniza conflitos, ensinando o quanto é importante sabermos ouvir.

O lápis-lazúli estreita laços de afeto e amizade e nos ajuda a expressar sentimentos e emoções. Ela dissipa o martírio, a crueldade e o sofrimento. Quando usada em essências de pedras, ela dissolve a servidão emocional.

CURA O lápis-lazúli alivia a dor, especialmente as dores de cabeça da enxaqueca. Ela combate a depressão, beneficia os sistemas respiratório e nervoso, além da garganta, da laringe e da tireóide, limpando os órgãos, a medula óssea, o timo e o sistema imunológico. O lápis-lazúli nos ajuda a superar a perda da saúde, purifica o sangue e fortalece o sistema imunológico. Ela também alivia a insônia, a vertigem e a pressão baixa.

POSIÇÃO Use-a ou coloque-a na garganta ou no terceiro olho*. Essa pedra deve ser posicionada acima do diafragma, em algum lugar entre o esterno e o topo da cabeça.

LARIMAR

TAMBÉM CONHECIDA COMO PEDRA-GOLFINHO OU PECTOLITA AZUL

Rolada

COR	Azul, azul-esverdeado, cinza ou vermelho com branco
APARÊNCIA	Translúcida, lisa, com estrias coloridas ou veios brancos. Geralmente pequena para média, rolada
RARIDADE	Fácil de obter
ORIGEM	República Dominicana, Bahamas

ATRIBUTOS Descoberta recentemente, a etérica larimar é uma das "pedras espirituais" que nos abre para novas dimensões, estimulando a evolução da Terra. Ela irradia amor e paz e promove tranqüilidade. A larimar induz um estado profundo de meditação, sem que seja necessário nenhum tipo de esforço. Ela eleva naturalmente a consciência e harmoniza o corpo e a alma com novas vibrações. Do ponto de vista espiritual aumenta o poder pessoal, eliminando barreiras ilusórias que constrangem o eu espiritual, e orienta a alma para o seu verdadeiro caminho na vida. A larimar facilita o contato com os anjos e a comunicação com outros reinos. Ela é uma excelente pedra para aqueles que buscam a sua alma gêmea ou que tiveram relacionamentos problemáticos em vidas passadas ou traumas relacionados ao parceiro.

Do ponto de vista psicológico, a larimar elimina bloqueios e limitações auto-impostas. Combate comportamentos autodestrutivos, especialmente tendências para a martirização, e favorece o controle da própria vida. Ela é particularmente útil para aliviar a culpa e amenizar o medo. Durante períodos de estresse e mudanças inevitáveis ajuda a encarar os desafios com serenidade.

Do ponto de vista mental, a larimar traz tranqüilidade e lucidez, e inspira um modo de pensar mais construtivo. Ela estimula a criatividade e a disposição para "seguir com o fluxo".

Do ponto de vista emocional, a larimar traz calma e equilíbrio. É um antídoto eficaz contra extremos emocionais e transtorno bipolar. Ela cura traumas relacionados ao coração e restabelece o contato com a nossa energia infantil, alegre e espirituosa.

Pedra de energias telúricas terapêuticas, a larimar nos conecta com a energia da deusa Terra, ajudando as mulheres a restabelecer a sintonia com a sua feminilidade inata e a restaurar a sua ligação com a natureza. Colocada na terra, essa pedra combate desequilíbrios energéticos e o estresse geopático*.

CURA Posicionada sobre o coração, o terceiro olho* ou o plexo solar, ou usada para massagear o corpo, a larimar liberta entidades presas à aura. Ela estimula os chakras* do terceiro olho, do coração, da coroa e da garganta, e promove a autocura. É particularmente útil para problemas nas cartilagens e na garganta, por dissolver bloqueios no peito, na cabeça e no pescoço. Ela também pode ser colocada sobre articulações presas ou artérias bloqueadas. Colocada em pontos doloridos alivia a dor. Usada como instrumento reflexológico, a larimar indica o lugar da indisposição* e desobstrui os meridianos* do corpo.

POSIÇÃO Segure-a ou use-a durante períodos prolongados; use nos pés.

LEPIDOLITA

Bruta (forma de mica)   *Polida*

COR	Roxo, cor-de-rosa
APARÊNCIA	Massa estratificada, levemente brilhante ou granulosa, todos os tamanhos
RARIDADE	Fácil de obter
ORIGEM	Estados Unidos, República Tcheca, Brasil, Madagáscar, República Dominicana

ATRIBUTOS A lepidolita elimina a poluição eletromagnética e por isso deve ser colocada sobre computadores para absorver as suas emanações. Quando essa pedra tem uma forma semelhante a mica, as suas propriedades são amplamente amplificadas e ela se torna um eficiente instrumento de limpeza. A lepidolita é uma pedra que só deve ser usada para o mais elevado bem. Ela dissipa a negatividade e ativa e abre os chakras* da garganta, do coração, do terceiro olho* e da coroa, eliminando bloqueios e promovendo a consciência cósmica. Essa pedra favorece as viagens xamânicas ou espirituais e franqueia o acesso aos Registros Akáshicos*. Ela nos sintoniza com pensamentos e sentimentos de outras vidas que provocam bloqueios na vida atual e também nos ajuda a conhecer o futuro.

A lepidolita é extremamente útil na redução do estresse e da depressão. Ela combate pensamentos obsessivos, o desânimo e a insônia. Essa pedra contém lítio, e por isso é capaz de estabilizar as oscilações de humor e o transtorno bipolar. É excelente para qualquer tipo de dependência emocional ou mental, pois facilita o abandono de vícios e problemas de todos os tipos, incluindo a anorexia. Por ser uma "pedra de transição", ela elimina e reorganiza padrões de comportamento e psicológicos obsoletos, favorecendo a mudança. A lepidolita estimula a independência e a realização de tarefas sem ajuda externa.

Do ponto de vista mental, a lepidolita estimula o intelecto e o poder de análise. Com o seu poder de intensificar a objetividade e a concentração acelera a tomada de decisões. A lepidolita nos ajuda a focar o que é importante, filtrando distrações indesejáveis.

Do ponto de vista emocional, a lepidolita nos ajuda a ocupar o nosso próprio espaço, sem nos deixar influenciar pelas opiniões dos outros. Ela é uma pedra calmante, que torna o sono mais tranqüilo e ameniza o estresse emocional, proporcionando uma profunda cura emocional.

CURA A lepidolita é capaz de identificar o local da indisposição*. Colocada sobre o corpo, na região da indisposição, ela emite uma suave vibração. Essa pedra alivia alergias, fortalece o sistema imunológico, reestrutura o DNA e aumenta a produção de íons negativos. Alivia a exaustão, a epilepsia e o mal de Alzheimer. Alivia problemas no nervo ciático e a nevralgia, e trata problemas nas articulações. Desintoxica a pele e os tecidos conjuntivos. Essa é uma pedra excelente para a menopausa, especialmente na forma de elixir de pedras. Trata doenças causadas pela "síndrome do edifício doente" e o estresse causado pelo computador.

POSIÇÃO Coloque-a ou use-a como for mais apropriado. Colocada embaixo do travesseiro, ela ameniza os distúrbios do sono.

MAGNESITA

Forma cerebróide (bruta)   *Forma marmórea (rolada)*

COR	Branco, cinza, marrom, amarelo
APARÊNCIA	Com tamanhos e formas extremamente variadas, pode ter forma cerebróide, cretácea e marmórea ou cristalina
RARIDADE	Fácil de obter, embora a forma cristalina seja rara
ORIGEM	Brasil, Estados Unidos

ATRIBUTOS A magnesita proporciona uma paz profunda, propícia para a meditação e o relaxamento. Colocada sobre o terceiro olho*, essa pedra favorece a visualização e a formação de imagens. Ela abre o chakra* do coração e estimula o amor sincero, inclusive por si mesmo, necessário para que possamos amar as outras pessoas.

A magnesita pode ser muito útil na prática do amor incondicional em situações em que os relacionamentos com as outras pessoas são difíceis devido a padrões de comportamento ou vícios. Ajuda-nos a nos manter centrados, atentos mas tranqüilos e permitindo que a outra pessoa seja simplesmente quem ela é, sem tentar mudá-la ou deixar-se afetar de qualquer maneira pelas dificuldades. Do ponto de vista psicológico, a magnesita traz à superfície todas as formas de ilusão com relação a nós mesmos. Ajuda-nos a reconhecer pensamentos e sentimentos inconscientes e a explorar a razão deles, voltando ao passado, se necessário. Induz uma atitude positiva na vida. Ajuda pessoas egocêntricas a superar a sua vontade de ser o centro das atenções e ensina como ouvir os outros atentamente.

A forma cerebróide da magnesita tem o poder de afetar a mente, levando os dois hemisférios a harmonizar-se, estimulando idéias e sugerindo a maneira como aplicá-las.

A magnesita produz um efeito calmante sobre as emoções, promovendo maior resistência contra o estresse emocional. Ajuda as pessoas que sofrem dos nervos ou são temerosas e as ajuda a superar a irritabilidade e a intolerância.

CURA A magnesita contém um alto nível de magnésio e ajuda o corpo a absorver esse mineral. Ela desintoxica e neutraliza o odor corporal, age como antiespasmódico e relaxante muscular, e trata problemas menstruais, digestivos, intestinais, além de cãibras vasculares e cólicas causadas por pedras na vesícula ou nos rins. Essa pedra trata problemas nos ossos e nos dentes e previne a epilepsia. Alivia dores de cabeça, especialmente enxaquecas, e retarda a coagulação do sangue. Acelera o metabolismo das gorduras e diminui o colesterol, prevenindo a arteriosclerose e a angina. É uma ótima medida preventiva contra doenças do coração. Equilibra a temperatura corporal, combatendo febres e calafrios.

POSIÇÃO Coloque-a no local mais apropriado, em contato com a pele. Pode ser usada em essências de pedras, interna ou externamente.

LISTA DE CRISTAIS

MAGNETITA

TAMBÉM CONHECIDA COMO PEDRA-ÍMÃ

Bruta

COR	Preto, marrom-acinzentado
APARÊNCIA	Escura e granulosa, magnética (minério de ferro), todos os tamanhos
RARIDADE	Fácil de obter
ORIGEM	Estados Unidos, Canadá, Índia, México, Romênia, Itália, Finlândia, Áustria

ATRIBUTOS A magnetita é uma pedra magnética que tem uma poderosa polaridade invertida. Ela pode ser usada na magnetoterapia, que atua sobre o próprio campo biomagnético* e sobre os meridianos do corpo, e também sobre os meridianos da Terra, na cura telúrica. Trata-se de uma pedra que aterra as energias. Quando usada por um agente de cura experiente, ela reverte os fluxos energéticos invertidos no corpo ou na terra.

A magnetita trata e repele, energiza e seda. Nos casos em que o corpo se esforça muito para curar-se, pode acontecer de um meridiano apresentar excesso de energia. Nessas situações, em que um órgão ou meridiano fica hiperativo, a magnetita é capaz de eliminar o excesso de energia com a sua carga negativa. Se o órgão ou meridiano estiverem desvitalizados, a magnetita ativa com a sua carga positiva. É extremamente útil em lesões esportivas, pois alivia dores nos músculos.

A magnetita alinha temporariamente os chakras* e os meridianos dos corpos sutis e etéricos. Conecta os chakras* básico e da terra às energias nutritivas da terra, que suprem a força vital do corpo físico.

A magnetita favorece a telepatia, a meditação e a visualização. Proporciona uma perspectiva equilibrada e a confiança na intuição.

Essa pedra magnética atrai o amor, o compromisso e a lealdade.

Do ponto de vista psicológico, a magnetita pode ser usada para aliviar emoções negativas, como o medo, a raiva, o pesar e o excesso de apego, inspirando qualidades positivas, como a tenacidade e a resistência. Ajuda-nos a sair de situações destrutivas e promove a objetividade. Essa pedra equilibra intelecto e emoções, trazendo estabilidade interior.

CURA A magnetita proporciona a energia de cura necessária para a recuperação. É benéfica contra a asma, para o sangue e para o sistema circulatório, e também para a pele e para o cabelo. Estimula os órgãos preguiçosos e seda os hiperativos. É antiinflamatória e ameniza a tensão e as cãibras musculares. É útil para estancar hemorragias nasais.

POSIÇÃO Coloque-a na parte anterior do pescoço e na base da espinha, ou sobre a articulação dolorida. Coloque-a nos pés da cama para evitar cãibras noturnas.

MALAQUITA

rolada

Bruta

COR	Verde
APARÊNCIA	Bandas concêntricas claras e escuras e rosetas. Todos os tamanhos, muitas vezes rolada ou polida
RARIDADE	Fácil de obter
ORIGEM	Romênia, Zâmbia, República Democrática do Congo, Rússia, Oriente Médio

ATRIBUTOS A malaquita é uma pedra poderosa, mas que precisa ser manuseada com cautela. É melhor usá-la sob a supervisão de um terapeuta especializado em cristais. Ela é tóxica e só deve ser manuseada em sua forma polida. Evite inalar o pó que se desprende dela. Se usada em elixires de pedras deve ser aplicado apenas externamente ou confeccionado pelo método indireto: coloque a pedra num recipiente de vidro e mergulhe-o em água mineral, de modo que a pedra não toque a água.

A malaquita amplifica tanto as energias negativas quanto as positivas. Ela aterra energias espirituais no planeta. Algumas pessoas acreditam que a malaquita é uma pedra que ainda está em evolução e será uma das mais importantes pedras de cura do novo milênio.

A malaquita já é uma importante pedra de proteção. Ela absorve facilmente as energias negativas e os poluentes, identificando-os na atmosfera e no corpo. A malaquita deve ser limpa antes e depois de usada. Para isso basta colocá-la sobre um aglomerado de quartzo sob a luz do Sol. (Não use sal, pois isso pode danificar a sua superfície.)

A malaquita elimina a poluição causada pelo plutônio, que combate a radiação de todos os tipos. Ela deve ser colocada na casa de qualquer pessoa que viva perto de fontes de radiação nuclear ou natural. Essa pedra também elimina a poluição eletromagnética e cura as energias telúricas. Ela tem uma grande afinidade com a natureza e com as forças dévicas*.

Essa pedra alinha e ativa os chakras* e favorece a sintonização com a orientação espiritual. Colocada sobre o terceiro olho*, ela ativa a visualização e a visão psíquica. Sobre o coração traz equilíbrio e harmonia. Também abre o coração para o amor incondicional.

A malaquita pode ser usada para escriação* ou para atingir outros mundos, interiores ou exteriores*. A visualização dos seus padrões concêntricos ajuda a acalmar a mente e a estimular a imaginação. Pode ajudar-nos a receber lampejos intuitivos do subconsciente ou mensagens vindas do futuro.

Do ponto de vista psicológico, a malaquita é uma pedra de transformação. A vida é vivida com mais intensidade sob a influência dessa pedra aventuresca, que estimula a coragem de assumir riscos e de empreender mudanças. Ela mostra implacavelmente o que bloqueia o nosso crescimento espiritual. Também traz à tona sentimentos profundos e causas psicossomáticas, rompendo amarras e padrões obsoletos e nos ensinando a assumir a responsabilidade pelas nossas próprias ações, pensamentos e sentimentos. Ameniza inibições e estimula a expressão dos sentimentos. Essa pedra promove a empatia pelas outras pessoas, mostrando como nos sentiríamos no lugar delas. Ela combate a timidez e nos ajuda a travar novas amizades. A malaquita é útil para problemas psicossexuais, especialmente quando causados por experiências sexuais traumáticas de vidas passadas. Ela favorece o processo de renascimento.

Do ponto de vista mental, a malaquita atinge o âmago dos problemas, intensificando a intuição e a visão espiritual. Ela ajuda a amenizar distúrbios mentais, incluindo doenças psiquiátricas e a dislexia. Fortalece a capacidade de absorver e processar informações, tornando-nos mais observadores e ajudando-nos a entender conceitos complexos.

Colocada sobre o plexo solar, a malaquita facilita a cura emocional profunda. Ameniza experiências negativas e traumas do passado, trazendo à tona sentimentos reprimidos e restaurando a capacidade de respirar profundamente. Nesse ponto, ela equilibra o chakra* do coração e do umbigo, propiciando visões reveladoras. Em nível emocional pode intensificar as emoções, mas facilita a mudança. A malaquita pode ser usada para a exploração interior. Ela estimula sonhos e ativa memórias vívidas. Pode ser necessário, no entanto, o uso de outras pedras na terapia e no processo de transformação empreendidos com a malaquita.

CURA A malaquita é uma pedra de cura extremamente versátil. É particularmente útil no caso de cólicas, incluindo cólicas menstruais, e facilita o parto – alguns a chamam de pedra parteira. Ela está em sintonia com os órgãos sexuais femininos e por isso combate qualquer tipo de problema sexual. Essa pedra abaixa a pressão sanguínea, trata asma, artrite, epilepsia, fraturas, articulações inchadas, câncer, mal-estar causados por viagens, vertigens, tumores e problemas no nervo óptico, no pâncreas, no baço e na paratireóide. Alinha o DNA e a estrutura celular e fortalece o sistema imunológico. A malaquita estimula o fígado a liberar toxinas, reduzindo a acidificação dos tecidos. Ela trata o diabete quando usada no pulso.

POSIÇÃO Use-a na mão esquerda ou coloque-a sobre o terceiro olho. Posicione-a como for mais apropriado para cura. Coloque-a sobre o plexo solar para absorver emoções negativas. Use a malaquita polida e o método indireto para preparar elixires. Aplique-o e externamente. Observação: a malaquita pode causar uma leve palpitação; nesse caso, remova-a imediatamente e substitua-a pelo quartzo rosa ou pela rodonita.

COMBINAÇÃO DE PEDRAS

A **malaquita com crisocola** pode manifestar-se como uma pedra clara, com uma vibração de cura extremamente elevada. Essa combinação simboliza o todo e a paz. Colocada sobre a região do desequilíbrio, ela o restabelece suavemente. Se uma pedra for colocada sobre o terceiro olho e outra sobre o plexo solar, mente, corpo e emoções são rearmonizadas.

Malaquita com crisocola (bruta)

(*Ver também* azurita com malaquita, na página 78.)

Malaquita com crisocola (polida)

MERLINITA

Facetada e polida

COR	Preto-e-branco
APARÊNCIA	Duas cores opacas distintas, geralmente pequena
RARIDADE	Cada vez mais fácil de obter
ORIGEM	Novo México (EUA)

ATRIBUTOS A merlinita é uma pedra mágica que guarda os registros do conhecimento combinado dos xamãs, dos alquimistas, dos sacerdotes mágicos e de outros praticantes de magia. A sua combinação de cores alia na mesma pedra vibrações espirituais e terrenas, franqueando o acesso aos reinos espirituais e xamânicos. Essa pedra favorece as práticas xamânicas ou os rituais mágicos. Ela facilita a leitura dos Registros Akáshicos*, induzindo viagens a vidas passadas ou futuras, de modo a sabermos como viver no futuro. A merlinita pode tornar a nossa vida mais mágica.

CURA A merlinita pode ser usada na terapia de vidas passadas e para harmonizar a vida presente. Ela equilibra as energias yin-yang, as nossas porções masculina e feminina, o consciente e o subconsciente e o intelecto e a intuição.

POSIÇÃO Use em torno do pescoço ou coloque ao redor das orelhas, para franquear o acesso a vidas passadas.

LISTA DE CRISTAIS

MOLDAVITA

Cristalina

COR	Verde-escuro
APARÊNCIA	Massa pequena, transparente, vincada, muitas vezes vítrea
RARIDADE	Rara, mas fácil de obter, embora extremamente cara, pois a mina está esgotada
ORIGEM	Novo México (EUA)

ATRIBUTOS A moldavita é outra pedra da Nova Era. Trata-se de uma forma de tectita, supostamente de origem extraterrestre, formada de restos de um grande meteorito que caiu na Terra. O calor do impacto causou uma metamorfose nas rochas das cercanias e produziu um efeito que arremessou os cristais resultantes num raio de quilômetros. A moldavita é, portanto, uma fusão de energias extraterrestres com a Mãe Terra. Trata-se de uma pedra rara. Ela é agora encontrada ao longo das margens do rio Moldau, e é improvável que seja encontrada em outras partes do mundo. O cristal um dia se extinguirá.

A moldavita tem sido usada desde a Idade da Pedra como talismã e amuleto da sorte e da fertilidade. Muitas pessoas acreditam que ela ajudará na transição da Terra e na sua cura, e que chegou a hora de usarmos as energias dessa pedra com sabedoria. Ela é capaz de ampliar o efeito dos outros cristais, elevando as vibrações dessas pedras.

A moldavita favorece a comunicação com o eu superior e com os extraterrestres. Ela tem a sua própria superalma* cósmica, que pode colocar-nos em contato com Mestres Ascensionados* e mensageiros cósmicos. Pode alterar o nosso estado de consciência quando contemplada contra a luz. Essa pedra nos transporta para as dimensões espirituais mais elevadas e facilita o processo de ascensão. Ela precisa ser ligada à terra, do contrário pode nos tornar aéreos e desarraigados. Depois de passar por experiências espirituais com a moldavita, segure duas pedras Boji para aterrar gentilmente as suas energias; o quartzo transparente também estabiliza os efeitos dessa pedra.

A moldavita tem uma vibração extremamente alta, que abre e alinha os chakras* e elimina os bloqueios nesses centros de energia. Essa pedra integra o projeto divino e acelera o crescimento espiritual. A moldavita está em sintonia com o chakra da coroa, por isso é capaz de abri-lo para receber orientação espiritual de dimensões elevadas. Colocada sobre a garganta, a moldavita transmite mensagens interplanetárias, especialmente com respeito à ecologia do planeta e a sua necessidade de cura.

Essa é uma pedra que transcende o tempo. Colocada sobre o terceiro olho*, a moldavita nos ajuda a avançar em direção ao futuro ou a retroceder ao passado. Ela facilita viagens a outras vidas, se isso for apropriado. Nesse caso, a menos que, voltando à nossa encarnação anterior, possamos resgatar a nossa sabedoria espiritual ou descobrir qual é o nosso propósito, a moldavita não nos transporta ao passado para reviver uma vida, mas nos mostra os nossos potenciais futuros. Sob a influência dessa pedra podemos perscrutar uma vida futura para conhecer os resultados das ações que tomamos na vida presente ou para aprender o que é necessário nesta vida para evitarmos insucessos na vida futura.

A moldavita é uma pedra útil para pessoas sensíveis, que acham difícil viver esta encarnação na Terra e não conseguem aceitar o sofrimento e emoções profundas. Muitas dessas pessoas são filhos* das estrelas que encarnaram neste planeta para ajudá-lo nesse período de transição para uma nova vibração. Elas não estão acostumadas às energias pesadas da Terra e acham difícil integrar os corpos espirituais ao corpo físico e precisam ligar-se à terra. A moldavita, usada com pedras de aterramento como a hematita e o quartzo enfumaçado, ajuda nesse processo. Colocada sobre o coração, a moldavita ameniza a "saudade de casa" daqueles cuja origem não é a Terra. A modavita não tem uma estrutura cristalina, e por isso nos leva além dos nossos limites e fronteiras. Do ponto de vista psicológico ajuda a nos desapegarmos do mundano, de fatores relativos à segurança, como o dinheiro, e das preocupações com o futuro. A moldavita nos dá uma idéia do por que estamos encarnados e nos ajuda a entrar em contato com o nosso propósito espiritual e a integrá-lo na nossa vida terrena. Ela estimula qualidades como a empatia e a compaixão.

Num nível mental, a moldavita é inspiradora e pouco convencional, por isso nos sugere soluções inesperadas. Ela pode despertar lembranças latentes e transmitir informações espirituais por meio do intelecto. Elimina idéias fixas e sistemas de crença arcaicos, além de neutralizar comandos* hipnóticos.

Do ponto de vista físico, a moldavita pode, quando a seguramos na mão, desencadear um fluxo intenso de energia através do nosso corpo, causando um poderoso efeito metafísico. Ela "baixa" informações dos Registros Akáshicos* e do corpo de luz*, que então precisam ser processadas e tornadas conscientes. Esse processo pode levar algum tempo, mas ele acelera o crescimento espiritual e eleva as vibrações pessoais.

CURA Em vez de curar certos problemas de saúde, a moldavita nos torna conscientes da causa da indisposição* e então ajuda na neutralização dessa causa e no processo de cura. Ela também revela a dádiva contida em cada doença. A moldavita pode ser usada como instrumento para o diagnóstico. As pessoas que não gostam do seu tom verde profundo muitas vezes têm aversão a emoções e precisam vivenciar o amor incondicional e a completude. Elas também têm traumas reprimidos que precisam ser trazidos à consciência e curados. Para isso, é preciso usar também outros cristais.

POSIÇÃO Coloque-a sobre a fronte ou no topo da cabeça. Observação: a moldavita é frágil e não pode ser limpa com sal, pois isso pode arranhar a sua superfície.

PEDRA-DA-LUA

Creme (estado natural) — *Branca* — *Transparente (polida)*

COR	Branco, creme, amarelo, azul, verde
APARÊNCIA	Leitosa, translúcida, todos os tamanhos
RARIDADE	Fácil de obter
ORIGEM	Índia, Sri Lanka, Austrália

ATRIBUTOS A pedra-da-lua é uma pedra de "novos começos". Como o seu nome sugere, ela tem uma forte ligação com a Lua e com a intuição. Como a Lua, essa pedra é refletora e nos lembra de que, assim como a Lua míngua e cresce, tudo faz parte de um ciclo de mudanças. O seu mais poderoso efeito é acalmar as emoções.

A pedra-da-lua traz para a consciência o que está no inconsciente e promove a intuição e a empatia. Ela estimula sonhos lúcidos, especialmente na época da Lua cheia.

A pedra-da-lua é, por tradição, usada para intensificar as capacidades psíquicas e aumentar a clarividência*. Ela pode ser usada como pingente para facilitar a aceitação de dons psíquicos.

Do ponto de vista psicológico, a pedra-da-lua acalma reações exageradas a situações e a gatilhos emocionais. A pedra-da-lua tem uma energia receptiva, passiva e feminina. Ela equilibra as energias femininas e masculinas e ajuda os homens que querem entrar em contato com o seu lado feminino. É um antídoto perfeito para o machismo exagerado ou para o feminismo agressivo.

Do ponto de vista mental, a pedra-da-lua abre a mente para impulsos repentinos e irracionais, para a capacidade de fazer descobertas importantes por acaso e para a sincronicidade. É preciso tomar cuidado para que essa pedra não nos leve a cair em ilusões, por nos fazer confundir o desejo com a realidade.

Do ponto de vista emocional, a pedra-da-lua suaviza a instabilidade emocional e o estresse e estabiliza as emoções. Ela aumenta a inteligência emocional. Colocada sobre o plexo solar mostra padrões emocionais obsoletos, de modo que eles possam ser compreendidos e depois eliminados. A pedra-da-lua promove a cura emocional profunda e combate distúrbios do trato digestivo superior que estão relacionados ao estresse emocional.

Do ponto de vista físico, a pedra-da-lua tem um efeito poderoso sobre o ciclo reprodutor feminino, além de aliviar tensões e problemas relacionados à menstruação. Essa pedra está ligada à glândula pineal e equilibra o sistema hormonal, estabiliza os desequilíbrios dos fluidos e regula o biorritmo. Ela também ajuda em casos de choque e pode ser usada para acalmar crianças hiperativas.

CURA A pedra-da-lua ajuda os sistemas digestório e reprodutor, assimila nutrientes, elimina toxinas, alivia a retenção de líquidos e problemas degenerativos da pele, do cabelo, dos olhos e nos órgãos como o fígado e o pâncreas. É excelente para a síndrome pré-menstrual, para a concepção, para a gravidez, para o parto e para amamentação. O elixir da pedra-da-lua era tradicionalmente usado para insônia, e a pedra pode evitar o sonambulismo.

POSIÇÃO Use-a num anel ou coloque-a sobre a parte do corpo apropriada: na testa para experiências espirituais e no plexo solar ou no coração para emoções. As mulheres podem precisar se afastar da pedra-da-lua na Lua cheia.

MOSCOVITA

TAMBÉM CONHECIDA COMO MICA

Bruta

COR	Cor-de-rosa, cinza, marrom, verde, violeta, amarelo, vermelho, branco
APARÊNCIA	Mica estratificada e perolizada, todos os tamanhos
RARIDADE	Fácil de obter
ORIGEM	Suíça, Rússia, Áustria, República Tcheca, Novo México, Estados Unidos

ATRIBUTOS A moscovita é a mais comum forma de mica. Trata-se de uma pedra mística que tem uma forte ligação com o reino angélico e estimula a consciência do eu superior. Usada na escriação*, essa pedra visionária estabelece uma ligação entre nós e os reinos espirituais mais elevados. A moscovita estimula o chakra* do coração, facilita a viagem astral* e abre a intuição e a visão psíquica.

A moscovita tem a capacidade de trazer à luz as falhas da humanidade e, ao mesmo tempo, estimula o amor incondicional e a aceitação. Trata-se de uma pedra refletora, cujo reflexo nos permite reconhecer as nossas projeções – as partes de nós que não reconhecemos e que portanto vemos nos outros. Ela nos ajuda a ver que as coisas de que não gostamos nos outros são na verdade as características que não aceitamos em nós mesmos. A moscovita então nos ajuda a integrar e transformar essas características.

A moscovita pode ser usada para "gradear"* áreas sujeitas a terremotos, pois alivia de modo suave e seguro as tensões no interior da Terra. Ela também ameniza a tensão dentro do corpo físico e alinha os corpos sutis* e os meridianos* com o corpo físico, restabelecendo o equilíbrio.

Do ponto de vista psicológico, a moscovita dispersa a insegurança, a dúvida com relação a nós mesmos e a falta de graça. Ela é útil para aqueles que sofrem de dispraxia* e desequilíbrios entre os lados esquerdo e direito do cérebro. A moscovita elimina a raiva e o nervosismo, trazendo flexibilidade a todos os níveis do ser. Ela nos ajuda a ver o futuro com otimismo e nos leva de volta ao passado para contemplarmos todas as lições que aprendemos. Permitindo que nos vejamos como os outros nos vêem, a moscovita nos ajuda a mudar a imagem que apresentamos ao mundo exterior. Ela também nos dá apoio enquanto exploramos as nossas dores e emocionais.

Do ponto de vista mental, essa pedra nos ajuda a resolver problemas e a assumir a posição de testemunhas. Ela facilita a expressão clara dos pensamentos e sentimentos. Do ponto de vista físico, a moscovita melhora a aparência. Deixa os cabelos mais sedosos e os olhos com um brilho diferente. Ela também ajuda o corpo a chegar ao peso ideal.

CURA A moscovita controla a taxa de açúcar no sangue, equilibra as secreções pancreáticas, combate a desidratação e modera a fome durante jejuns. Ela também regula o funcionamento dos rins. Alivia a insônia e as alergias, além de curar problemas resultantes de indisposições* e estresse emocional.

POSIÇÃO Carregue-a na bolsa ou no bolso ou segure-a na mão. Massageie a pele com ela.

CORES ESPECÍFICAS Além dos atributos genéricos, as cores a seguir têm propriedades adicionais:

A **moscovita cor-de-rosa** é a mais indicada para estabelecermos contato com o reino angélico.

A **moscovita violeta** abre os chakras* da coroa superiores e facilita a elevação da consciência para o contato com uma vibração mais sutil.

(*Ver também* fuchsita [moscovita verde], página 132.)

PEDRA NEBULA

Polida

COR	Preta com pontos verdes
APARÊNCIA	Pedra densa com manchas distintas, geralmente pequena e rolada
RARIDADE	É novidade no mercado
ORIGEM	Estados Unidos, México

ATRIBUTOS Composta de quatro minerais, a pedra nebula tem supostamente propriedades metafísicas únicas, que ainda estão sendo estudadas. Sabe-se que ela combina a vibração da luz contida em seus componentes cristalinos com a vibração do corpo físico, carregando as células e ativando a sua consciência. Isso eleva a nossa consciência como um todo, trazendo as lembranças das raízes espirituais da nossa alma.

Quando contemplada, a pedra nebula nos transporta para o infinito e para o interior da menor partícula do ser, que acabam se tornando uma coisa só. Essa é a pedra do não-dualismo e da unidade.

CURA A pedra nebula propicia uma cura profunda no nível celular do ser.

POSIÇÃO Segure-a nas mãos ou coloque-a sobre o terceiro olho*.

OBSIDIANA

Bruta

COR	Marrom, preto, azul, verde, arco-íris, preto e vermelho, com reflexos prateados ou dourados
APARÊNCIA	Brilhante, opaca, vítrea, todos os tamanhos, às vezes rolada
RARIDADE	Há cores fáceis de obter, outras são raras e alguns tons azul-esverdeados são vidro manufaturado
ORIGEM	México e em todo o mundo

ATRIBUTOS A obsidiana é lava derretida que resfriou com tanta rapidez que não teve tempo para cristalizar-se. Trata-se de uma pedra sem fronteiras nem limitações. Como resultado age muito rapidamente e com grande poder. As suas qualidades refletoras, capazes de desvendar a verdade, expõem falhas, fraquezas e bloqueios sem piedade. Nada pode se ocultar dessa pedra. Apontando como podemos superar comportamentos destrutivos ou que nos privam da nossa força, a obsidiana nos impele a crescer e nos proporciona um apoio sólido enquanto fazemos isso. Ela precisa ser manuseada com cuidado e, de preferência, com a orientação de um terapeuta qualificado, pois pode trazer à tona emoções negativas e verdades desagradáveis. Com uma orientação qualificada, suas qualidades catárticas são extremamente preciosas. Ela propicia a cura profunda da alma. Essa pedra pode facilitar a volta a vidas passadas, para curar emoções ou traumas que afetam o presente.

A obsidiana é uma pedra extremamente protetora, que serve de escudo contra a negatividade. Ela proporciona um cordão de aterramento* que vai do chakra* da base ao centro da terra, absorvendo energias negativas do ambiente e nos fortalecendo em tempos de necessidade. Ela é útil para pessoas extremamente sensíveis. Bloqueia ataques psíquicos* e elimina influências espirituais negativas.

Uma pedra grande de obsidiana pode ser extremamente eficaz para bloquear o estresse geopático* ou combater a poluição ambiental, mas a sua propensão para expor a verdade tem de ser levada em conta. Muitas pessoas acham os efeitos dessa pedra poderosos demais e preferem escolher uma pedra mais suave para realizar essa tarefa. No entanto, ela é extremamente útil para terapeutas e conselheiros, pois não apenas ajuda em casos em que é difícil chegar ao âmago do problema, como também elimina as energias resultantes. A obsidiana preta ou a cor-de-mogno são as mais adequadas para esse propósito, sendo esta última a mais suave das duas.

Quando colocada embaixo da cama ou do travesseiro, a obsidiana pode drenar o estresse e tensão mentais e produzir um efeito calmante, além de trazer à tona as razões desse estresse. Essas razões precisarão ser confrontadas para que se possa ter paz. Essa pedra, portanto, resolve o problema permanentemente, em vez de produzir apenas um efeito paliativo. As formas mais suaves de obsidiana, como a lágrima-de-apache ou o floco-de-neve, são as mais indicadas nesse caso. Pelo fato de absorver energias negativas é essencial limpar essa pedra sob água corrente sempre que for usada.

Do ponto de vista espiritual, a obsidiana revitaliza o propósito da alma. Elimina os bloqueios energéticos e alivia a tensão, integrando a nossa sombra e restabelecendo a nossa integridade espiritual. Ela ancora o espírito no corpo e estimula o crescimento em todos os níveis, além de promover a exploração do desconhecido, abrindo novos horizontes.

Do ponto de vista mental, a obsidiana traz lucidez e elimina a confusão e crenças limitantes. Pode, no entanto, fazer isso trazendo à tona as causas por trás do estresse mental o da indisposição*. Depois disso, essa pedra expande a consciência, ajudando-nos a entrar no reino do desconhecido com mais confiança e desenvoltura.

Do ponto de vista psicológico nos ajuda a descobrir quem realmente somos. Deixa-nos cara a cara com a nossa sombra e nos ensina como integrá-la. Essa pedra também nos ajuda a identificar padrões de comportamento obsoletos. Dissolve bloqueios emocionais e traumas antigos, dando profundidade e clareza às emoções. Ela também promove qualidades como compaixão e a força pessoal.

CURA A maior dádiva da obsidiana é a visão que ela nos dá da causa da indisposição. Ela nos ajuda a digerir qualquer coisa que seja difícil de aceitar e facilita a digestão física. Desintoxica, desfaz bloqueios e tensões no corpo físico e nos corpos sutis*, incluindo o endurecimento das artérias. Ela reduz a dor da artrite, problemas nas articulações, cólicas e lesões. Também é um elixir benéfico para choques. Alivia a dor, estanca hemorragias e favorece a circulação. Essa pedra aquece as extremidades. Pode ser usada para diminuir o tamanho da próstata.

POSIÇÃO Coloque-a como for mais apropriado. Use-a em bolas de cristal ou espelhos para escriação*.

CORES ESPECÍFICAS Além dos atributos genéricos, as cores a seguir têm propriedades adicionais:

A **obsidiana preta** é uma pedra muito poderosa e criativa. Ela ancora as forças anímicas e espirituais no plano físico, colocando-as sob o comando da vontade consciente e tornando possível a manifestação de energias espirituais na Terra. O nosso autocontrole aumenta à medida que usamos essa pedra.

A obsidiana preta nos força a olhar o nosso verdadeiro eu, ajudando-nos a mergulhar na nossa mente subconsciente, destacando fatores ocultos e trazendo à tona desequilíbrios e qualidades sombrias, para que sejam liberadas. Ela aumenta energias negativas de modo que possam ser sentidas e então liberadas. Esse efeito de cura também abrange vidas passadas e pode influenciar a linhagem ancestral e familiar. A obsidiana preta "aduba" o passado, trazendo de lá energias férteis de crescimento espiritual. Ela reverte o mau uso do poder no passado e trata questões relativas ao poder em todos os níveis, ensinando a usá-lo não apenas em prol dos nossos interesses pessoais, mas de maneira mais altruísta.

Obsidiana preta (bruta)

A obsidiana preta é protetora. Repele a negatividade e dispersa pensamentos cruéis. Facilita a libertação de amores antigos e dá apoio durante mudanças.

Usada em cerimônias xamânicas para eliminar distúrbios físicos, a obsidiana preta também tem o dom da profecia. Bolas de cristal feitas desse tipo de obsidiana são poderosos instrumentos de meditação e escriação, mas só deve ser usada por aqueles que conseguem processar conscientemente o que vêem e usar essa informação para o bem de todos. O quartzo transparente ajuda a ancorar e articular o que é revelado.

Na cura, a obsidiana preta colocada no umbigo ancora a energia espiritual no corpo. Colocada por um breve período sobre o terceiro olho* rompe barreiras mentais e dissipa o condicionamento mental. Usada com cautela pode agregar energias dispersas e promover a cura emocional.

A **obsidiana azul** favorece viagens astrais, facilita a divinação e aumenta a telepatia. Ativa o chakra* da garganta e estimula a capacidade de comunicação. Na cura, a obsidiana azul abre a aura* para receber a energia terapêutica. Trata problemas de fala e de visão, o mal de Alzheimer, a esquizofrenia e a personalidade múltipla. Colocada sobre o ponto dolorido alivia a dor.

A **obsidiana azul-esverdeada** abre o chakra do coração e o da garganta, facilita a expressão da nossa verdade e nos ajuda a entender as razões do coração. Ela colabora na cura pelo Reiki* e equilibra a mente, o corpo e o espírito. A obsidiana azul-esverdeada aumenta a assimilação de vitaminas A e E e melhora a visão noturna.

A **obsidiana azul-néon** é uma pedra intuitiva. Ela facilita a divinação, os estados de transe, a viagem xamânica, a comunicação psíquica e a regressão a vidas passadas. Essa pedra abre o terceiro olho e facilita as jornadas interiores. Como todas as obsidianas, leva-nos à raiz das dificuldades e equilibra os campos energéticos. Contribui para o tratamento radiônico* e é um pêndulo eficaz na radiestesia. Também torna o paciente mais receptivo. Trata a coluna desalinhada e vértebras lesionadas, problemas circulatórios, tumores e dores espasmódicas. Como elixir trata os olhos.

A **obsidiana com reflexos dourados** é particularmente eficaz para a escriação*. Leva-nos ao futuro e ao passado e desvenda a causa dos problemas. Mostra o que é necessário para a cura, mas são necessários outros cristais para efetuá-la. Do ponto de vista psicológico, a obsidiana com reflexos dourados elimina a sensação de futilidade ou o conflito egóico. Diminuindo a identificação com o ego, essa pedra nos mostra que direção tomar para crescer espiritualmente. Usada na cura, a obsidiana com reflexos dourados equilibra os campos energéticos.

A **obsidiana verde** abre e purifica os chakras* do coração e da garganta, elimina amarras e o apego por outras pessoas e protege contra a repetição. Na cura, ela trata a vesícula biliar e o coração. Certifique-se de que o seu cristal seja de fato uma obsidiana verde, e não vidro.

Obsidiana com reflexos dourados

A **obsidiana cor-de-mogno** tem uma energia mais suave do que a obsidiana preta. Em sintonia com a terra, ela ancora as energias e protege, dando-nos força nos tempos de necessidade, revitalizando o nosso propósito, eliminando bloqueios e estimulando o crescimento em todos os níveis. Ela é uma pedra estabilizadora que fortalece a aura enfraquecida e faz com que os chakras* do sacro e do plexo solar voltem a girar da maneira correta. Usada em contato com o corpo, a obsidiana cor-de-mogno alivia a dor e melhora a circulação.

Obsidiana cor-de-mogno

Embora a **obsidiana arco-íris** seja uma das obsidianas mais suaves, ela propicia uma grande proteção. Essa pedra nos ensina sobre a nossa natureza espiritual, corta as amarras que nos prendem a amores antigos e elimina suavemente as feridas que outras pessoas tenham deixado em nós, preenchendo o nosso coração de energia. Usada como pingente, a obsidiana arco-íris absorve energia negativa da aura e desvia o estresse do corpo.

A **obsidiana vermelha e preta** favorece a elevação da energia kundalini*. Aumenta a vitalidade, a virilidade e a fraternidade. Na cura, essa obsidiana combate a febre e os calafrios.

Obsidiana arco-íris

A **obsidiana com reflexos prateados** favorece a meditação e é o cristal perfeito para a escriação*. Como todas as outras obsidianas, ela reflete o nosso ser interior. Traz vantagens ao longo da vida e confere paciência e perseverança quando necessário. Trata-se de uma pedra útil durante viagens astrais, pois conecta o corpo astral com o corpo físico e por isso traz a alma de volta à encarnação física.

Obsidiana vermelha e preta

OBSIDIANA **LÁGRIMA-DE-APACHE**

Formação natural

COR	Preta
APARÊNCIA	Pequena, muitas vezes lisa e desgastada pela água. Translúcida quando vista contra a luz
RARIDADE	Comum
ORIGEM	Estados Unidos

PROPRIEDADES ADICIONAIS A lágrima-de-apache é uma forma de obsidiana preta; seus efeitos são, no entanto, muito mais suaves. Ela também põe à mostra a negatividade, mas faz isso lentamente, de modo que essa negatividade possa ser transmutada. A lágrima-de-apache é excelente para absorver energia negativa e para proteger a aura*. Ela aterra e purifica o chakra da terra. Ela é assim chamada porque se acredita que derrame lágrimas em momentos de tristeza. Ela conforta a dor, mostra a causa do sofrimento e alivia as mágoas antigas. Essa pedra estimula as capacidades analíticas e promove o perdão. A lágrima-de-apache combate a autolimitação e aumenta a espontaneidade.

CURA Ela aumenta a assimilação das vitaminas C e D, remove as toxinas do corpo e alivia espasmos musculares.

POSIÇÃO homens no abdome, mulheres nos seios.

OBSIDIANA **FLOCO-DE-NEVE**

Rolada

COR	Preto-e-branco
APARÊNCIA	Preta com manchas brancas, parecidas com flocos de neve; geralmente pequena e rolada
RARIDADE	Fácil de obter
ORIGEM	No mundo todo

PROPRIEDADES ADICIONAIS Colocada sobre o chakra do sacro, a obsidiana floco-de-neve acalma e suaviza, deixando-nos no estado de espírito certo e aumentando a nossa receptividade, antes de mostrar padrões de comportamento arraigados. Ela nos ensina a valorizar os erros tanto quanto os sucessos.

Trata-se de uma pedra de pureza, que equilibra o corpo, a mente e o espírito. A obsidiana floco-de-neve nos ajuda a reconhecer e liberar "pensamentos equivocados" e padrões mentais estressantes. Promove o desapego e favorece o centramento interior. Com a ajuda dessa obsidiana, o isolamento e a solidão nos dão mais força pessoal e nos ajudam a nos render à meditação.

CURA A obsidiana floco-de-neve trata as veias e os ossos e melhora a circulação. O elixir é bom para a pele e os olhos.

POSIÇÃO Coloque-a no lugar apropriado ou use-a como elixir.

OKENITA

Esfera de okenita na matriz

COR	Branco
APARÊNCIA	Longa e fibrosa, com a aparência de um floco de neve pequeno e peludo
RARIDADE	Fácil de obter em lojas especializadas
ORIGEM	Índia

ATRIBUTOS A okenita tem uma energia suave, semelhante a um floco de algodão, e é uma das pedras da nova era. As pessoas geralmente querem tocá-la, mas isso embaraça as fibras ou provoca o seu rompimento. A okenita está ligada ao eu superior e apóia a manifestação consciente das suas energias no plano terreno. A okenita elimina obstáculos do nosso caminho e nos dá resistência para concluir as nossas tarefas na vida.

    Esse cristal nos ajuda a aceitar esta encarnação e a ver as razões das nossas experiências presentes. Ela mostra os nossos débitos kármicos* e as oportunidades que nos ajudam a crescer. Ajudando-nos a entender como o passado kármico produziu o presente e como presente criará o futuro, a okenita facilita a cura kármica profunda em todos os níveis.

A okenita pode ser usada para nos preparar para a canalização*. Ela purifica os chakras*, o corpo físico e os corpos sutis*, unificando as suas energias.

Esse cristal tem dupla ação. Por ser a pedra da verdade, a okenita nos ajuda a sermos mais honestos conosco e com os outros, e nos protege da aspereza com que às vezes as outras pessoas expressam a verdade delas. Ela nos ajuda a aceitar com amor os comentários de outras pessoas e mostra se existe alguma verdade neles.

Do ponto de vista psicológico, a okenita nos ajuda a perdoar profundamente a nós mesmos. Ela promove a conclusão dos ciclos kármicos, transportando-nos de volta a vidas passadas para que possamos corrigir os nossos erros e aliviar a nossa culpa. Essa é pedra da graça kármica. Ela nos ensina que tudo faz parte do ciclo de aprendizado de lições kármicas e que, portanto, nada precisa durar para sempre. Depois que fez tudo o que podia, pode afastar-se da situação sem atrair para si mais dívidas kármicas.

Do ponto de vista mental, a okenita facilita a mudança do cenário mental. Ela elimina antigos padrões e traz crenças novas e mais apropriadas. Ela é útil para qualquer pessoa puritana, especialmente quando esse puritanismo está ligado a votos de castidade feitos numa vida passada.

CURA A okenita estimula o fluxo de sangue e de leite, o que ajuda muito as mães que amamentam, e favorece a circulação na parte superior do corpo. Ela baixa a febre e alivia distúrbios nervosos. Como elixir trata erupções de pele.

POSIÇÃO Como for mais apropriado.

ÔNIX

Polida

COR	Preto, cinza, azul, marrom, amarelo, vermelho
APARÊNCIA	Com bandas, semelhante ao mármore, muitas vezes polida. Todos os tamanhos
RARIDADE	Fácil de obter
ORIGEM	Itália, México, Estados Unidos, Rússia, Brasil, África do Sul

ATRIBUTOS O ônix é uma pedra que nos dá poder. Ela propicia o apoio de que precisamos em circunstâncias difíceis ou confusas e durante épocas de grande estresse mental e físico. Pelo fato de essa pedra estar ligada ao todo, é mais fácil centrarmos as nossas energias e entrarmos em sintonia com um poder superior, obtendo dali orientação, quando usamos um ônix. Ela pode fazer-nos avançar no tempo, dando-nos um vislumbre do futuro, e, com sua capacidade de nos conferir força pessoal, ajudar-nos a sermos mestres do nosso destino. Essa pedra promove o vigor, a constância e a resistência. Ela nos ajuda a aprender as nossas lições, dando-nos confiança em nós mesmos e nos ajudando a ficar mais à vontade no nosso ambiente.

O ônix é uma pedra reservada, que nos ajuda a levar em conta as nossas próprias opiniões, sem preocuparmo-nos tanto com o que os outros pensam. Diz-se, no entanto, que o ônix guarda a lembrança do que aconteceu com o seu portador. Por isso ele pode ser usado na psicometria, pois conta a sua história àqueles que são sensíveis às suas vibrações.

Essa propriedade que o ônix tem de guardar memórias físicas faz com que ele seja um ótimo instrumento na regressão a vidas passadas para a cura de antigas mágoas e traumas físicos que afetam a vida presente. Segure essa pedra na mão e ela desviará a sua atenção para o lugar que precisa de cura. Essa cura então pode ser efetuada por meio do trabalho corporal, do *reenquadramento** ou da cristaloterapia. O ônix também pode ser usado para curar velhas feridas.

Do ponto de vista psicológico, o ônix reconhece e integra dualidades dentro do eu. Ancora a energia das pessoas volúveis, levando-as a adotar um estilo de vida mais estável e lhes conferindo autocontrole. O ônix é um tônico mental que alivia medos e preocupações excessivas. Essa pedra transmite o dom inestimável de tomar decisões sábias.

Do ponto de vista físico, o ônix nos ajuda a captar as energias universais necessárias para a cura ou para outros propósitos. Ele equilibra as energias yin e yang dentro do corpo.

CURA O ônix é benéfico para os dentes, para os ossos, para a medula óssea, para os distúrbios no sangue e para os pés.

POSIÇÃO Use-o no lado esquerdo do corpo. Coloque-o ou segure-o como for mais apropriado. Por tradição se diz que o ônix usado em torno do pescoço diminui a luxúria e incentiva a castidade.

LISTA DE CRISTAIS

OPALA

Polida

Bruta

Opala comum

Opala preta

COR	Branco, cor-de-rosa, preto, bege, azul, amarelo, marrom, laranja, vermelho, verde, roxo
APARÊNCIA	Transparente ou leitosa, iridescente e ígnea, ou vítrea sem fogo, geralmente pequena e polida
RARIDADE	Fácil de obter, embora as opalas ornamentais sejam caras
ORIGEM	Austrália, México, Peru, América do Sul, Grã-Bretanha, Canadá, Estados Unidos, Honduras, Eslováquia

ATRIBUTOS A opala é uma pedra delicada, com uma vibração sutil. Ela aumenta a consciência cósmica e induz visões psíquicas e místicas.

Por estimular a originalidade e a criatividade dinâmica, essa pedra nos ajuda a entrar em contato com o nosso eu verdadeiro e a expressá-lo. A opala é uma pedra que absorve e reflete a energia. Ela capta pensamentos e sentimentos, amplifica-os e manda-os de volta à fonte. Essa é uma pedra kármica* que nos ensina que colhemos tudo o que plantamos. É uma pedra protetora que, quando programada apropriadamente, nos torna invisíveis ou imperceptíveis. Ela pode ser usada em excursões a lugares perigosos e no trabalho xamânico, quando é preciso a máxima discrição.

Do ponto de vista psicológico, a opala acentua traços de personalidade e traz à superfície essas características para que sejam transformadas. Pelo fato de estimular o nosso senso do próprio valor, ela nos ajuda a entender todo o nosso potencial. Do ponto de vista mental, a opala propicia lucidez e espontaneidade. Também estimula o nosso interesse pelas artes.

Do ponto de vista emocional, a opala está sempre associada ao amor e à paixão, ao desejo e ao erotismo. Trata-se de uma pedra sedutora que intensifica o estado emocional e diminui inibições. Embora se possa usá-la como estabilizador emocional, antes de usar essa pedra para induzir ou explorar sentimentos precisamos estar muito bem centrados ou ter outras pedras que nos ajudem nessa integração, pois ela pode dispersar energias. A opala nos mostra qual era o nosso estado emocional no passado, principalmente em vidas passadas, e nos ensina como assumir a responsabilidade pelo que sentimos. Estimula-nos a expressar emoções positivas. Diz-se que a pessoa que usa o opala é mais leal, verdadeira e espontânea, embora possa tornar-se mais volúvel caso já tenha essa propensão. As opalas podem ser usadas para transmitir energias de cura ao campo energético da Terra, corrigir vazamentos de energia e reenergizar e estabilizar a grade de energia do planeta.

CURA A opala fortalece a nossa vontade de viver. Ela trata o mal de Parkinson, infecções e febres, além de estimular a memória. Pelo fato de purificar o sangue e os rins, a opala regula a taxa de insulina do sangue, facilita os nascimentos e alivia a TPM (use as opalas de tons mais escuros). Essa pedra é benéfica para os olhos, especialmente na forma de elixir.

POSIÇÃO Coloque-a onde for mais apropriado, especialmente sobre o coração e o plexo solar. Use-a no dedo mínimo.

CORES E TIPOS ESPECÍFICOS Além dos atributos genéricos, as cores a seguir têm propriedades adicionais:

A **opala cinza, preta e marrom** vibra em sintoniza com o chakra do sacro e com os órgãos reprodutores. Ela é particularmente útil para aliviar tensões sexuais de fundo emocional e para processar e integrar emoções expressas pouco tempo antes.

A **opala azul** é uma pedra que suaviza as emoções e aumenta a nossa sintonia com o nosso propósito espiritual. Ressoa com o chakra da garganta e pode intensificar a comunicação, especialmente daquilo que foi reprimido em virtude da falta de confiança. Ela é útil quando experiências ou traumas de vidas passadas afetam a vida presente, pois essas experiências e traumas podem ser curados por meio da estrutura etérica*.

A **opala cereja** ajuda na limpeza e na ativação dos chakras* da base e do sacro. Ela nos dá a sensação de que estamos mais centrados. No nivel espiritual, essa pedra ativa a clarividência* e a clarissenciência*. É particularmente útil para curar dores de cabeça causadas pelo terceiro olho fechado ou bloqueado. Ela promove a regeneração dos tecidos e a cura dos distúrbios no sangue, a tensão muscular e os problemas de coluna, além de amenizar os sintomas da menopausa.

Opala cereja

A **crisopala (azul-esverdeada)** nos abre para novas impressões e nos ajuda a nos abrirmos para as outras pessoas. Ela também nos leva a observar o mundo com novos olhos. Por ser uma pedra que eleva o nosso estado de humor, a crisopala alivia o fardo emocional que carregamos, muitas vezes por meio do choro, e libera os sentimentos. Ela desintoxica e regenera o fígado e alivia o sentimento de aperto no peito e no coração.

A **opala-de-fogo (laranja-avermelhada)** aumenta o nosso poder pessoal, despertando o nosso fogo interior e nos protege contra o perigo. Ela é um símbolo da esperança, excelente para os negócios, e um amplificador de energia. Essa pedra facilita as mudanças e o progresso. Usada em situações de injustiça e maus-tratos, a opala-de-fogo ajuda a pessoa a superar o tumulto emocional resultante. Diz-se que essa pedra amplia os efeitos dos pensamentos e sentimentos, levando-os a retornar à fonte triplicados, e pode aliviar sentimentos profundamente arraigados de dor, mesmo quando pertencem a vidas passadas. É uma pedra maravilhosa para quem quer deixar o passado para trás, embora os seus efeitos possam ser explosivos quando traz à tona emoções há muito tempo reprimidas.

opala-de-fogo

A opala-de-fogo está em sintonia com o abdome, a região lombar e o meridiano triplo-queimador. Ela cura os problemas de intestino e dos rins, equilibra as glândulas supra-renais e previne o esgotamento, além de estimular os órgãos sexuais. É uma excelente pedra para aquecer e reenergizar.

A **opala verde** é uma pedra purificadora e rejuvenescedora que promove a recuperação emocional e favorece os relacionamentos. Com a capacidade de filtrar informações e redirecionar a mente, a opala verde dá mais significado à vida cotidiana e nos confere uma perspectiva espiritual. Na cura, essa pedra fortalece o sistema imunológico e alivia resfriados e gripes.

A **hialita (opala de água)** é uma pedra maravilhosa para a escriação*. Por conter uma porção maior de água em seu interior, ela estimula a ligação com os reinos espirituais. Estabilizador do humor, esse cristal liga os chakras* da base aos da coroa, intensificando a experiência de meditação. A hialita ajuda aqueles que estão passando pela transição para fora do corpo. Ela ensina que o corpo é um veículo temporário da alma.

Opala verde

LISTA DE CRISTAIS

PERIDOTO

TAMBÉM CHAMADO DE CRISOLITA E OLIVINA

Facetada

Bruta

Polida

COR	Verde-oliva, verde-limão, mel, vermelho, amarronzado
APARÊNCIA	Opaca. Cristal transparente quando lapidado e polido. Geralmente muito pequeno
RARIDADE	Fácil de obter, mas os cristais de boa qualidade são raros
ORIGEM	Estados Unidos, Brasil, Egito, Irlanda, Rússia, Sri Lanka, Ilhas Canárias

ATRIBUTOS Nos tempos antigos se acreditava que o peridoto afastava espíritos malévolos. Era considerada uma pedra com poderes de proteger a aura*.

Essa pedra é um poderoso purificador. Eliminando e neutralizando toxinas em todos os níveis purifica os corpos sutis e o físico, além da mente. Ela abre, purifica e ativa os chakras* do coração e do plexo solar, eliminando "velhas bagagens" emocionais. Também elimina a culpa, as obsessões e os fardos emocionais. O peridoto nos ensina que segurar as pessoas ou o passado é contraproducente. Essa pedra nos mostra como nos desapegar de influências externas e buscar orientação das energias edificantes do nosso próprio eu superior.

Essa pedra elimina padrões negativos e vibrações obsoletas, ajudando-nos a entrar em contato com uma nova freqüência. Se fizermos a nossa parte do ponto de vista psicológico, o peridoto nos ajuda a avançar rapidamente. Esse cristal visionário nos ajuda a entender o nosso destino e o nosso propósito espiritual. É particularmente útil para agentes de cura.

Do ponto de vista psicológico, o peridoto ameniza os ciúmes, o ressentimento, o despeito e a raiva, além de reduzir o estresse. Aumenta a confiança em nós mesmos e a assertividade sem agressividade. Por motivar o crescimento, o peridoto nos ajuda a empreender as mudanças necessárias. Ele nos auxilia a perdoarmo-nos e a olhar o passado para descobrir as dádivas que representam as nossas experiências. Essa pedra promove lucidez e bem-estar. Favorece a busca da verdade espiritual e regula os ciclos da vida.

Do ponto de vista mental, o peridoto aguça a mente e a abre para novos níveis de consciência. Combate a letargia, levando-nos a dar atenção a todas as coisas que negligenciamos consciente ou inconscientemente. Com a ajuda dessa pedra conseguimos admitir nossos erros e seguir em frente. Ela nos ajuda a assumir a responsabilidade pela nossa própria vida, especialmente quando acreditamos que a culpa é sempre das outras pessoas. A influência do peridoto pode melhorar em muito os relacionamentos difíceis.

CURA O peridoto tem um efeito tônico. Cura e regenera os tecidos. Fortalece o metabolismo e beneficia a pele. Essa pedra favorece o coração, o timo, os pulmões, a vesícula biliar, o baço e o trato intestinal, além de curar úlceras e fortalecer os olhos. Colocada sobre o abdome ajuda no parto, intensificando as contrações musculares, mas aliviando a dor. A sua energia ameniza o transtorno bipolar e combate a hipocondria.

POSIÇÃO Use-o na garganta. Posicione-o como for mais apropriado, especialmente sobre o fígado em contato com a pele.

PETALITA

Bruta

COR	Incolor, branca, cor-de-rosa, branco-avermelhado, branco-esverdeado
APARÊNCIA	Semelhante ao quartzo, estriada, levemente iridescente, geralmente pequena
RARIDADE	Rara e cara
ORIGEM	Brasil e Madagáscar

ATRIBUTOS A petalita é outra pedra da nova era. É às vezes conhecida como pedra angélica, pois aumenta a nossa ligação com o reino angélico. Com uma vibração pura e elevada, a petalita abre a consciência cósmica e ajuda na purificação espiritual. Essa é uma pedra protetora que facilita a meditação e a sintonização. Leva-nos a uma dimensão espiritual de muita calma e lucidez, na qual as causas podem ser identificadas e transmutadas. É particularmente útil para curar ancestrais e a linhagem familiar, pois nos leva de volta a uma época anterior ao surgimento da disfunção.

A petalita é uma pedra xamânica. Ela nos garante um ambiente seguro para o contato espiritual ou para a busca de visão*. Ativa e energiza o processo e ao mesmo tempo aterra as nossas energias durante a atividade espiritual.

Essa pedra acalma a aura* e abre os chakras* da garganta e da coroa, ligando-nos a vibrações espirituais mais elevadas. Ajuda-nos a transcender as nossas capacidades metafísicas atuais, ligando-nos a níveis mais elevados de conhecimento espiritual e facilitando a expressão daquilo que vemos durante as visões espirituais.

Até mesmo um pedaço pequeno dessa pedra é extremamente poderoso como elixir. Ela pode ser usada para amenizar karmas negativos e afastar entidades da nossa aura ou do nosso corpo mental. É extremamente útil durante o processo de soltar amarras emocionais, pois incorpora ao processo o eu superior e neutraliza a manipulação em qualquer nível.

Carregada no corpo, a petalita energiza e ativa constantemente todos os centros energéticos do corpo, em todos os níveis. Ela também eleva e revitaliza a atmosfera dos ambientes em que estamos.

CURA A petalita harmoniza o sistema endócrino e ativa o meridiano de triplo-queimador. Essa pedra é útil no tratamento da AIDS e do câncer. Beneficia as células, os olhos, os pulmões, os espasmos musculares e os intestinos.

POSIÇÃO Use-a como pingente ou brincos ou coloque-a no local mais apropriado, especialmente no terceiro olho.

CORES ESPECÍFICAS Além dos atributos genéricos, as cores a seguir têm propriedades adicionais:

A **petalita cor-de-rosa** desobstrui o meridiano do coração e diminui a carga emocional. Ela fortalece o corpo emocional e ameniza o medo e a preocupação. Pedra da compaixão, a petalita cor-de-rosa promove a flexibilidade, enquanto nos confere uma suave firmeza.

A **petalita incolor** neutraliza energias negativas, elimina implantes e miasmas* e karmas negativos de todos os níveis.

FENACITA

Bruta

COR	Incolor, pode ser tingida de amarelo, amarelo-avermelhado, vermelho, cor-de-rosa e marrom
APARÊNCIA	Vítrea, semelhante ao quartzo, com cristais pequenos
RARIDADE	Muito rara e normalmente cara
ORIGEM	Madagáscar, Rússia, Zimbábue, Estados Unidos, Brasil

ATRIBUTOS A fenacita tem uma das vibrações cristalinas mais elevadas jamais descobertas. Ela conecta a nossa consciência pessoal a uma freqüência superior, ajudando-nos a captar informações desse plano, de modo que ele possa ser traduzido na Terra. Essa pedra está em contato com os reinos angélicos* e com os mestres ascensionados*.

A fenacita purifica e integra as energias, ancorando as vibrações espirituais no planeta. Ela está em sintonia com o corpo etérico, ativa o corpo de luz* e favorece o processo de ascensão. Esse cristal cura a alma e purifica os corpos sutis e físico, de modo a prepará-los para atingir um nível vibracional mais elevado.

A fenacita tem uma ligação forte com todos os chakras* e por isso nos ajuda a descobrir como curar e ativar todos eles. Essa pedra estimula o terceiro olho* e ativa o chakra da coroa superior, aumentando o conhecimento interior.

Esse cristal parece ter diferentes propriedades, dependendo da jazida a que ele pertence. A fenacita de Madagáscar é interdimensional e considerado intergalático. A fenacita do Brasil muitas vezes tem o seu próprio "guardião cristalino".

CURA A fenacita age num nível sutil, purificando o corpo e desobstruindo os canais energéticos. Ela traz informações dos Registros Akáshicos* por meio da estrutura etérica*, identificando a causa de qualquer indisposição* e curando-a. A fenacita ativa a cura do corpo etérico* para o físico, curando a estrutura etérica quando esse é um pré-requisito para a cura física. Essa pedra tem o poder de ampliar a energia de outros cristais de cura.

POSIÇÃO Use a fenacita facetada em jóias ou no local apropriado, especialmente sobre a cabeça.

CORES ESPECÍFICAS Além dos atributos genéricos, as cores a seguir têm propriedades adicionais:

A **fenacita incolor** favorece a viagem interdimensional. Ela nos ajuda a vivenciar estados espirituais vibratórios que normalmente não seriam atingidos da Terra. Ela ativa lembranças de iniciações espirituais do passado e nos ensina que "semelhante atrai semelhante", instigando-nos a elevar as nossas vibrações, purificar os nossos pensamentos e irradiar apenas energia positiva.

A **fenacita amarela** é especialmente benéfica para o contato extraterrestre. Essa é uma pedra de manifestação, que traz para o plano físico o que queremos, caso isso represente o bem maior de todos.

PIETERSITA

TAMBÉM CONHECIDA COMO PEDRA-DA-TEMPESTADE

Rolada

COR	De castanho-dourado a azul-acinzentado
APARÊNCIA	Manchada, iridescente, muitas vezes pequena, rolada
RARIDADE	Fácil de obter
ORIGEM	Namíbia

ATRIBUTOS Conhecida como a pedra-da-tempestade por causa da sua ligação com esse elemento da natureza, a pietersita é uma descoberta bem recente. Diz-se que ela guarda "as chaves do reino dos céus". Essa pedra liga a consciência cotidiana à espiritual, lembrando-nos de que somos seres espirituais numa jornada humana. Centrada no ser espiritual, a pietersita tem a capacidade de nos ancorar, não na terra, mas no corpo etérico*. Isso facilita as jornadas espirituais, especialmente aquelas cujo propósito é buscar informações nos Registros Akáshicos* e revelações ali guardadas sobre as nossas encarnações.

A pietersita é a pedra da visão e pode ser usada na busca de visão* ou nas viagens xamânicas. Ela opera em conjunto com o corpo durante as meditações em movimento, ajudando-nos a atingir um estado muito elevado de consciência alterada. Essa pedra estimula o terceiro olho* e a glândula pineal, processando a intuição e promovendo a precognição e profundas visões espirituais. Ela nos liga a um nível de orientação profundamente amoroso.

Diz-se que a pietersita dissipa a ilusão de separação e elimina crenças e condicionamentos impostos por outras pessoas. Ela nos liga à nossa fonte de orientação interior e nos ajuda a reconhecer a verdade ou a falsidade por trás das palavras das outras pessoas. Ela dissolve bloqueios persistentes e elimina a confusão. Usada na cura de vidas passadas, a pietersita elimina indisposições* causadas pelo fato de não expressarmos a nossa verdade. Ela ameniza o condicionamento mental e verbal – carências impostas no passado por figuras de autoridade como pais ou legisladores – e dissipa ilusões espirituais. Ela liberta de juramentos de promessas feitas em vidas passadas e transportadas para o presente, aumentando a força de vontade.

Do ponto de vista psicológico, a pietersita nos ajuda a agir segundo a nossa própria verdade. Trata-se de uma pedra extremamente fortalecedora, que nos ajuda a expressar e explorar qualquer coisa que estiver bloqueando o acesso à verdade. Ela nos ajuda a processar conflitos antigos e sentimentos reprimidos.

CURA A pietersita estimula a glândula pituitária, equilibrando o sistema endócrino e a produção dos hormônios que governam o metabolismo, a pressão sanguínea, o crescimento, o sexo e a temperatura. Ela ajuda os pulmões, o fígado, os intestinos, os pés e as pernas, além de promover a absorção de nutrientes dos alimentos. Num nível sutil, ela desobstrui e energiza os meridianos do corpo. Essa pedra ameniza a indisposição* causada pela exaustão naqueles que não têm tempo para descansar.

POSIÇÃO Posicione-a ou segure-a como for mais apropriado.

PREHNITA

Bruta

COR	Verde, amarelo, branco, marrom
APARÊNCIA	Bolhas na matriz, pedaços pequenos para médios
RARIDADE	Fácil de obter em lojas especializadas
ORIGEM	África do Sul

ATRIBUTOS A serena prehnita é uma pedra de amor incondicional e o cristal certo para curar o agente de cura. Ela intensifica o processo de visualização e induz à meditação profunda na qual é possível entrar em contato com o eu superior. Ao meditarmos com esse cristal, entramos em contato com a grade energética do universo. Diz-se que ele nos liga com o arcanjo Rafael e com outros seres espirituais e extraterrestres. A prehnita intensifica a precognição e o saber interior. Trata-se de uma pedra que nos deixa preparados para tudo. Sintonizada com as energias divinas, a prehnita favorece a profecia e nos mostra o caminho que nos levará ao crescimento espiritual.

Esse cristal sela o campo áurico com um escudo protetor de energia divina. É uma pedra útil para gradear*, pois ela acalma o ambiente e traz paz e proteção. É uma pedra excelente para colocar no jardim, pois ela nos ajuda a transformar a nossa casa num santuário de cura para nós. Essa pedra nos ensina a ficar em harmonia com a natureza e com a força dos elementos, revitalizando e reenergizando o ambiente.

Uma pedra excelente para ser usada no Feng Shui, a prehnita é útil na arrumação da casa, pois nos ajuda a doar os bens que não usamos mais e a organizar de maneira apropriada os que conservamos. Ela ajuda aqueles que anseiam por acumular bens, ou por amor, devido a um sentimento de escassez interior. Esse sentimento pode ter se originado em vidas passadas, em decorrência de experiências de privação, pobreza ou falta de amor. Com a assistência da prehnita, a confiança no universo é restaurada e a alma passa a acreditar uma vez mais na manifestação divina.

Do ponto de vista psicológico, a prehnita alivia os pesadelos, as fobias e os medos profundos, trazendo à tona e curando as indisposições* que as causam. É uma pedra benéfica para crianças hiperativas e para sanar as causas kármicas da hiperatividade.

CURA A prehnita é útil para fazer diagnósticos, pois atinge a causa do problema. Ela cura os rins e a bexiga, o timo, os ombros, o peito e os pulmões. Trata a gota e os distúrbios no sangue, reconstitui os tecidos conjuntivos do corpo e pode paralisar o crescimento de tumores malignos.

POSIÇÃO Coloque-a ou segure-a no local apropriado. Para a profecia, a visualização e a orientação espiritual, coloque sobre o terceiro olho*.

PIROLUSITA

Natural

COR	Prateado, preto, azul, cinza-escuro
APARÊNCIA	Grande, brilhante, em forma de leque sobre matriz marrom ou massa granulada
RARIDADE	Fácil de obter em lojas especializadas
ORIGEM	Estados Unidos, Grã-Bretanha, Brasil, Índia

ATRIBUTOS A pirolusita tem a capacidade de transformar e reestruturar energias. Quando sabemos tirar o máximo proveito dela ou a direcionamos conscientemente pode reestruturar a nossa vida. Essa pedra cura distúrbios energéticos e transmuta indisposições* nos corpos físico, emocional e mental.

A pirolusita é uma pedra extremamente útil para colocarmos no nosso ambiente imediato ou no nosso espaço de meditação. Ele repele a energia negativa e a interferência psíquica, seja qual for a sua origem, fortalecendo a aura* nesse processo. Ela pode prevenir influências mentais excessivas de alguém com um forte poder mental, dissolver a manipulação emocional e formar uma barreira contra a atenção daqueles que provêm de mundos astrais inferiores.

Se você tiver de ficar na presença de uma autoridade cujos interesses você não compartilha, leve com você uma pirolusita. Ela o ajudará a manter-se fiel às suas crenças. Graças à sua estrutura delicada, algumas pirolusitas não são adequadas para usar em jóias, mas você pode segurá-la na mão sempre que precisar das suas energias protetoras.

Do ponto de vista psicológico, a pirolusita promove a confiança, o otimismo e a determinação. Essa pedra tenaz atinge o âmago dos problemas e oferece um meio de transformação. Ela pode colaborar durante a cura emocional profunda, incluindo a terapia de vidas passadas ou corporal, eliminando indisposições* emocionais e bloqueios no corpo emocional.

CURA A pirolusita trata a bronquite, regula o metabolismo, reforça os vasos sanguíneos e estimula a sexualidade. Ela também é útil para fortalecer a visão.

POSIÇÃO Coloque-a ou segure-a como for mais apropriado. Como a pirolusita é extremamente delicada e pesada para ser colocada sobre o corpo, ela pode ser transformada num elixir pelo método indireto e aplicada topicamente ou ingerida.

QUARTZO

Agregado pontiagudo   *Pilar (lapidado)*

COR	Incolor
APARÊNCIA	Cristais longos e pontudos, transparentes, leitosos ou estriados, muitas vezes em agregados, de todos os tamanhos
RARIDADE	Quase todos os tipos de quartzo são fáceis de obter
ORIGEM	No mundo todo

ATRIBUTOS O quartzo é um dos mais poderosos agentes de cura e amplificadores de energia do planeta, graças à sua forma cristalina única espiralada e helicoidal. Encontrado no mundo todo, ele absorve, armazena, irradia e regula a energia e também é um instrumento excelente para desbloqueá-la. Quando as agulhas de acupuntura são revestidas de quartzo, seus efeitos aumentam em 10%. Como demonstrado pela câmera Kirlian*, quando seguramos um cristal de quartzo na mão, o nosso campo biomagnético dobra de tamanho. Ele intensifica o teste muscular e protege contra a radiação. O quartzo gera eletromagnetismo e dissipa a eletricidade estática.

Esse cristal atua no nível vibracional e sintoniza a energia específica requisitada pela pessoa que necessita da cura ou que está realizando o trabalho espiritual. O cristal leva a energia ao seu estado mais perfeito possível, retrocedendo ao ponto imediatamente anterior ao surgimento da doença. O quartzo purifica os órgãos e corpos sutis e age como um profundo purificador anímico, conectando a dimensão física com a mental.

No nível espiritual, esse cristal eleva a energia ao nível mais elevado possível. Contendo todas as cores possíveis, o quartzo incolor trabalha em todos os níveis do ser. Armazenando informação como um computador natural, esse cristal é uma biblioteca espiritual à nossa disposição. O quartzo tem a capacidade de eliminar sementes kármicas*. Ele intensifica as capacidades psíquicas e nos sintoniza com o nosso propósito espiritual. Usado na meditação, o quartzo elimina as distrações. Esse cristal é o receptor mais eficiente para programação.

No nível mental, o quartzo ajuda na concentração e desbloqueia a memória.

O quartzo é um grande poupador de energia. Fixado à bomba de combustível do carro, o quartzo pontudo reduz o consumo de energia.

As pontas do quartzo tem tamanhos diferentes, dependendo da rapidez com que se formaram. O formato de cada ponta tem um profundo significado. (*Ver* Os Formatos dos Cristais, na página 324.)

CURA O quartzo é um mestre da cura que pode ser usado em qualquer problema de saúde. Ele estimula o sistema imunológico e restabelece o equilíbrio do corpo. É excelente para aliviar queimaduras. O quartzo harmoniza todos os chakras* e alinha os corpos sutis*.

POSIÇÃO Coloque-o onde for mais apropriado.

CORES ESPECÍFICAS E TIPOS DE QUARTZO
Além dos atributos genéricos, as cores a seguir têm propriedades adicionais:

O **quartzo azul** nos ajuda a fazer contato com as outras pessoas e diminui o medo. Por acalmar a mente, ele nos ajuda a entender a nossa natureza espiritual e nos dá esperança. Na cura, ele é benéfico para os órgãos da parte superior do corpo. O quartzo azul purifica as veias e fortalece o sistema imunológico.

Quatzo azul

O **agente de cura dourado** (amarelo transparente e com revestimento natural) facilita a comunicação espiritual através de longas distâncias, inclusive entre mundos, e intensifica a cura em todos os níveis.

O **quartzo verde** abre e estabiliza o chakra do coração. Ele também transmuta a energia negativa, inspira a criatividade e equilibra o sistema endócrino.

O **quartzo arlequim** tem faixas de pontos vermelhos que dançam dentro dele. Ele liga os chakras* da base e do coração com o chakra da coroa, irradiando vitalidade física e espiritual para o corpo. Equilibrando as polaridades e meridianos do corpo, esse cristal ancora essas energias no corpo etérico, harmonizando os sistemas nervosos sutil e físico. O quartzo arlequim ajuda na expressão do amor universal e serve como uma ponte entre os mundos espiritual e físico. Esse quartzo fortalece as veias, a memória e a tireóide, combatendo deficiências nessa glândula. Ele ativa a vontade de nos recuperarmos de doenças e indisposições*, além de minimizar o desânimo.

Agente de cura dourado (com terminação dupla)

LISTA DE CRISTAIS

O **quartzo de lítio** (com revestimento natural e tom roxo-avermelhado) é um antidepressivo natural. As suas poderosas energias mostram a causa da depressão, neutralizando raivas e dores antigas. Pode transportar-nos a vidas passadas para arrancar as raízes do conflito emocional que prejudica a nossa vida presente. O quartzo de lítio é um excelente purificador para os chakras* e para a água. Ele é extremamente útil para curar plantas e animais.

Quartzo de lítio

O **titânio natural** são "pontinhos" que aparecem sobre os cristais de quartzo e que os deixam com os mesmos poderes do quartzo aura-arco-íris (ver página 230) e que muitas vezes surgem nos cristais rutilados em forma de oclusões (ver página 237).

O **arco-íris natural,** encontrado dentro de muitos cristais de quartzo, estimula a consciência do amor universal, repele a negatividade e irradia energia de cura para o corpo e para o ambiente.

O **quartzo tangerina** (com um revestimento natural laranja transparente) é uma pedra excelente para usarmos depois de choques ou traumas, especialmente no nível anímico. Ele pode ser usado para resgatar* a alma e reintegrá-la, e para efetuar curas depois de ataques psíquicos*. O quartzo tangerina pode ser usado também em terapias de vidas passadas e nos casos em que a alma sente que cometeu um erro pelo qual ela precisa pagar. A alma aprende a ver a dádiva que representa essa experiência. O quart-

Quartzo de titânio

Quartzo arco-íris natural

zo tangerina ativa e harmoniza o chakra* do sacro, estimulando o fluxo de energia criativa. Esse quartzo pode ajudar-nos a transcender os nossos sistemas de crença limitados e a atingir uma vibração mais positiva. Ele também demonstra que semelhante atrai semelhante.

O **quartzo tibetano** tem terminação dupla ou simples e pode ter oclusões em forma de "pontos pretos". Ele carrega a vibração do Tibete e o conhecimento esotérico que existiu nesse país ao longo das eras. Esse conhecimento pode ser alcançado durante a meditação com o quartzo tibetano e usado instintivamente na cura e em práticas espirituais. Esse quartzo também dá acesso aos Registros Akáshicos*. O quartzo tibetano, que embora seja uma pedra etérica, tem a capacidade de aterrar as energias, tem uma energia extremamente centrada que atravessa o corpo e o eu, efetuando uma cura profunda e revitalizando os corpos sutis*. Usado no corpo físico, ele purifica e energiza todos os meridianos.

(*Ver também* páginas 229-243 para conhecer outros tipos de quartzo e páginas 336-337 para conhecer o quartzo-catedral, de formato único.)

Quartzo tibetano com oclusões* com a forma de pontos pretos

Quartzo siberiano natural com fantasma

QUARTZO AQUA-AURA E QUARTZOS FEITOS EM LABORATÓRIOS POR ESPECIALISTAS

Aqua-aura

COR	Azul (siberiano), vermelho (aura-rosa ou aura-rubi), amarelo (aura-ensolarada), arco-íris
APARÊNCIA	Cristais de quartzo combinados artificialmente com ouro, o que produz uma cor intensa, pontinhos ou agregados
RARIDADE	Fácil de obter
ORIGEM	Revestimento manufaturado sobre o cristal de quartzo

PROPRIEDADES ADICIONAIS Embora criado artificialmente, o aqua-aura tem uma energia intensa que reflete o processo alquímico que aglutina o ouro ao quartzo puro. O aqua-aura nos liberta das limitações e dá espaço para que surja o novo. Esse cristal cura, purifica e acalma a aura*, eliminando qualquer estresse e "buracos" no campo energético. Ele então ativa os chakras*, especialmente o da garganta, no qual estimula a comunicação a partir do coração. O aqua-aura elimina a negatividade dos corpos sutis* energéticos e das ligações que o corpo espiritual faz com as energias universais. A expressão da energia anímica é então ativada, permitindo que realizemos todo o nosso potencial.

O aqua-aura estimula a canalização* e a expressão de nós mesmos, além de aprofundar a sintonização e a comunicação espirituais. Trata-se de uma pedra protetora que nos serve de escudo contra ataques psíquicos* e psicológicos. Ela irradia uma profunda paz durante a meditação. Usado em conjunto com outros cristais, o aqua-aura maximiza as propriedades de cura.

CURA O aqua-aura fortalece o timo e o sistema imunológico.

POSIÇÃO Segure-o, use-o ou posicione-o da maneira mais apropriada.

QUARTZOS-AURA ESPECÍFICOS

Cada quartzo-aura tem propriedades específicas, que dependem da sua cor. Todos eles, no entanto, compartilham muitas propriedades graças ao ouro alquimizado na sua superfície.

O **aura-arco-íris** é formado por meio da combinação de ouro e titânio com o quartzo puro. Pelo fato de ativar todos os centros energéticos do corpo, esse cristal desobstrui os canais pelos quais a força vital se manifesta através dos vários corpos, gerando uma energia vibrante e dando entusiasmo pela vida. O aura-arco-íris é benéfico para relacionamentos problemáticos, pois mostra projeções e ajuda na liberação de emoções negativas, como ressentimentos e mágoas do passado, proporcionando um profundo entendimento dos relacionamentos em todos os níveis. Ele ajuda também na eliminação de comprometimentos kármicos que representam obstáculos aos relacionamentos do presente. O relacionamento transformado é harmonioso e vibrante.

O **quartzo-aura-opala** tem um arco-íris de tonalidade muito mais pálida, produzido pela platina. Assim como o arco-íris no céu dá esperança e otimismo, o aura-opala é o cristal da alegria. Ele purifica e equilibra todos os chakras* e integra o corpo de luz nas dimensões físicas. O aura-opala nos abre para um estado profundo de consciência meditativa, ancorando a informação recebida no corpo físico. Esse cristal provoca um estado de completa união com o divino por meio da consciência cósmica.

O **aura-rosa** é formado pela combinação do quarzo com a platina, que produz uma energia dinâmica que atua sobre a glândula pineal e o chakra do coração. Essa energia transmuta dúvidas arraigadas sobre o nosso valor pessoal. Ela nos concede a dádiva do amor incondicional do eu e nos conecta ao amor universal. Essa forma de quartzo-aura imbui todo o corpo com amor, restaurando as células e lhes restituindo o equilíbrio.

O **aura-rubi** é também formado de quartzo e platina, mas tem uma cor muito mais profunda. Esse cristal purifica o chakra* da base, ligado às questões de sobrevivência e abuso, suscitando paixão e vitalidade, além de ativar a sabedoria do coração. Do ponto de vista espiritual, esse cristal edificante nos abre para a consciência crística*. Esse é o cristal protetor que serve como um escudo contra a agressão e a violência. Na cura, o aura-rubi beneficia o sistema endócrino e é um antibiótico natural contra infecções por fungo e parasitas.

Aura-rubi

O **aura-ensolarado** é um cristal amarelo vistoso, constituído de ouro e platina. As suas energias são poderosas e extremamente ativas. Ativa e purifica o plexo solar, eliminando mágoas e traumas emocionais do passado. No nível espiritual, esse cristal é expansivo e protetor. Ele alivia a constipação em todos os níveis e elimina toxinas.

O **quartzo azul-siberiano** é um cristal azul-brilhante, criado em laboratório a partir do quartzo e do cobalto. Trata-se de um poderoso antidepressivo, que eleva o ânimo e traz uma paz profunda. Esse cristal ativa os chakras* da garganta e do terceiro olho*, estimulando a visão psíquica e a telepatia, e beneficiando a comunicação. Ele provoca experiências visionárias intensas e abre a consciência cósmica. Essa pedra nos ajuda a expressar a nossa verdade e a ser ouvidos. Como elixir trata as infecções de garganta, as úlceras e o estresse. Aplicado externamente, o elixir alivia inflamações, queimaduras de sol, torcicolos ou tensões musculares.

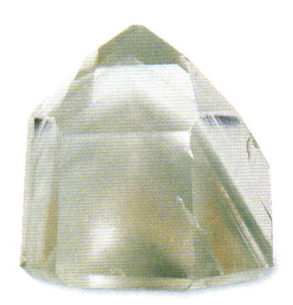

QUARTZO-FANTASMA

Ametista   *Clorita*

COR	Várias cores, de acordo com o mineral
APARÊNCIA	Cristal com aparência fantasmagórica dentro do cristal principal
RARIDADE	Fácil de obter
ORIGEM	No mundo todo

APARÊNCIA Cristal branco ou colorido, menor do que o habitual, com uma forma cristalina "fantasmagórica" dentro do cristal de quartzo transparente principal.

PROPRIEDADES ADICIONAIS O cristal-fantasma simboliza a consciência universal. O seu propósito é estimular a cura do planeta e ativar as capacidades de cura dos indivíduos. Para esse propósito, ele se conecta com um guia espiritual* e favorece a meditação. O quartzo-fantasma facilita o acesso aos Registros Akáshicos*, desvendando vidas passadas e recuperando lembranças reprimidas, com a intenção de curar o passado. Ele também pode levar-nos para o estado entre-vidas* e ativar a clariaudiência*.

A **ametista-fantasma** franqueia o acesso ao estado* anterior ao nascimento e ao plano da vida presente. Ajuda-nos a avaliar o progresso que fizemos por meio das nossas lições espirituais, durante a encarnação atual.

A **clorita-fantasma (verde)** ajuda na realização de nossos propósitos e na remoção de implantes de energia, mas para essa finalidade deve ser usada com a orientação de um terapeuta especializado em cristais. (*Ver também* clorita, página 108.)

O **fantasma enfumaçado** nos ajuda a retroceder no tempo, para a época em que ainda não tínhamos deixado o nosso grupo anímico*, e nos liga ao propósito da encarnação grupal. Ele também pode nos ajudar a identificar e atrair membros do nosso grupo anímico. Caso energias negativas tenham interferido no propósito grupal, o fantasma enfumaçado elimina essas energias, restituindo ao grupo a sua pureza de intenções original.

QUARTZO ROSA

Bruto *Polido*

COR	Cor-de-rosa
APARÊNCIA	Normalmente translúcido, pode ser transparente, todas as cores, às vezes arredondado
RARIDADE	Fácil de obter
ORIGEM	África do Sul, Estados Unidos, Brasil, Japão, Índia, Madagáscar

PROPRIEDADES ADICIONAIS O quartzo rosa é a pedra do amor incondicional e da paz infinita. É o mais importante cristal para o coração e para o chakra* do coração, ensinando a verdadeira essência do amor. Ele purifica e abre o coração em todos os níveis e inspira uma profunda cura interior e amor-próprio. É calmante, reconfortante e uma pedra excelente para casos de traumas ou épocas de crise. Se você quiser atrair o amor, opte pelo romântico quartzo rosa. Colocado na cama ou na Área do Relacionamento da sua casa, ele é tão eficiente ao atrair amor e relacionamentos que muitas vezes é preciso recorrer a uma ametista para amenizar os seus efeitos. Em relacionamentos já existentes, esse cristal restaura a confiança e a harmonia, estimulando o amor incondicional.

O quartzo rosa repele suavemente a energia negativa e a substitui por vibrações de amor. Fortalece a empatia e a sensibilidade, além de ajudar na aceitação de mudanças necessárias. Trata-se de uma pedra excelente para as crises de meia-idade. Segure na mão um quartzo rosa para potencializar os efeitos de afirmações positivas. Essa pedra pode, então, lembrá-lo das suas intenções. Esse lindo cristal promove a receptividade à beleza de todos os tipos.

Do ponto de vista emocional, o quartzo rosa é o mais sutil dos agentes de cura. Ajudando na liberação de mágoas e emoções não-expressas e transmutando condicionamentos emocionais que não nos servem mais, essa pedra ameniza a dor interiorizada e cura o desânimo. Se você nunca recebeu amor, o quartzo rosa abrirá o seu coração, tornando-o mais receptivo. Se você já amou mas sofreu uma perda, ele lhe oferece conforto. O quartzo rosa nos ensina a amar a nós mesmos, o que é fundamental se você não se considera digno de amor. Essa pedra estimula o perdão e a aceitação, e evoca a confiança e a valorização com relação a nós mesmos.

CURA O quartzo rosa fortalece o coração físico e o sistema circulatório, além de eliminar as impurezas dos fluidos corporais. Colocado sobre o timo, esse cristal cura problemas no peito e nos pulmões. Também combate doenças nos rins e nas glândulas supra-renais, além de aliviar vertigens. Diz-se que o quartzo rosa aumenta a fertilidade. A pedra ou o elixir suavizam queimaduras e bolhas, melhorando o aspecto da pele. Também combate o mal de Alzheimer, o mal de Parkinson e a demência senil.

POSIÇÃO Use-o especialmente sobre o coração. Coloque-o sobre o coração, o timo ou na Área de Relacionamento do quarto (Feng Shui).

QUARTZO RUTILADO

TAMBÉM CONHECIDO COMO CABELO-DE-ANJO

Rolado

COR	Incolor ou enfumaçado, com estrias marrom douradas, avermelhadas ou pretas
APARÊNCIA	Longos "fiapos" num cristal transparente, todos os tamanhos
RARIDADE	Fácil de obter
ORIGEM	No mundo todo

PROPRIEDADES ADICIONAIS O quartzo rutilado é um eficiente integrador de energia em todos os níveis. Ele aumenta os impulsos energéticos do quartzo e é um agente de cura vibracional muito eficiente.

Do ponto de vista espiritual, o quartzo rutilado supostamente apresenta o equilíbrio perfeito de luz cósmica e tem o poder de iluminar a alma, promovendo o crescimento espiritual. Purifica e energiza a aura; favorece a viagem astral*, a escriação* e a canalização*. Facilita o contato com uma orientação espiritual mais elevada. Repele energia negativa e rompe as barreiras que impedem o progresso espiritual, ajudando-nos a deixar o passado para trás.

O quartzo rutilado é um instrumento útil para terapeutas e conselheiros, pois filtra a energia negativa do cliente e ao mesmo tempo protege o seu campo energético enquanto ele extravasa emoções e confronta os aspectos sombrios da psique. Esse cristal também dá proteção contra ataques psíquicos*.

O quartzo rutilado pode ser usado na terapia de vidas passadas, pois elimina indisposições* do passado e ajuda a compreensão de acontecimentos passados que interferem no presente. Esse cristal também nos ajuda a investigar o âmago da nossa vida, para descobrir causas e entender o resultado de ações que praticamos. Ele também conecta as lições da alma com o plano para a vida presente.

Do ponto de vista psicológico, o quartzo rutilado mostra as raízes dos problemas e facilita as transições e a mudança de direção. Do ponto de vista emocional, esse cristal ameniza os estados de espírito melancólicos e atua como um antidepressivo. Alivia os medos, as fobias e a ansiedade, diminuindo as limitações que impomos a nós mesmos e combatendo a aversão por nós mesmos. Essa pedra promove o perdão em todos os níveis.

O quartzo rutilado abre a aura, para que ela aceite a cura. No nível físico, esse cristal absorve o mercúrio prejudicial aos nervos, aos músculos, ao sangue e ao trato intestinal.

CURA O quartzo rutilado tem uma vitalidade que ajuda a combater doenças crônicas, a impotência e a infertilidade. Ele é excelente para casos de exaustão e esgotamento energético. Esse cristal trata o sistema respiratório, combate a bronquite, estimula e equilibra a tireóide e repele parasitas. Ele também estimula o crescimento e a regeneração das células e reconstitui tecidos lesionados. Diz-se que esse cristal nos ajuda a manter uma postura ereta.

POSIÇÃO No pescoço para a tireóide; no coração para o timo; no plexo solar para dar mais energia e nas orelhas para favorecer o equilíbrio e o alinhamento. Para eliminar a negatividade, usar esse cristal no processo de varredura da aura.

LISTA DE CRISTAIS

QUARTZO ENFUMAÇADO

Rolado

Ponta natural

COR	Amarronzado ou enegrecido, às vezes amarelado
APARÊNCIA	Cristais longos, translúcidos, pontudos, com terminações mais escurecidas. Todos os tamanhos. (Obs.: Os cristais muito escuros podem ter passado por processo artificial de radiação e não são transparentes.)
RARIDADE	Fácil de obter, mas é preciso ter cautela para não confundi-lo com o cristal enfumaçado artificial
ORIGEM	No mundo todo

PROPRIEDADES ADICIONAIS O quartzo enfumaçado é uma das pedras mais eficientes para aterrar e ancorar energias. Ao mesmo tempo ajuda a elevar as vibrações durante a meditação. Essa pedra protetora tem uma forte ligação com a Terra e com os chakras* da base, por isso promove a preocupação com o meio ambiente e soluções ecológicas. Essa pedra é um antídoto imbatível para o estresse. Ajuda-nos a superar tempos difíceis com coragem, aumentando a nossa capacidade de encontrar soluções.

Aterrando a energia espiritual e neutralizando vibrações negativas suavemente, esse cristal bloqueia o estresse geopático*, absorve a neblina eletromagnética* e facilita a eliminação e a desintoxicação em todos os níveis. Irradia uma vibração positiva que preenche o ambiente. O quartzo enfumaçado nos ensina a deixar para trás qualquer coisa que não nos sirva mais. Ele pode ser usado para proteger o chakra da terra sob os nossos pés e o seu cordão de ancoramento*, quando estamos numa área em que há perturbação na energia telúrica.

Do ponto de vista psicológico, o quartzo enfumaçado alivia o medo e a depressão e promove a calma. Ele também ameniza tendências suicidas e a ambivalência com relação à encarnação. Esse cristal nos ajuda na aceitação do corpo físico e da natureza sexual, aumentando a virilidade e purificando o chakra da base, de modo que a energia sexual possa fluir naturalmente. Ele combate pesadelos e ajuda na manifestação de sonhos. Quando entra em contato com emoções negativas tende a dissolvê-las suavemente.

Do ponto de vista mental, o quartzo enfumaçado promove o pensamento positivo e pragmático e pode ser usado na escriação para proporcionar revelações claras e neutralizar o medo do fracasso. Ele elimina contradições, promove a concentração e diminui os problemas de comunicação. Essa pedra facilita a passagem entre os estados mentais alfa e beta e ajuda a desanuviar a mente para a meditação.

Do ponto de vista físico, pelo fato de muitas vezes ter sofrido uma radiação natural, esse cristal é excelente para tratar doenças relacionadas à radiação ou à quimioterapia. É preciso, no entanto, usar pedras formadas naturalmente a partir de uma pequena dose de radiação, em vez daquelas tratadas artificialmente (essas pedras geralmente são mais escuras e opacas). Esse relaxante cristal aumenta a tolerância ao estresse e alivia a dor. Na cura, dispor um quartzo enfumaçado apontando para fora do corpo pode prevenir problemas de saúde.

CURA O quartzo enfumaçado é particularmente eficaz para combater doenças no abdome, nos quadris e nas pernas. Ele alivia a dor, incluindo as dores de cabeça, e beneficia o sistema reprodutivo, os músculos, os nervos e o coração. Esse cristal alivia cãibras, fortalece as costas e fortifica os nervos. Essa pedra também ajuda na assimilação de minerais e previne a retenção de líquidos.

POSIÇÃO Em qualquer lugar, especialmente no chakra da base. Embaixo do travesseiro, ao lado do telefone ou nas linhas de estresse geopático. Use-o como pingente por longos períodos. Para eliminar o estresse, pegue a pedra na mão e se sente em silêncio por alguns minutos. Coloque-a sobre pontos doloridos para amenizar a dor. Coloque-a sobre o corpo, apontando para fora, para repelir energias negativas; e apontando para dentro, para irradiar energia para o corpo.

Quartzo enfumaçado: a pedra à esquerda sofreu um processo artificial de radiação

QUARTZO-NEVE

TAMBÉM CONHECIDO COMO QUARTZO LEITOSO OU QUARTZITA

Arredondado

COR	Branco
APARÊNCIA	Compacto, leitoso, muitas vezes gasto pela água ou grande e arredondado pela erosão
RARIDADE	Fácil de obter
ORIGEM	No mundo todo

PROPRIEDADES ADICIONAIS O quartzo-neve nos apóia enquanto aprendemos as nossas lições na vida e nos ajuda a nos libertarmos de responsabilidades e limitações excessivas. É a pedra perfeita para pessoas que se sentem exploradas, mas que na verdade criam essas situações porque precisam sentir-se necessárias. Essa pedra também combate a vitimização e a síndrome de mártir.

Do ponto de vista mental, essa pedra aumenta o tato e a cooperação. Ajuda-nos a pensar antes de falar. Quando usada na meditação, ela nos liga à nossa sabedoria interior profunda, anteriormente negada por nós mesmos e pela sociedade.

CURA O quartzo-neve é a pedra apropriada para usar em substituição ao quartzo incolor. O seu efeito é mais lento e suave, contudo é eficaz.

POSIÇÃO Use-o como for mais apropriado, em qualquer lugar.

QUARTZO TURMALINADO

Rolado

COR	Incolor com filamentos escuros
APARÊNCIA	Longos "fiapos" escuros num cristal incolor, todos os tamanhos
RARIDADE	Fácil de obter
ORIGEM	No mundo todo

PROPRIEDADES ADICIONAIS O quartzo turmalinado agrega as propriedades do quartzo e as da turmalina. Pedra eficaz para aterrar energias, esse quartzo fortalece o campo energético do corpo, combatendo invasões externas e influências ambientais nocivas. Dissipa padrões cristalizados e tensões em qualquer nível. Essa pedra harmoniza polaridade e elementos opostos e díspares, transmutando pensamentos negativos em positivos. Do ponto de vista psicológico, essa pedra ajuda a integrar e curar energias sombrias, diminuindo a sabotagem em relação a nós mesmos. Também é muito eficaz para ajudar a resolver problemas.

CURA O quartzo turmalinado harmoniza os meridianos*, os corpos sutis* e os chakras*.

POSIÇÃO Coloque-o como for mais apropriado.

RODOCROSITA

Polida   *Bruta*   *Rolada*

COR	De cor-de-rosa a laranja
APARÊNCIA	Com bandas, todos os tamanhos, muitas vezes polida ou rolada
RARIDADE	Fácil de obter
ORIGEM	Estados Unidos, África do Sul, Rússia, Argentina, Uruguai

ATRIBUTOS A rodocrosita representa o amor altruísta e a compaixão. Ela expande a consciência e integra as energias espirituais e materiais. Essa pedra também inspira uma atitude dinâmica e positiva.

A rodocrosita é uma excelente pedra para o coração e os relacionamentos, principalmente para pessoas que não se sentem amadas. Ela é a pedra por excelência para a cura do trauma provocado pelo abuso sexual. A rodocrosita atrai uma alma gêmea, embora essa possa não ser a experiência maravilhosa que esperamos. Almas gêmeas são pessoas que nos ajudam a aprender as nossas lições na vida. Embora essa nem sempre seja uma experiência agradável, ela nos leva na direção do nosso mais elevado bem. A rodocrosita evita a negação e ensina o coração a assimilar sentimentos dolorosos sem fechar-se.

Essa pedra purifica o plexo solar e os chakras* da base. Trazendo sentimentos reprimidos à tona suavemente, essa pedra permite que eles sejam reconhecidos e então extravasados. A rodocrosita então ajuda a identificar padrões atuais e mostra o propósito por trás da experiência. Essa é uma pedra que insiste para que encaremos a verdade sobre nós mesmos e sobre as outras pessoas, sem desculpas nem evasivas, mas com uma atitude amorosa.

A rodocrosita é útil para o diagnóstico no nível psicológico. As pessoas que têm aversão por essa pedra geralmente reprimem dentro de si algo que elas não querem ver. Essa pedra inspira o confronto de suas paranóias e dos seus medos irracionais, e revela que as emoções em que foram ensinadas a acreditar são inaceitáveis e pouco naturais. Essas pessoas então conseguem ver as coisas de maneira menos negativa. Do ponto de vista psicológico, a rodocrosita inspira a valorização de nós mesmos e suaviza o estresse emocional.

Essa pedra revitaliza a mente, estimula uma atitude positiva e intensifica os estados oníricos e a criatividade. Liga-nos à nossa mente superior e ajuda a integrar novas informações.

Do ponto de vista emocional, a rodocrosita estimula a expressão espontânea dos sentimentos, incluindo o desejo sexual. Combate estados de espírito melancólicos e traz mais leveza à vida.

CURA A rodocrosita atua como um filtro de ar, aliviando asma e problemas respiratórios. Ela purifica o sistema circulatório e os rins, melhora a visão, normaliza a pressão sanguínea, estabiliza o batimento cardíaco e revigora os órgãos sexuais. Como dilata os vasos sanguíneos, ela também alivia as enxaquecas. O elixir ameniza infecções, melhora a pele e regula o funcionamento da tireóide.

POSIÇÃO Use-a no pulso ou coloque-a sobre o coração ou plexo solar. Para enxaquecas, coloque-a na parte superior da coluna vertebral.

LISTA DE CRISTAIS

RODONITA

Rolada *Bruta*

COR	Cor-de-rosa ou vermelho
APARÊNCIA	Manchada, muitas vezes salpicada de preto, normalmente pequena e rolada
RARIDADE	Fácil de obter
ORIGEM	Espanha, Rússia, Suécia, Alemanha, México, Brasil

ATRIBUTOS A rodonita é um equilibrador emocional que inspira o amor e estimula a fraternidade entre os seres humanos. Tem a capacidade de mostrar ambos os lados de uma questão. Essa pedra estimula, purifica e ativa o coração e o chakra* do coração. Aterra a energia, equilibra as energias yin e yang e ajuda na realização do nosso potencial mais elevado. Diz-se que essa pedra intensifica a meditação com mantras, aumentando a sintonia entre a alma e a vibração do mantra.

Pedra útil para prestarmos os "primeiros socorros", a rodonita cura choques emocionais e pânico, irradiando uma energia que apóia a alma durante o processo. Trata-se de uma pedra extremamente benéfica em casos de autodestruição emocional, co-dependência e abusos. A rodonita cura feridas emocionais e cicatrizes do passado – sempre que isso é possível – e provoca a transformação de emoções dolorosas como o ressentimento ou a raiva. Essa pedra tem uma forte sintonia com o perdão e ajuda na reconciliação depois de muito tempo de dor e maus-tratos. Ela pode ser usada na terapia de vidas passadas para curar feridas causadas pelo abandono e pela traição. Graças à sua capacidade de promover o amor altruísta e o perdão, ela nos ajuda a ver projeções que acusam o nosso parceiro pelo que, na verdade, está no nosso próprio eu.

A rodonita é uma pedra útil para repelir insultos e evitar retaliações. Ela nos faz reconhecer que a vingança é autodestrutiva e nos ajuda a manter a calma diante de situações instáveis ou perigosas.

A rodonita equilibra e integra as energias físicas e mentais, além de estimular a confiança e combater a confusão mental.

CURA A rodonita é excelente para curar feridas e para picadas de insetos, pois alivia a coceira. Beneficia o crescimento dos ossos e cura os órgãos, além de regular as vibrações auditivas e estimular a fertilidade. Essa pedra trata o enfisema, a inflamação nas articulações e a artrite, as doenças auto-imunes, as úlceras de estômago e a esclerose múltipla. Na forma de elixir, é usada em situações de emergência para tratar traumas e choques.

POSIÇÃO Como for mais apropriado. Coloque-a sobre o coração para curar mágoas e sobre a pele para tratar feridas externas ou internas.

A **rodonita ornamental** ativa a glândula pineal e a orientação intuitiva. Ela alinha os chakras* e remove bloqueios que obstruem o seu fluxo energético. Seu suave raio cor-de-rosa é particularmente apropriado para favorecer a cura emocional.

RIÓLITO

Bruto *Polido e lapidado*

COR	Branco, verde, cinza-claro, vermelho
APARÊNCIA	Com bandas ou pontilhado de inclusões de cristal, todos os tamanhos, muitas vezes arredondado
RARIDADE	Obtida em lojas especializadas, muitas vezes lapidada e polida
ORIGEM	Austrália, México, Estados Unidos

ATRIBUTOS O riólito ativa o potencial e a criatividade da alma. Ele facilita a mudança sem forçá-la, ajuda na realização de buscas e facilita o conhecimento a partir do nível anímico. Essa pedra pode levar à sabedoria kármica*.

Fortalecendo a alma, o corpo e a mente, o riólito é extremamente útil na exploração do eu, em toda sua extensão.

Essa pedra facilita o estado profundo de meditação em que se podem fazer jornadas interiores e exteriores.

Pedra útil para a terapia de vidas passadas, o riólito processa o passado e o integra ao presente. Ele favorece as resoluções, não importa qual seja a causa da dificuldade, e estimula o progresso. Esse é um cristal excelente para nos ancorar no presente e nos ajudar a deixar o passado para trás.

Do ponto de vista psicológico, o riólito aumenta a auto-estima e a valorização de nós mesmos. Ele confere um senso de respeito por nós mesmos e a aceitação do nosso eu verdadeiro.

Do ponto de vista mental, o riólito tem um efeito harmonizador, que nos ajuda a extravasar as emoções quando apropriado.

CURA O riólito fortalece a resistência natural do corpo. Trata varizes, brotoejas, problemas de pele e infecções, além de melhorar a assimilação da vitamina B. Pode dissolver pedras nos rins e recuperar tecidos. Como elixir, o riólito fortalece os músculos e melhora o tônus muscular.

POSIÇÃO Use-o ou posicione-o como for mais apropriado. Coloque-o sobre a testa na terapia de vidas passadas (com a orientação de um terapeuta qualificado) e no plexo solar, para estimular a expressão das emoções.

RUBI

Bruto *Polido*

COR	Vermelho
APARÊNCIA	Brilhante, transparente quando polido, opaco quando bruto. Cristal lapidado pequeno ou pedras maiores nubladas
RARIDADE	O rubi não-lapidado é fácil de obter; a gema polida é cara
ORIGEM	Índia, Madagáscar, Rússia, Sri Lanka, Camboja, Quênia, México

ATRIBUTOS O rubi é uma pedra excelente para a energia. Dá mais vigor, energia e equilíbrio. Às vezes pode, no entanto, ser excessivamente estimulante para pessoas delicadas ou irritáveis. O rubi estimula a paixão pela vida, mas nunca de maneira destrutiva. Ele aumenta a motivação e nos ajuda a estabelecer metas realistas.

O rubi estimula o chakra* do coração e equilibra esse órgão. Estimula a prática de "seguir a nossa alegria". Essa pedra é um poderoso escudo contra ataques psíquicos* e vampirismo com relação à energia do coração. Promove sonhos positivos e visualizações nítidas, e estimula a glândula pineal. O rubi é uma das pedras da abundância e por isso nos ajuda a conservar os nossos bens materiais e também os nossos laços de afeto.

Do ponto de vista psicológico, o rubi traz à tona a raiva ou a energia negativa, para que sejam transmutadas, e estimula a remoção de qualquer coisa negativa do nosso caminho. Também promove a liderança dinâmica.

Do ponto de vista mental, o rubi estimula o estado de espírito positivo e destemido. Sob a influência dessa pedra, a mente fica mais arguta, a percepção se intensifica e a concentração melhora. Em virtude desse seu efeito protetor, o rubi nos torna mais fortes durante disputas ou controvérsias.

Do ponto de vista emocional, o rubi é dinâmico. Ele estimula a paixão e o entusiasmo. Essa é uma pedra sociável que também estimula a atividade sexual.

Do ponto de vista físico, o rubi combate a exaustão e a letargia, dando potência e vigor. Por outro lado diminui a hiperatividade.

POSIÇÃO Coração, dedo, tornozelo.

COMBINAÇÃO DE PEDRAS

O **rubi na zoisita (aniolita)** ativa o chakra da coroa, cria um estado alterado de consciência e facilita o acesso à memória da alma e o aprendizado espiritual. Pode ser extremamente útil na cura anímica e na terapia de vidas passadas. Tem a propriedade ímpar de promover a individualidade sem deixar-nos esquecer da nossa ligação com o resto da humanidade. Essa pedra tem o grande poder de ampliar o campo biomagnético* em volta do corpo.

Rubi na zoisita

SAFIRA

preta, polida

preta, bruta

COR	Azul, amarelo, verde, preto, roxo
APARÊNCIA	Brilhante e transparente quando polida, geralmente pequena ou em pedaços maiores nublados.
RARIDADE	Algumas cores são caras, mas a maioria é fácil de obter em estado bruto
ORIGEM	Mianmá, República Tcheca, Brasil, Quênia, Índia, Austrália, Sri Lanka

ATRIBUTOS A safira é conhecida como a pedra da sabedoria, e cada uma das suas cores tem a sua própria sabedoria particular. Ela concentra e acalma a mente e ajuda a afastar pensamentos indesejáveis e a tensão mental. Trazendo paz de espírito e serenidade, a safira alinha os planos físico, mental e espiritual e restabelece o equilíbrio dentro do corpo.

Essa pedra ameniza a depressão e a confusão espiritual e estimula a concentração. Ela promove a prosperidade e atrai dádivas de todos os tipos. Colocada sobre a garganta, a safira diminui a frustração e facilita a expressão de nós mesmos.

CURA A safira acalma os sistemas corporais hiperativos e regula o funcionamento das glândulas. Cura os olhos, remove impurezas e atenua o estresse. Trata os problemas no sangue, diminui as hemorragias excessivas, fortalece as veias e melhora a elasticidade.

POSIÇÃO Em contato com o corpo. Use-a no dedo ou coloque-a onde for mais apropriado.

CORES ESPECÍFICAS Além dos atributos genéricos, as cores a seguir têm propriedades adicionais:

A **safira preta** é uma pedra que busca a verdade espiritual e, por tradição, é associada ao amor e à pureza. É extremamente eficaz para a cura da terra e dos chakras*. Essa pedra tranqüila nos ajuda a nos manter no nosso caminho espiritual e é usada nas cerimônias xamânicas para transmutar energias negativas. Ela abre e cura o chakra da garganta e a tireóide, e facilita a expressão de nós mesmos e a expressão verbal da verdade.

Safira azul

LISTA DE CRISTAIS

A **safira verde** melhora a visão, tanto interior quanto exterior, e facilita a recordação dos sonhos. Ela estimula o chakra do coração, inspirando lealdade, fidelidade e integridade. Essa pedra estimula a compaixão e a compreensão das fragilidades das outras pessoas e das suas qualidades únicas. Ela valoriza a confiança e o respeito pelos sistemas de crenças alheios.

Safira verde

A **safira cor-de-rosa** atua como um ímã, atraindo para a nossa vida tudo de que precisamos para evoluir. Pedra de ação rápida, ela nos ensina a dominar as emoções, elimina bloqueios emocionais e integra as energias transmutadas.

A **safira roxa** promove o despertar. Ela é útil para meditações, estimulando a subida da energia kundalini*, o chakra da coroa e a abertura para a espiritualidade. Essa pedra ativa a glândula pineal e a sua ligação com as capacidades psíquicas, e estimula a clarividência. Tem um poderoso efeito calmante sobre as pessoas emocionalmente instáveis.

A **safira real** elimina energias negativas dos chakras* e estimula o terceiro olho* a chegar a informações que favoreçam o crescimento. Essa pedra ensina a responsabilidade pelos próprios pensamentos e sentimentos. E trata distúrbios cerebrais, incluindo a dislexia.

A **safira-estrela** tem em suas profundezas um desenho em forma de estrela de cinco pontas. Essa pedra rara nos leva às profundezas do nosso próprio eu e ativa a intuição. Ela estimula o centramento dos pensamentos e nos ajuda a perceber antecipadamente as intenções das outras pessoas. Diz-se que essa pedra tem uma ligação com seres extraterrestres.

A **safira branca** tem uma energia extremamente pura. Pelo fato de abrir o chakra da coroa, essa pedra leva a percepção espiritual a um nível extremamente elevado, abrindo a consciência cósmica*. Essa é uma pedra extremamente protetora, que remove os obstáculos do caminho espiritual. É útil para quem quer realizar o seu pleno potencial e descobrir qual é o seu propósito na vida.

A **safira amarela** atrai fartura para a casa e pode ser colocada em caixas registradoras para aumentar os ganhos e a prosperidade. Se usada em jóias, deve ficar em contato com o corpo. A safira estimula o intelecto e nos dá uma visão mais ampla das situações. Como elixir elimina toxinas do corpo.

Safira amarela

SARDÔNIX

Preta, rolada   *Preta e marrom-avermelhada, rolada*

COR	Preto, vermelho, marrom, incolor
APARÊNCIA	Com bandas, opaca, pode ser pequena ou grande, muitas vezes rolada
RARIDADE	Fácil de obter em lojas especializadas
ORIGEM	Brasil, Índia, Rússia, Ásia Menor

ATRIBUTOS O sardônix é uma pedra de força e proteção. Ela evoca a busca pelo sentido da vida e promove a integridade e a conduta virtuosa.

Trazendo felicidade duradoura e estabilidade ao casamento e às parcerias, o sardônix atrai sorte e amizades. Pode ser usada para gradear* a casa e o jardim contra ladrões. (Pode-se colocar uma pedra em cada canto e nas portas e janelas, mas é mais eficaz quando colocada no lugar certo, encontrado através de uma vareta de rabdomancia [ver página 374].)

Do ponto de vista psicológico, o sardônix aumenta a força de vontade e fortalece o caráter. Ela aumenta a resistência, o vigor e o autocontrole. Essa pedra alivia a depressão e combate a hesitação. Do ponto de vista mental, o sardônix intensifica a percepção e ajuda no processo da osmose e no processamento de informações.

CURA O sardônix cura os pulmões e os ossos e aguça os órgãos do sentido. Ele regula os fluidos e o metabolismo celular, fortalece o sistema imunológico e ajuda na absorção de nutrientes e na eliminação de detritos.

POSIÇÃO Em qualquer lugar, especialmente sobre o estômago.

CORES ESPECÍFICAS Além dos atributos genéricos, as cores a seguir têm propriedades adicionais:

O **sardônix preto** absorve negatividade.

O **sardônix marrom** aterra a energia.

O **sardônix incolor** purifica.

O **sardônix vermelho** estimula.

Sardônix vermelho

LISTA DE CRISTAIS

SELENITA

TAMBÉM CONHECIDA COMO GIPSITA OU ESTRELA-DO-DESERTO

Ovo

Pilar com portal

Gipsita branca

Marrom-alaranjado

COR	Branco imaculado, laranja, azul, marrom, verde
APARÊNCIA	Translúcida com nervuras finas (gipsita) ou mais grossas, rabo de peixe ou em forma de pétala (rosa-do-deserto). Todos os tamanhos
RARIDADE	Fácil de obter
ORIGEM	Estados Unidos, México, Rússia, Áustria, Grécia, Polônia, Alemanha, França, Inglaterra

ATRIBUTOS A selenita translúcida, com a sua vibração muito sutil, aumenta a lucidez, abre os chakras* da coroa e da coroa superior e leva à consciência angélica e à orientação superior. A selenita pura tem uma ligação com o corpo de luz*, ajudando a ancorá-lo na vibração terrestre.

A selenita é uma pedra serena que instila a paz profunda e por isso é excelente para a meditação e o trabalho espiritual. A telepatia é favorecida se cada pessoa segurar na mão um pedaço dessa pedra de vibração pura. A selenita translúcida do mais puro branco tem uma qualidade etérica e, segundo se diz, habita um plano entre a luz e a matéria. Pedra antiga, ela é um dos mais poderosos cristais para ancorar as novas vibrações na Terra.

A selenita pode ser usada para formar uma grade* protetora em torno da casa, criando um espaço seguro e tranqüilo onde não entram influências externas. Para tanto, basta usá-la internamente nos cantos da casa. Um pedaço grande dessa pedra, colocado na casa, garante uma atmosfera de paz. O bastão de selenita pode ser usado para libertar entidades presas à aura* ou impedir que a mente seja afetada por influências externas.

Por conter o registro de tudo o que já aconteceu no mundo, essa pedra nos transporta a outras vidas e é muito útil para verificarmos o nosso progresso e chegarmos até o plano em que passamos o período entre vidas*. Ela aponta as lições e questões que ainda estamos trabalhando e mostra como eles podem ser resolvidos. A selenita pode ser usada para escriação*, para ler o futuro ou para verificar o que aconteceu no passado.

Do ponto de vista psicológico, a selenita ajuda nos julgamentos e na compreensão. Do ponto de vista mental, ela dissipa a confusão e nos ajuda a ter uma visão mais profunda das situações, trazendo um entendimento consciente do que ocorre no nível subconsciente. Essa pedra é um poderoso dispersor e estabilizador de emoções erráticas.

CURA A selenita alinha a coluna vertebral e melhorar a flexibilidade. Ela também combate os ataques de epilepsia, neutraliza a intoxicação por mercúrio causada pelos amálgamas odontológicos e reverte os efeitos dos radicais livres. Trata-se de um excelente cristal para as mulheres que estão amamentando ou que têm filhos pequenos. As suas energias de cura sutis atuam nos níveis energéticos.

POSIÇÃO Segure-a ou coloque-a dentro da casa ou em volta dela. (Obs.: A selenita dissolve-se quando é molhada.)

CORES E FORMAS ESPECÍFICAS Além dos atributos genéricos, as cores a seguir têm propriedades adicionais:

A **selenita marrom-alaranjada** aterra energias angélicas e ajuda na cura da Terra.

A **selenita azul**, colocada no terceiro olho, acalma a mente, diminui o diálogo mental durante a meditação e revela rapidamente a causa de um problema.

A **selenita verde** favorece o trabalho realizado em prol de um bem maior. Ajuda-nos a nos sentirmos bem com relação a nós mesmos e a superar os efeitos do envelhecimento sobre a pele e os ossos.

Selenita azul

Selenita verde

LISTA DE CRISTAIS

*Selenita
rabo-de-peixe*

A **selenita rabo-de-peixe** promove uma cura profunda nos nervos. Ela é extremamente calmante, estabiliza as emoções e dissipa a tensão. Essa forma de selenita é muitas vezes chamada de selenita asa-de-anjo, pois facilita o contato com os anjos.

A **selenita rosa-do-deserto** ajuda na dissolução dos programas auto-impostos de longa duração. Ela elimina o programa e nos ajuda a encontrar um substituto apropriado. Também pode ser usada para fortalecer afirmações positivas.

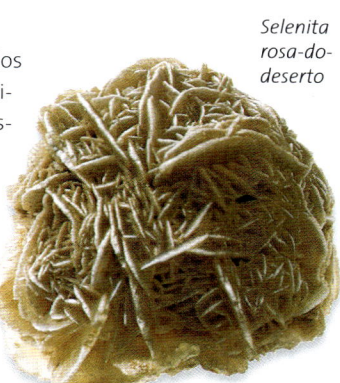

*Selenita
rosa-do-
deserto*

SERAFINITA

TAMBÉM CONHECIDA COMO SERAFINA

Fatia polida

COR	Verde
APARÊNCIA	Plumas prateadas dentro de uma pedra de tonalidade mais escura, muitas vezes pequena e polida
RARIDADE	Obtida em lojas especializadas
ORIGEM	Sibéria

ATRIBUTOS Colocada no terceiro olho* ou usada durante a meditação, a serafinita é uma pedra de iluminação espiritual, excelente para a autocura. Trata-se de um dos cristais mais apropriados para a conexão angélica e para a abertura dos chakras* da coroa e da coroa superior. Essa pedra nos ajuda a viver com base no coração e tem um suave efeito purificador sobre esse órgão, inspirando-o a abrir-se.

As suas asas emplumadas nos ajudam a atingir uma vibração espiritual superior. É excelente para viagens fora do corpo, pois protege o corpo físico enquanto estamos fora. Essa pedra também pode proporcionar uma retrospectiva da nossa vida, o que nos permite avaliar o nosso progresso e identificar as mudanças necessárias para que possamos conquistar a paz e a plenitude.

CURA A serafinita atua melhor no nível sutil. Ela ativa a medula espinhal e a sua ligação com o corpo etérico*, especialmente atrás do coração, e pode aliviar a tensão muscular no pescoço. É útil para combater calafrios e o excesso de peso.

POSIÇÃO Coloque-a no terceiro olho e no coração, embaixo do travesseiro ou use-a em volta do pescoço.

(*Ver também* Clorita, página 108.)

SERPENTINA

Bruta

COR	Vermelho, verde, vermelho-amarronzado, amarelo-amarronzado, verde-escuro, branco
APARÊNCIA	Manchada, aparência dual, pode ser gasta pela água e muitas vezes polida. Todos os tamanhos
RARIDADE	Fácil de obter em lojas especializadas
ORIGEM	Grã-Bretanha (Cornualha), Noruega, Rússia, Zimbábue, Itália, Estados Unidos

ATRIBUTOS A serpentina é uma pedra terrena que favorece a meditação e a exploração espiritual. Pelo fato de purificar os chakras* e estimular o chakra da coroa, ela ativa as capacidades psíquicas e nos ajuda a entender a base espiritual da vida. Essa pedra abre novos caminhos para a subida da energia kundalini* e nos ajuda a recuperar a nossa sabedoria interior e a memória de outras vidas.

Do ponto de vista psicológico, a serpentina nos dá a sensação de que estamos no controle da nossa vida. Ela corrige desequilíbrios mentais e emocionais e direciona a energia de cura para as áreas problemáticas da nossa vida.

Do ponto de vista físico, a serpentina é extremamente purificadora e desintoxicante para o sangue e para o corpo em geral. Diz-se que ela garante a longevidade.

CURA A serpentina elimina parasitas, ajuda na absorção do cálcio e do magnésio e trata a hipoglicemia e o diabete.

POSIÇÃO Segure-a ou coloque-a no local mais apropriado.

A **pedra-do-infinito (serpentina verde-clara)** é uma pedra de natureza terna e suave que nos coloca em contato com a orientação angélica. Ela dá acesso e integra o passado, o presente e o futuro e é excelente para a exploração de vidas passadas, pois promove a compaixão e o perdão com relação a nós mesmos e ao que vivenciamos. Segure essa pedra na mão e se sinta transportado aos reinos da cura que existe no estado entre-vidas*, de modo que a cura não efetuada depois da vida anterior seja concluída.

Pedra-do-infinito

Essa pedra cura desequilíbrios originários de vidas passadas e elimina a bagagem emocional de relacionamentos rompidos. Colocada na garganta, ela nos ajuda a falar sobre o passado e a resolver questões não-resolvidas que afetam o presente. Use a pedra-do-infinito se quiser confrontar alguém que faça parte do seu passado, pois ela fará com que o encontro transcorra em paz.

A serpentina verde-clara é excelente para aliviar a dor, especialmente cólicas menstruais e dores musculares.

SHATTUCKITA

Rolada

COR	Azul-claro e azul-escuro, turquesa
APARÊNCIA	Manchada, muitas vezes pequena e rolada
RARIDADE	Obtida em lojas especializadas
ORIGEM	Estados Unidos

ATRIBUTOS A shattuckita é uma pedra extremamente espiritual que eleva as vibrações. Ela estimula o terceiro olho* e o chakra* da garganta, devolvendo-lhes a harmonia e o alinhamento. Proporciona visões psíquicas claras e nos ajuda a entender e a comunicar o que vemos. Particularmente útil nos casos em que uma experiência de vidas passadas bloqueou as capacidades metafísicas, essa pedra elimina comandos e ordens hipnóticas contra o uso de visões psíquicas. Pode eliminar maldições do passado e a ordem de manter segredos.

A shattuckita favorece a canalização*, pois a sua proteção impede que o corpo físico seja possuído por uma entidade. Ela atinge uma vibração elevada, garantindo o contato com a mais pura fonte. Essa pedra pode ser usada para desenvolver capacidades psíquicas como escrita automática* e telepatia, além de facilitar a comunicação com extraterrestres.

CURA A shattuckita é benéfica para todos os problemas de saúde de pouca gravidade, pois faz com que o corpo recupere suavemente o equilíbrio. O elixir é útil como um tônico geral, especialmente na primavera. A pedra trata tonsilite, favorece o mecanismo de coagulação do sangue e elimina o bloqueio da estrutura intracelular.

POSIÇÃO Coloque-a como for mais apropriado.

SMITHSONITA

Cor-de-rosa

Verde-azulada

COR	Cor-de-rosa, lilás, verde, verde-azulada, roxa, marrom, amarela, branco-acinzentado, azul
APARÊNCIA	Perolada, lustrosa, como se tivesse camadas de bolhas sedosas, todos os tamanhos
RARIDADE	Fácil de obter
ORIGEM	Estados Unidos, Austrália, Grécia, Itália, México, Namíbia

ATRIBUTOS A smithsonita é a pedra da tranqüilidade, do charme, da bondade e de resultados favoráveis. Ela tem uma presença extremamente suave que amortece os problemas da vida. É a pedra perfeita para aliviar o estresse que chegou a um estado extremo e o esgotamento mental.

Essa pedra é ideal para qualquer pessoa que tenha tido uma infância difícil e que se sinta mal amada ou indesejada. A smithsonita cura a criança interior* e alivia os efeitos dos abusos e maus-tratos emocionais. Ela cura suave e sutilmente feridas emocionais. Ela nos dá mais uma sensação de bem-estar do que a possibilidade de nos libertar de traumas emocionais. Pode precisar da complementação de outros cristais para levar informações à mente consciente. Esse é um excelente cristal para nascimento e renascimento e pode tratar a infertilidade.

A smithsonita alinha os chakras* e fortalece as capacidades psíquicas. Segure essa pedra na mão durante a comunicação psíquica para ter certeza da autenticidade das mensagens. Colocada no chakra da coroa, ela nos conecta ao reino angélico*.

Do ponto de vista psicológico, a smithsonita intensifica o espírito de liderança, especialmente nos casos em que é preciso ter tato. Do ponto de vista emocional, essa pedra favorece relacionamentos problemáticos. É um excelente cristal para proporcionar uma vida equilibrada e segura, pois ele nos confere equilíbrio e diplomacia, além de minimizar situações desagradáveis. Do ponto de vista físico, a smithsonita é excelente para o sistema imunológico. Pode ser usada para gradear* os quatro cantos da cama, com uma pedra embaixo do travesseiro ou na mesa de cabeceira. É particularmente eficaz combinada com a pedra-do-sangue ou a turmalina verde fixada no timo.

CURA A smithsonita cura disfunções no sistema imunológico, dos sinus nasais e no sistema digestório, além de osteoporose e alcoolismo. Ela restaura a elasticidade das veias e dos músculos.

POSIÇÃO Coloque-a como for mais apropriado ou carregue-a com você o tempo todo. Coloque-a no topo da cabeça para alinhar os chakras*. Coloque uma smithsonita cor-de-rosa sobre o coração ou o timo. Gradeie a cama ou o corpo.

CORES ESPECÍFICAS Além dos atributos genéricos, as cores a seguir têm propriedades adicionais:

A **smithsonita verde-azulada** cura feridas emocionais e físicas, preenchendo-as com amor universal. Ajudando na liberação suave da raiva, do medo e da dor, ela equilibra o campo energético entre os corpos etérico e emocional, e ameniza ataques de pânico, favorece a concretização dos sonhos, promove a amizade e favorece o trabalho das parteiras e a amamentação dos bebês.

A **smithsonita violeta-lilás** tem uma vibração muito suave. Ela elimina a energia negativa, estimula o serviço espiritual prazeroso e estados de consciência mais elevados, dando orientação e proteção. Trata-se de uma excelente pedra para a meditação e o resgate da alma*. Ela facilita a volta a vidas passadas para que seja possível recuperar a energia anímica que, numa vida passada, não fez a transição depois da morte física. Nesse sentido, ela pode ajudar a curar traumas com relação à morte e apontar o caminho para a cura da alma. Do ponto de vista físico, ela ameniza a neuralgia e a inflamação.

A **smithsonita cor-de-rosa-lilás** tem uma vibração muito amorosa. Ela cura o coração e experiências de abandono e maus-tratos, restituindo a nossa confiança e segurança. Ajuda a sentirmo-nos amados e apoiados pelo universo, é útil em períodos de convalescença e alivia a dor. Essa pedra também combate problemas relacionados a drogas e álcool, revelando as emoções que os causaram.

A **smithsonita amarela** equilibra o chakra do plexo solar e o corpo mental. Elimina mágoas do passado e nos ajuda a superar padrões emocionais obsoletos. Na cura, essa pedra facilita a digestão e a assimilação de nutrientes, além de aliviar problemas de pele.

LISTA DE CRISTAIS

SODALITA

Rolada

Bruta

COR	Azul
APARÊNCIA	Manchas azuis e brancas claras e escuras, muitas vezes rolada. Todos os tamanhos
RARIDADE	Fácil de obter
ORIGEM	Brasil, América do Norte, França, Groenlândia, Rússia, Mianmá, Romênia

ATRIBUTOS A sodalita alia a lógica à intuição e ativa a percepção espiritual, trazendo informações da mente superior para o nível físico. Essa pedra estimula a glândula pineal e o terceiro olho, propiciando meditações mais profundas. Quando é usada na meditação, podemos usar a mente para entender as circunstâncias em que nos encontramos. A sodalita nos estimula a buscar a verdade e a manter o nosso idealismo, fazendo o possível para sermos fiéis à nossa própria verdade e para defender as nossas crenças.

A sodalita elimina a poluição eletromagnética e pode ser colocada sobre o computador para bloquear as suas emanações. Ela é útil para pessoas que são sensíveis à "síndrome do prédio doente" ou à neblina eletromagnética*.

Essa é uma pedra particularmente útil para o trabalho em grupo, pois traz harmonia e solidariedade ao propósito. Estimula a confiança e o companheirismo entre os membros do grupo, encorajando a interdependência.

Excelente pedra para a mente, a sodalita elimina a confusão mental e a servidão intelectual. Ela estimula o pensamento racional, a objetividade, a verdade e a percepção intuitiva, além da verbalização dos sentimentos. Como acalma a mente, ela possibilita que novas informações sejam recebidas. A sodalita estimula a liberação de antigos condicionamentos e disposições mentais rígidas, criando espaço para uma nova maneira de ver.

Do ponto de vista psicológico, essa pedra traz equilíbrio emocional e acalma ataques de pânico. Pode transformar uma personalidade defensiva e hipersensível, trazendo à tona medos, fobias, sentimentos de culpa e mecanismos de controle que nos impedem de ser quem realmente somos. Ela aumenta a auto-estima, a auto-aceitação e a autoconfiança. A sodalita é uma das pedras que trazem à superfície qualidades da sombra para que sejam aceitas sem julgamento.

CURA A sodalita equilibra o metabolismo, corrige as deficiências de cálcio e purifica o sistema linfático e os órgãos, fortalecendo o sistema imunológico. Essa pedra combate os efeitos nocivos da radiação e a insônia. Trata a garganta, as cordas vocais e a laringe, e ameniza a rouquidão e os problemas digestivos. Alivia a febre, baixa a pressão sanguínea e estimula a absorção de fluidos no corpo.

POSIÇÃO Coloque-a como for mais apropriado ou use-a por longos períodos.

ESPINÉLIO

Espinélio vermelho na matriz

COR	Incolor, branco, vermelho, azul, violeta, preto, verde, amarelo, laranja, marrom
APARÊNCIA	Pequeno, cristalino com terminações, ou seixos arredondados
RARIDADE	Fácil de obter
ORIGEM	Índia, Canadá, Sri Lanka, Mianmá

ATRIBUTOS O espinélio é um lindo cristal ligado à renovação de energias, à coragem em circunstâncias difíceis e ao rejuvenescimento. Ele abre os chakras* e facilita a subida da energia kundalini* pela espinha. Cada cor do espinélio está relacionada a um dos chakras*.

Do ponto de vista psicológico, o espinélio intensifica os aspectos positivos da personalidade. Essa pedra nos ajuda a atingir e aceitar o sucesso com humildade.

POSIÇÃO Pode ser colocada sobre os chakras* ou usada como for mais apropriado.

CORES ESPECÍFICAS Além dos atributos genéricos, as cores a seguir têm propriedades adicionais:

O **espinélio preto** oferece a compreensão para problemas materiais e nos dá força para continuar. Essa cor protege e aterra as energias, equilibrando a subida da energia kundalini.

O **espinélio azul** estimula a comunicação e a canalização. Ele ameniza o desejo sexual e ativa e alinha o chakra* da garganta.

O **espinélio marrom** limpa a aura* e ativa a conexão com o corpo. Também abre o chakra da terra e ancora as nossas energias.

O **espinélio incolor** estimula o misticismo e a comunicação com níveis superiores. Essa pedra facilita as visões e a iluminação, ligando os chakras* do corpo físico ao chakra da coroa do corpo etérico.

O **espinélio verde** estimula o amor, a compaixão e a bondade. Essa pedra abre e alinha o chakra do coração.

O **espinélio laranja** estimula a criatividade e a intuição, equilibra as emoções e combate a infertilidade. Ele abre e alinha o chakra do umbigo.

O **espinélio vermelho** estimula a vitalidade e a força físicas. Provoca a subida da kundalini e abre e alinha o chakra da base.

O **espinélio violeta** estimula o desenvolvimento espiritual e a viagem astral. Ele abre e alinha o chakra da coroa.

O **espinélio amarelo** estimula o intelecto e o poder pessoal. Ele abre e alinha o chakra do plexo solar.

LISTA DE CRISTAIS

ESTAUROLITA

*Cruz natural removida
da matriz*

COR	Marrom, marrom-amarelado, marrom-avermelhado
APARÊNCIA	Lembra a quiastolita, pode cristalizar-se em forma de cruz ou exibir uma cruz
RARIDADE	Obtida em lojas especializadas
ORIGEM	Estados Unidos, Rússia, Oriente Médio

ATRIBUTOS A estaurolita é conhecida como cruz-das-fadas. Acredita-se que ela seja formada pelas lágrimas que as fadas verteram ao saber da notícia da morte de Cristo. Por tradição, essa pedra protetora é um talismã da sorte.

A estaurolita intensifica e fortalece os rituais e é usada em cerimônias de magia branca. Diz-se que ela é a via de acesso para a sabedoria antiga do Oriente Médio. Essa pedra liga os planos físico, etérico e espiritual, promovendo a comunicação entre eles.

Do ponto de vista psicológico, a estaurolita é excepcionalmente útil para aliviar o estresse. Ameniza a depressão e os vícios, e combate a tendência para trabalharmos demais e aplicarmos a nossa energia a muitos projetos ao mesmo tempo.

Do ponto de vista físico, a estaurolita é uma pedra excelente para quem deseja parar de fumar e para amenizar e neutralizar os efeitos da nicotina. Ajuda na compreensão das razões ocultas por trás do tabagismo e proporciona uma energia mais ligada à terra para as pessoas aéreas que usam o cigarro como uma forma de ligar-se à realidade cotidiana.

CURA A estaurolita trata os distúrbios celulares e os tumores, aumentando a assimilação de carboidratos e reduzindo a depressão. Essa pedra é, por tradição, usada para baixar a febre.

POSIÇÃO Segure-a ou coloque-a como for mais apropriado.

ESTILBITA

Laminada

COR	Branco, amarelo, cor-de-rosa, vermelho, marrom
APARÊNCIA	Pequenas lâminas ou pirâmides cristalinas como um feixe
RARIDADE	Fácil de obter em lojas especializadas
ORIGEM	Estados Unidos

ATRIBUTOS A estilbita é uma pedra extremamente criativa que ativa a intuição e irradia uma vibração amorosa e nutritiva, favorável a qualquer empreendimento. É muito útil no trabalho metafísico em todos os níveis. Ancora a energia espiritual e nos ajuda a colocar em prática, no plano físico, pensamentos intuitivos.

A estilbita favorece as viagens astrais, resguardando e mantendo o contato físico durante a viagem. Essa pedra nos dá orientação e direção ao longo da viagem, não importa qual seja o nosso destino. Quando usada em sua vibração mais elevada, ela nos ajuda a atingir reinos espirituais superiores e a manter a memória das experiências que ali tivemos. Os aglomerados cristalinos dessa pedra podem ser usados como um instrumento de escriação*.

CURA A estilbita trata distúrbios cerebrais, fortalece os ligamentos, trata a laringite e a perda do paladar. Pode aumentar a pigmentação da pele. Por tradição é usada para combater venenos, já que é um desintoxicante muito poderoso.

POSIÇÃO Segure-a ou posicione-a como for mais apropriado. Coloque-a sobre o terceiro olho* para facilitar a jornada astral ou ativar a intuição.

Forma piramidal

SUGILITA

TAMBÉM CONHECIDA COMO LUVULITA

Polida   *Rolada*

COR	Púrpura, cor-de-rosa e violeta
APARÊNCIA	Opaca, com bandas leves ou, raramente, translúcida; todos os tamanhos, muitas vezes rolada
RARIDADE	Obtida em lojas especializadas
ORIGEM	Japão e África do Sul

ATRIBUTOS A sugilita é uma das principais "pedras do amor", pois traz para a Terra a energia do raio violeta. Essa pedra representa o amor espiritual e a sabedoria, e abre todos os chakras* para o fluxo desse amor, colocando-os em alinhamento. A sugilita inspira a percepção espiritual e promove a capacidade de canalização*.

Essa pedra nos ensina a viver com base na nossa verdade pessoal e lembra a alma das razões que a levaram a encarnar. A sugilita acompanha a nossa viagem a vidas passadas ou para o estado entre-vidas* e alivia a causa das indisposições*. Essa pedra nos dá as respostas para todas as questões da vida, como "Por que eu estou aqui?", "De onde eu vim?", "Quem sou eu?" e "De que mais preciso para compreender a vida?" Ela é uma ótima aliada na busca espiritual de todos os tipos. Essa pedra amorosa protege a alma do choque, do trauma, da decepção e da tensão espiritual. Ajuda pessoas sensíveis e trabalhadores da luz a adaptar-se às vibrações terrenas sem que desanimem ou passem por dificuldades. Também pode ajudar a envolver as situações difíceis em luz e amor.

Estimulando o perdão e eliminando hostilidade, a sugilita é uma pedra útil para o trabalho em grupo, pois resolve dificuldades de relacionamento e estimula a comunicação amorosa.

Do ponto de vista psicológico, a sugilita é benéfica para desajustamentos de todos os tipos, para pessoas que não se sentem em casa neste planeta e para aquelas que sofrem de paranóia e esquizofrenia. É excelente para o autismo, pois ajuda a ancorar mais a alma na realidade presente e a superar dificuldades de aprendizado. A sugilita promove a compreensão dos efeitos da mente sobre o corpo e o seu papel no surgimento da indisposição*. Do ponto de vista emocional, a sugilita nos dá capacidade para enfrentar as questões desagradáveis. Ela alivia a dor, o sofrimento e o medo, além de promover o perdão em relação a nós mesmos.

Do ponto de vista mental, a sugilita estimula os pensamentos positivos e reorganiza os padrões cerebrais que causam dificuldades de aprendizado, como a dislexia. Ela ajuda na superação de conflitos, sem que nenhuma das partes precise fazer concessões.

Do ponto de vista físico, a sugilita ajuda pessoas com câncer, pois diminui o tumulto emocional e pode aliviar o desespero. Repele a energia negativa e dá um apoio amoroso, canalizando energia de cura para o corpo, a mente e o espírito.

CURA Analgésico excepcionalmente eficaz, o manganês contido na sugilita cura dores de cabeça, e desconfortos em todos os níveis. Trata a epilepsia e os distúrbios motores e alinha os nervos e o cérebro. A sugilita colorida de tons mais claros purifica a linfa e o sangue.

POSIÇÃO Como for mais apropriado, especialmente sobre o coração e as glândulas linfáticas. Segure sobre a testa para dores de cabeça. Coloque sobre o terceiro olho* para aliviar o desespero.

ENXOFRE

Forma cristalina natural

COR	Amarelo
APARÊNCIA	Cristais translúcidos pequenos ou pulverulentos, na matriz
RARIDADE	Obtido em lojas especializadas
ORIGEM	Itália, Grécia, América do Sul, regiões vulcânicas

ATRIBUTOS O enxofre têm uma carga elétrica negativa e é extremamente útil para absorver energias, emanações e emoções negativas. Colocado no ambiente, ele absorve negatividade de qualquer tipo e remove barreiras ao progresso.

Produzida por vulcões, essa é uma pedra excelente para qualquer tipo de erupção, seja ela de sentimentos, de violência, de pele ou febres. Ela também pode ser útil para trazer à superfície capacidades psíquicas latentes.

Do ponto de vista psicológico, o enxofre ameniza a teimosia e ajuda na identificação dos traços negativos da personalidade. Ele afeta a parte rebelde, obstinada e desordeira da personalidade, que teima em desobedecer as instruções e tende a fazer o contrário do que lhe sugerem, especialmente quando isso é "para o bem dela". O enxofre suaviza essa postura e ajuda a pessoa a reconhecer as suas conseqüências, abrindo caminho para a mudança consciente.

Do ponto de vista mental, o enxofre bloqueia padrões de pensamentos repetitivos, que impedem a concentração. Pelo fato de inspirar a imaginação, ajuda o raciocínio e a fixação dos processos de pensamento no aqui e agora.

Do ponto de vista físico, o enxofre é útil na revitalização e depois de um período de esgotamento ou de uma doença grave. Também pode estimular a criatividade.

O enxofre é tóxico e não deve ser ingerido. O elixir é mais eficaz quando confeccionado com a forma cristalina pelo método indireto e aplicado apenas externamente.

CURA O enxofre é extremamente útil para doenças que surgem repentinamente, como infecções e febres. Colocado num local de inchaço, ele reduz nódulos e cistos. Misturado na água do banho, ou como essência, o enxofre alivia inchaços dolorosos e problemas nas articulações. Pode ser aplicado externamente para curar problemas de pele. O enxofre em pó pode ser usado como inseticida natural, mas é tóxico para seres humanos, por isso é preciso manipulá-lo em lugar ventilado e usando uma máscara, para evitar a inalação.

POSIÇÃO Coloque-o ou segure-o onde for mais apropriado (a forma cristalina é a mais indicada nesse caso, pois o enxofre em pó pode fazer sujeira e é mais adequado em banhos de banheira ou pulverizado no ambiente). Por tradição, o enxofre é colocado sobre cistos e depois enterrado. Se não for enterrado, é preciso que ele passe por uma purificação prolongada. Queime o enxofre em pó para usar como inseticida (use uma máscara) ou faça o elixir pelo método indireto (ver página 371) e use-o apenas externamente.

PEDRA-DO-SOL

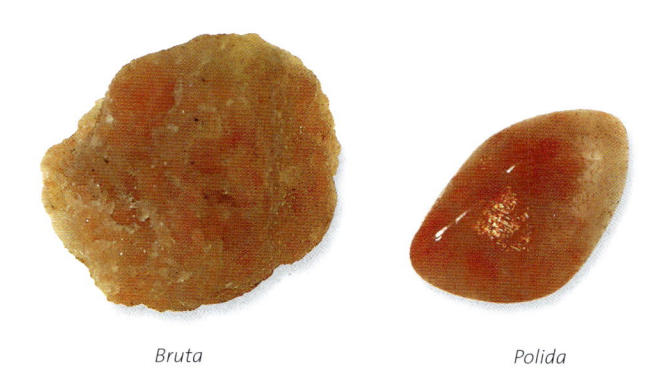

Bruta *Polida*

COR	Amarelo, laranja, marrom-avermelhado
APARÊNCIA	Cristal incolor transparente ou opaco com reflexos iridescentes, muitas vezes pequeno e arredondado
RARIDADE	Fácil de obter em lojas especializadas
ORIGEM	Canadá, Estados Unidos, Noruega, Grécia, Índia

ATRIBUTOS A pedra-do-sol é uma pedra vibrante, inspiradora e iluminada. Ela estimula a alegria de viver e uma natureza benévola, além de intensificar a intuição. Se a vida perdeu a doçura, a pedra-do-sol a restaura e nos ajuda a cuidar de nós mesmos. Clareando todos os chakras* e trazendo luz e energia, essa pedra possibilita que o eu verdadeiro brilhe mais alegremente. Por tradição, a pedra-do-sol é associada a deuses benevolentes e à sorte e à fortuna. Essa é uma pedra alquímica que dá origem a uma profunda conexão com a luz e com o poder regenerativo do Sol durante a meditação e no dia-a-dia.

A pedra-do-sol é extremamente útil para desatar amarras com outras pessoas, estejam elas nos chakras* ou na aura*. Essas amarras, que têm o efeito de drenar a nossa energia, podem estar no nível mental ou emocional e proceder de pais, filhos ou amantes. A pedra-do-sol restabelece suavemente o contato com a outra pessoa e rompe essas amarras. Mantenha essa pedra com você durante o tempo todo, caso ache difícil dizer "não" e viva fazendo sacrifícios pelos outros. Eliminando a co-dependência, ela nos ajuda a tomar posse do nosso poder pessoal e a ter independência e vitalidade. Se você tem o hábito de adiar tudo, a pedra-do-sol o ajudará a superar essa tendência.

Do ponto de vista emocional, a pedra-do-sol atua como um antidepressivo e acaba com a melancolia. Ela é particularmente eficaz nos casos de depressão relacionados ao inverno, pois compensa a pouca luz do Sol nesse período do ano. Ajuda-nos a não nos sentirmos discriminados, em desvantagem ou abandonados. Eliminando inibições e apegos, a pedra-do-sol reverte o sentimento de fracasso e aumenta a valorização e a confiança em nós mesmos. Estimulando o otimismo e o entusiasmo, a pedra-do-sol nos ajuda a ver o lado positivo dos acontecimentos. Até o pessimista mais incorrigível reage à pedra-do-sol. Colocada no plexo solar, essa pedra dispersa emoções reprimidas e energia pesada e as transmuta.

CURA A pedra-do-sol estimula o poder de autocura, regula o sistema nervoso autônomo e harmoniza todos os órgãos. Trata dores de garganta crônicas e alivia úlceras de estômago. Excepcionalmente benéfica para depressões de inverno, a pedra-do-sol melhora o nosso ânimo durante essa estação. Essa pedra serve para gradear* o corpo e alivia problemas nas cartilagens, no reumatismo e nas dores e incômodos em geral.

POSIÇÃO Coloque-a, use-a ou segure-a como for mais apropriado. A pedra-do-sol é particularmente benéfica quando usada à luz do Sol.

(*Ver também* labradorita amarela, página 171.)

TECTITA

Bruta

COR	Preto ou marrom-escuro, verde (moldavita)
APARÊNCIA	Pequena, vítrea, densamente translúcida
RARIDADE	Como a tectita é um meteorito, ela é rara e só é encontrada em algumas lojas especializadas
ORIGEM	Oriente Médio e Extremo Oriente, Filipinas, Polinésia, ao redor do mundo

ATRIBUTOS Por ser de origem extraterrestre, acredita-se que a tectita intensifique a comunicação com outros mundos e estimule o crescimento espiritual por meio da absorção e retenção de conhecimentos superiores. Estabelece uma ligação entre a energia criativa e a matéria. A tectita nos ajuda a esquecer experiências indesejáveis e a relembrar lições aprendidas, de modo que isso nos leve ao crescimento espiritual. Essa pedra nos ajuda a ver o cerne de uma questão, promovendo vislumbres intuitivos sobre a verdadeira causa e a ação necessária.

Colocada sobre os chakras˙, a tectita equilibra o fluxo energético e corrige chakras˙ que estejam girando no sentido inverso. Útil para telepatia e a clarividência˙; se colocada sobre o terceiro olho˙ ela ativa a comunicação com outras dimensões. Essa pedra fortalece o invólucro biomagnético* ao redor do corpo.

Por tradição, a tectita é usada como talismã para a fertilidade em todos os níveis. Essa pedra equilibra as energias femininas e masculinas dentro da personalidade.

CURA A tectita reduz a febre, beneficia os vasos capilares e a circulação. Ela também previne a transmissão de doenças. Certos tipos de tectita têm sido usados em cirurgias espirituais.

POSIÇÃO Coloque-a ou segure-a como for mais apropriado.

(*Ver também* a moldavita, página 187.)

TULITA

Também conhecida como tulita cor-de-rosa

Bruta

COR	Cor-de-rosa, branco, vermelho, cinza
APARÊNCIA	Massa granulada, muitas vezes grande
RARIDADE	Obtida em lojas especializadas
ORIGEM	Noruega

ATRIBUTOS Pedra de grandes efeitos, com uma poderosa ligação com a força vital, a tulita estimula a cura e a regeneração. Ela é útil sempre que há resistência à superação. Ajuda a trazer à tona o nosso lado extrovertido e promove a eloqüência e a espirituosidade. Do ponto de vista mental estimula a curiosidade e a inventividade na solução de problemas e explora as dualidades na condição humana, combinando amor e lógica.

Do ponto de vista emocional, a tulita encoraja a expressão da paixão e do desejo sexual. Ela ensina que a luxúria, a sensualidade e a sexualidade são partes naturais da vida e estimula a sua expressão construtiva e positiva.

CURA A tulita trata as deficiências de cálcio e a má digestão. Aumenta a fertilidade e trata doenças nos órgãos reprodutores. Pedra que fortalece e regenera, ela é útil em casos de fraqueza extrema e esgotamento nervoso.

POSIÇÃO Coloque-a na pele ou no osso púbico.

OLHO-DE-TIGRE

Bruta

Rolada

COR	Amarelo e marrom, cor-de-rosa, azul, vermelho
APARÊNCIA	Com bandas, levemente brilhante, muitas vezes pequena e rolada
RARIDADE	Fácil de obter
ORIGEM	Estados Unidos, México, Índia, Austrália, África do Sul

ATRIBUTOS O olho-de-tigre combina a energia da Terra com as energias do Sol para criar um estado vibratório elevado mas ancorado na Terra, e assim inunda o planeta com energias espirituais. Colocada sobre o terceiro olho*, ela intensifica as capacidades psíquicas das pessoas mais ligadas ao plano material e equilibra os chakras* inferiores, estimulando a subida da energia kundalini*.

O olho-de-tigre é uma pedra protetora que, por tradição, é usada como talismã contra maldições e quebrantos. Mostra o uso correto do poder e estimula a integridade. Ajuda-nos a alcançar metas, levando-nos a reconhecer os nossos recursos interiores e promovendo a clareza de intenção. Colocada no chakra do umbigo, o olho-de-tigre é excelente para pessoas volúveis e que têm dificuldade para cumprir compromissos. Ele também ancora a energia e facilita a manifestação da vontade. O olho-de-tigre ancora a mudança no corpo físico.

Essa pedra é útil para reconhecermos as nossas necessidades e as das outras pessoas. Ajuda-nos a distinguir o que queremos do que realmente precisamos.

Do ponto de vista mental, o olho-de-tigre integra os hemisférios do cérebro e aumenta a percepção prática. Ajuda-nos a reunir informações dispersas e considerá-las em conjunto. É útil para resolver dilemas e conflitos internos, especialmente aqueles causados pelo orgulho e pela teimosia. O olho-de-tigre é particularmente útil para curar indisposições* mentais e distúrbios de personalidade.

Do ponto de vista psicológico, o olho-de-tigre cura problemas de desvalorização pessoal, criticismo em relação a nós mesmos e criatividade bloqueada. Ajuda-nos a reconhecer nossos talentos e capacidades e também as deficiências que precisamos superar. Ajuda as pessoas viciadas a superar o vício.

Do ponto de vista emocional, o olho-de-tigre equilibra as energias yin e yang e energiza o corpo emocional. Alivia a depressão e melhora o humor.

CURA O olho-de-tigre trata os olhos e ajuda a melhorar a visão noturna, cura a garganta e os órgãos reprodutores e desfaz nódulos de tensão. É útil para reconstituir ossos quebrados.

POSIÇÃO Use-o no braço direito ou como pingente durante períodos breves. Posicione-o sobre o corpo como for mais apropriado para a cura. Coloque-o sobre o chakra do umbigo para efetivar a ligação espiritual com a terra.

LISTA DE CRISTAIS

CORES ESPECÍFICAS Além dos atributos genéricos, as cores a seguir têm propriedades adicionais:

O **olho-de-tigre azul** é calmante e alivia o estresse. Alivia o temperamento agitado, irritadiço e fóbico. Na cura, o olho-de-tigre azul desacelera o metabolismo, ameniza o impulso sexual superativo e combate frustrações sexuais.

Olho-de-tigre azul

O **olho-de-tigre dourado** ajuda-nos a prestar atenção aos detalhes e nos avisa contra a complacência. Ajuda-nos a tomar decisões com base na razão, em vez da emoção. O olho-de-tigre é uma excelente companhia em reuniões ou testes importantes.

O **olho-de-tigre vermelho** é uma pedra estimulante que supera a letargia e dá motivação. Na cura, ela acelera o metabolismo lento e aumenta o impulso sexual fraco.

FORMA ESPECÍFICA Além dos atributos genéricos, um tipo de olho-de-tigre tem as seguintes propriedades:

Olho-de-tigre vermelho

Olho-de-falcão

Olho-de-falcão

PROPRIEDADES ADICIONAIS Uma forma de olho-de-tigre com bandas semelhante ao olho do falcão é uma pedra excelente para curar as energias da Terra e para aterrar energias. Estimula e revigora o corpo físico. Pairando além do mundo, o olho-de-falcão melhora a visão e a compreensão e estimula as capacidades psíquicas como a clarividência*. O olho-de-falcão purifica e energiza o chakra da base*.

Colocado na Área da abundância de um cômodo, o olho-de-falcão atrai abundância.

Essa pedra é particularmente eficiente para dissipar padrões de pensamento negativos e restritivos e comportamentos arraigados. Coloca as questões em perspectiva, ameniza o pessimismo e o desejo de culpar os outros pelos próprios problemas. Essa pedra também traz à superfície emoções reprimidas e desconfortos de vidas passadas ou da presente. Colocado sobre o terceiro olho*, o olho-de-falcão nos ajuda a transportarmo-nos de volta à fonte de um bloqueio emocional, seja ela qual for.

CURA O olho-de-falcão ativa o sistema circulatório, os intestinos e as pernas. Pode trazer à superfície as razões psicossomáticas por trás dos ombros tensos ou do torcicolo.

POSIÇÃO Segure-o ou coloque-o no local apropriado.

TOPÁZIO

Topázio azul (polido) *Topázio amarelo dourado (bruto)*

COR	Amarelo dourado, marrom, azul, incolor, rosa-avermelhado, verde
APARÊNCIA	Cristais transparentes e pontudos, muitas vezes pequenos e facetados ou em pedaços grandes
RARIDADE	Fácil de obter em lojas especializadas, o rosa-avermelhado é raro
ORIGEM	Estados Unidos, México, Índia, Austrália, África do Sul, Sri Lanka, Paquistão

ATRIBUTOS O topázio é uma pedra empática e suave que direciona a energia para onde ela é mais necessária. Suaviza, cura, estimula, recarrega, reestimula e alinha os meridianos do corpo. O topázio promove a verdade e o perdão. Ajuda a iluminar o nosso caminho, realça os nossos objetivos e nos ajuda a descobrir os nossos recursos interiores. Esse cristal estimula uma confiança no universo que nos ajuda a "ser" em vez de "fazer". Ele elimina a dúvida e a incerteza.

A energia vibrante do cristal traz alegria, generosidade, abundância e saúde. Por tradição é conhecido como a pedra do amor e da sorte, que nos ajuda a atingir os nossos objetivos. É extremamente eficaz para sustentar afirmações, manifestações e visualizações. Diz-se que as facetas e terminações do cristal de topázio têm energias positivas e negativas, pelas quais um pedido ao universo pode ser focalizado e depois manifestado no plano terrestre.

Excelente para limpar a aura* e para induzir o relaxamento, o topázio libera a tensão em qualquer nível e pode acelerar o desenvolvimento espiritual quando ele sofre entraves.

Do ponto de vista psicológico, o topázio nos ajuda a descobrir as nossas próprias riquezas interiores. Ajuda a sentirmo-nos confiantes e filantrópicos, com vontade de compartilhar a nossa sorte e espalhar luz aonde quer que vamos. A negatividade não sobrevive perto do alegre topázio. Essa pedra promove a abertura e a honestidade, a realização de nossos propósitos, o autocontrole e a busca pela sabedoria interior.

Do ponto de vista mental, o topázio ajuda na solução de problemas e é particularmente útil para as pessoas ligadas às artes. Ajuda-nos a perceber a influência que exercemos e o conhecimento que ganhamos por meio do trabalho árduo e das experiências de vida. Essa pedra tem a capacidade para ver tanto o quadro todo quanto os detalhes mínimos, reconhecendo a sua inter-relação. O topázio ajuda na expressão de idéias e confere mais astúcia.

O topázio é um excelente apoio emocional – estabiliza as emoções e nos torna receptivos ao amor, seja qual for a sua fonte.

CURA O topázio pode ser usado para manifestar saúde. Ajuda a digestão e combate a anorexia, devolve o paladar, fortalece os nervos e estimula o metabolismo. A santa Hildegarda de Bingen, recomendava um elixir de topázio para corrigir a visão.

LISTA DE CRISTAIS

POSIÇÃO No dedo anelar, no plexo solar e no chakra do terceiro olho*. Coloque-o ou posicione-o como for mais apropriado para a cura. O elixir pode ser aplicado na pele.

CORES ESPECÍFICAS Além dos atributos genéricos, as cores a seguir têm propriedades adicionais:

O **topázio azul**, colocado sobre o chakra da garganta ou do terceiro olho*, ativa esses chakras* e a verbalização. É uma excelente cor para a meditação e para a sintonização com o eu superior, ajudando-nos a viver de acordo com as nossas aspirações e visões. Essa cor está em sintonia com os anjos da verdade e da sabedoria. Ela nos ajuda a ver o roteiro da nossa vida e a reconhecer onde nos desviamos da nossa verdade.

O **topázio incolor** nos ajuda a tomar consciência de pensamentos e atos e ao efeito kármico que eles têm. Ajuda a purificar emoções e ações, ativando a consciência cósmica. Na cura, o topázio incolor elimina a energia estagnada ou bloqueada.

Topázio incolor

O **topázio dourado (topázio imperial)** serve como uma bateria, pois nos recarrega espiritual e fisicamente, além de fortalecer a nossa fé e otimismo. Trata-se de uma pedra excelente para a sintonização consciente com forças superiores do universo e pode ser usada para armazenar informações recebidas dessa maneira. Ajuda-nos a lembrar as nossas origens divinas.

Topázio dourado

O topázio dourado nos ajuda a reconhecer as nossas capacidades, aumenta o nosso impulso rumo a esse reconhecimento e atrai pessoas solidárias. Essa pedra é benéfica para aqueles que estão em busca da fama, pois ela aumenta o carisma e a confiança, além de nos dar orgulho dos nossos talentos, ao mesmo tempo que nos mantemos generosos e altruístas. Ajuda-nos a superar limitações e a estabelecer planos ambiciosos. Na cura, ela regenera as estruturas celulares e fortalece o plexo solar, além de combater o esgotamento emocional e a combustão deficiente de nutrientes. Ela trata o fígado, a vesícula biliar e as glândulas endócrinas.

O **topázio cor-de-rosa** é a pedra da esperança. Dissipa suavemente antigos padrões nocivos relacionados à saúde e dissolve a resistência, abrindo o caminho para uma saúde radiante. Essa pedra nos mostra a face do divino.

COMBINAÇÃO DE PEDRAS
O **topázio rutilado** é raro, mas extremamente eficaz para a visualização e a manifestação. Trata-se de uma excelente pedra para a escriação*, trazendo revelações profundas quando programada da maneira apropriada e atraindo amor e luz para a nossa vida.

Topázio amarelo

LISTA DE CRISTAIS

TURMALINA

Turmalina azul

Turmalina azul-clara

Bastão de turmalina azul

COR	Preto, marrom, verde, cor-de-rosa, vermelho, amarelo, azul, melancia, azul-esverdeado
APARÊNCIA	Cristais brilhantes, opacos ou transparentes, com longas estrias ou estrutura hexagonal. Todos os tamanhos
RARIDADE	Fácil de obter em lojas especializadas
ORIGEM	Sri Lanka, Brasil, África, Estados Unidos, Austrália, Afeganistão, Itália

ATRIBUTOS A turmalina limpa, purifica e transforma a energia densa, produzindo uma vibração mais leve. Ela ancora a energia espiritual, clareia e equilibra todos os chakras* e forma um escudo protetor em volta do corpo.

A turmalina é uma pedra xamânica que traz proteção durante rituais. Pode ser usada para a escriação* e era tradicionalmente usada para apontar um culpado ou a causa de um problema em tempos de tribulação. Essa pedra também indica a "melhor" direção a seguir.

O bastão de turmalina natural é útil como ferramenta de cura. Ele limpa a aura, remove bloqueios, dispersa a energia negativa e aponta as soluções para problemas específicos. Ele é excelente para equilibrar e conectar chakras*. No nível físico reequilibra os meridianos*.

A turmalina tem uma grande afinidade com as energia dévicas* e é extremamente benéfica para o jardim e as plantas. Pode servir como inseticida natural, mantendo longe os insetos, e, enterrada no solo, estimula o crescimento e a saúde de todas as colheitas.

Do ponto de vista psicológico, a turmalina nos ajuda a entender a nós mesmos e aos outros, levando-nos a mergulhar no nosso eu interior, promovendo a confiança em nós mesmos e diminuindo o medo. Ela elimina qualquer sentimento de vitimização e atrai inspiração, compaixão, tolerância e prosperidade.

A turmalina é um agente de cura mental poderoso que equilibra os hemisférios direito e esquerdo do cérebro e transmuta padrões de pensamento negativos. Essa pedra alinha os processos mentais, os chakras* e o invólucro biomagnético*. É útil no tratamento da paranóia e combate a dislexia, pois melhora a coordenação entre a mão e o olho e a assimilação e tradução da informação codificada.

Do ponto de vista emocional, as turmalinas vermelha, amarela e marrom são benéficas para a sexualidade e tratam as disfunções emocionais que podem estar por trás da falta de libido. Do ponto de vista físico, a turmalina libera a tensão, o que torna essa pedra útil no ajustamento da coluna vertebral. Equilibra as energias masculina e feminina dentro do corpo.

LISTA DE CRISTAIS

CURA As estrias ao longo da lateral da turmalina aumentam o fluxo de energia, tornando essa pedra excelente para a cura, para a elevação da energia e para a remoção de bloqueios. Cada uma das diferentes cores da turmalina tem as suas próprias propriedades terapêuticas.

POSIÇÃO Coloque-a ou use-a do modo mais apropriado. Para estimular os meridianos*, coloque-a com a ponta voltada para a mesma direção do fluxo. É excelente para a produção de essências de pedras, que agem de maneira rápida e eficiente.

CORES E FORMAS ESPECÍFICAS Além dos atributos genéricos, as cores a seguir têm propriedades adicionais:

A **turmalina negra (schorlina)** protege contra telefones celulares, a neblina eletromagnética*, a radiação, os ataques psíquicos*, os encantamentos e o mau-olhado, e combate energias negativas de todos os tipos. Ligada ao chakra da base, ela ancora a energia e aumenta a vitalidade física, dispersando a tensão e o estresse. Por eliminar pensamentos negativos, a turmalina negra promove a atitude descontraída e a neutralidade objetiva, além de processos de pensamento racionais e lúcidos. Ela estimula uma atitude positiva em qualquer circunstância e incentiva o altruísmo e a criatividade prática. Na cura, a turmalina negra, colocada sobre o corpo, apontando para fora, dispersa a energia negativa. A turmalina negra combate as doenças debilitantes, fortalece o

Turmalina negra

sistema imunológico, trata a dislexia e a artrite, alivia a dor e realinha a coluna vertebral. Use-a ao redor do pescoço, ou coloque-a entre você e a fonte de eletromagnetismo.

A **turmalina azul (indicolita)** ativa os chakras* da garganta e do terceiro olho e estimula o anseio pela liberdade espiritual e a clareza de expressão de nós mesmos. Essa cor favorece a percepção psíquica, promove visões e abre o caminho para o trabalho beneficente, estimulando a fidelidade, a ética, a tolerância e o amor pela verdade. Por carregar um raio de paz, ela diminui a tristeza e os sentimentos bloqueados, levando-os suavemente à superfície para que sejam curados e dissipados. Essa pedra também ajuda no desenvolvimento do senso interior de responsabilidade. Essa pedra promove a vida em harmonia com o ambiente. É excelente para agentes de cura, pois previne o acúmulo de negatividade.

Na cura, a turmalina azul-brilhante é uma ferramenta útil para diagnósticos, além de ajudar na identificação das causas subjacentes da doença. A turmalina azul favorece o sistema imunológico e respiratório e o cérebro, corrige desequilíbrios nos fluidos, trata os rins e a bexiga, o timo e a tireóide, e a dor de garganta crônica. É útil em casos de insônia, suores noturnos, sinusites e infecções bacteriológicas. Ela é tradicionalmente usada na garganta, na laringe, nos pulmões, no esôfago e nos olhos. Suaviza queimaduras e evita que se formem cicatrizes. A turmalina azul-escura é particularmente útil para os olhos e para o cérebro e pode ser transformada em elixir. A turmalina azul pode ser colocada em qualquer lugar onde haja uma congestão ou disfunção. Ela combate problemas de fala.

A **turmalina marrom (dravita)** é uma pedra excelente para ancorar as energias, limpar e abrir o chakra* da terra e o cordão telúrico* que prende o corpo físico a esta encarnação. Ela clareia a aura, alinha o corpo etérico e o protege. Estimulando o espírito comunitário e o comprometimento social, a turmalina marrom nos ajuda a nos sentirmos confortáveis em grandes grupos. Essa pedra cura relações familiares problemáticas e fortalece a em-

LISTA DE CRISTAIS

patia. Trata-se de uma pedra pragmática que promove a criatividade. Na cura, a turmalina marrom trata distúrbios intestinais e problemas de pele, além de estimular a regeneração do corpo todo.

A **turmalina incolor (acroíta)** sintetiza todas as outras cores e abre o chakra* da coroa. Na cura, ela alinha os meridianos* dos corpos físico e etérico.

Turmalina marrom

A **turmalina verde (verdelita)** é um excelente agente de cura, benéfico para a visualização. Ela abre o chakra* do coração, promove a compaixão, a ternura, a paciência e o sentimento de pertencer a um lugar ou a um grupo. Essa pedra no traz equilíbrio e alegria de viver. Transformando a energia negativa em positiva e dispersando os medos, a turmalina verde promove a abertura e a paciência. Ela rejuvenesce e inspira a criatividade. Com essa pedra, a pessoa é capaz de ver todas as soluções possíveis e selecionar a mais vantajosa. Ela magnetiza o portador, atraindo para ele prosperidade e abundância. Essa pedra combate problemas com a figura paterna. Facilita o estudo do herbalismo e intensifica a ação de medicamentos, além de ter o poder de curar as plantas.

Turmalina incolor

Na cura, como todas as pedras verdes, a turmalina favorece o sono e aquieta a mente. Fortifica o sistema nervoso e o prepara para uma mudança vibracional. A turmalina verde trata os olhos, o coração, o timo, o cérebro e o sistema imunológico; facilita a perda de peso; ameniza a síndrome da fadiga crônica e a exaustão. Ajuda a realinhar a coluna vertebral e trata músculos tensos.

Turmalina verde

LISTA DE CRISTAIS

A turmalina verde é um desintoxicante eficaz e ameniza a constipação e a diarréia. Pode reduzir a claustrofobia e os ataques de pânico. Essa pedra também é benéfica para crianças hiperativas.

A **turmalina multicolorida (elbaíta)** contém todas as cores e, por isso, favorece a plenitude da mente, do corpo, do espírito e da alma. Trata-se de uma pedra excelente para a formação de imagens e para promover sonhos, inspirando a criatividade e a imaginação. Essa pedra abre um portal para o eu interior e para reinos espirituais superiores.

Na cura, a turmalina multicolorida estimula o sistema imunológico e o metabolismo.

A **turmalina cor-de-rosa** é um afrodisíaco que atrai o amor no plano material e espiritual. Proporcionando-nos a segurança necessária para amar, ela inspira a confiança no amor e confirma que é preciso que amemos primeiro a nós mesmos para que possamos ser amados por outras pessoas. Essa pedra nos ajuda a compartilhar o prazer físico. Ela ameniza a dor emocional e sentimentos destrutivos do passado, por meio do chakra do coração, que ela purifica. Essa pedra também sintetiza o amor com a espiritualidade. Promovendo paz e relaxamento, a turmalina cor-de-rosa nos conecta com a sabedoria e a compaixão e estimula a receptividade às energias de cura.

Na cura, a turmalina cor-de-rosa e equilibra o sistema endócrino desequilibrado e trata o coração, os pulmões e a pele. Coloque-a sobre o coração.

A **turmalina roxa ou violeta** estimula a cura do coração e produz a consciência amorosa. Ela conecta os chakras* da base e do coração, aumentando a devoção e a aspiração pelo amor. Essa pedra estimula a criatividade e a intuição. Desbloqueia o chakra* do terceiro olho, estimula a glândula pineal e acaba com as ilusões. Essa é uma pedra útil para a terapia de vidas

Turmalina roxa

passadas, pois nos leva ao cerne do problema e o elimina. Na cura, a turmalina roxa reduz a depressão e combate pensamentos obsessivos. Trata a sensibilidade a poluentes, o mal de Alzheimer, a epilepsia e a síndrome da fadiga crônica.

A **turmalina vermelha (rubelita)** fortalece a capacidade de compreender o amor e promove o tato, a flexibilidade, a sociabilidade e a extroversão, equilibrando a agressão ou a passividade em excesso. Cura e energiza o chakra* do sacro e aumenta a criatividade em todos os níveis. Essa cor aumenta a resiliência e a constância. Na cura, a turmalina vermelha dá vitalidade ao corpo físico e desintoxica. Cura o coração; trata o sistema digestório, os vasos sanguíneos e o sistema reprodutivo; ela estimula a circulação do sangue, as funções dos rins e do fígado; reconstitui as veias. É útil em casos de espasmos musculares e calafrios.

Turmalina vermelha na matriz

A **turmalina-melancia** (pedra cor-de-rosa com revestimento verde) é um "superativador" do chakra do coração, pois o conecta com o eu superior e promove o amor, a ternura e a amizade. Essa pedra dá paciência e nos ensina a ter tato e diplomacia. Pelo fato de aliviar a depressão e o medo, ela promove a segurança interior. A turmalina-melancia ajuda-nos a entender as situações e a expressar as nossas intenções claramente. Trata os problemas emocionais e alivia a dor do passado. Essa pedra é benéfica para os relacionamentos e nos ajuda a ver o lado positivo das situações.

Na cura, a turmalina-melancia dissipa qualquer resistência a recuperarmos a nossa plenitude interior. Ela estimula a regeneração dos nervos, especialmente na paralisia ou na esclerose múltipla, e trata o estresse.

Turmalina-melancia

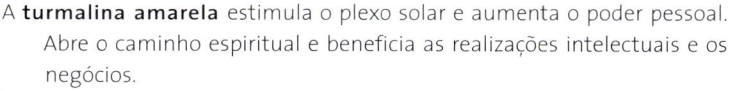

A **turmalina amarela** estimula o plexo solar e aumenta o poder pessoal. Abre o caminho espiritual e beneficia as realizações intelectuais e os negócios.

Na cura, a turmalina amarela trata o estômago, o fígado, o baço, os rins e a vesícula biliar.

Turmalina amarela

COMBINAÇÃO DE PEDRAS

A **turmalina negra com mica** faz com que o mau-olhado volte para a sua fonte, de modo que o responsável aprenda provando do seu próprio veneno. Essa combinação é particularmente eficaz para neutralizar a neblina eletromagnética*.

Vareta de turmalina negra no quartzo. O quartzo contendo varetas grossas de turmalina negra, ao contrário dos filamentos do quartzo turmalinado, é excelente para neutralizar ataques psíquicos* ou físicos, para fortalecer a pessoa atacada e aumentar o seu bem-estar. Essa pedra pode ser usada como proteção contra ataques terroristas e para neutralizar os efeitos desse tipo de ataque. Essa pedra tem a capacidade de transcender dualidades e integrar a sombra à personalidade como um todo.

Turmalina negra com mica

LISTA DE CRISTAIS

A **turmalina com lepidolita** numa matriz é excelente para combater vícios de todos os tipos, pois nos faz entender as razões que levaram ao vício e a aceitar que algo foi negado. Essa pedra nos ajuda a viver sem precisar do apoio nocivo da substância ou comportamento tóxico, substituindo-o pelo amor e pela proteção das energias universais e do nosso poderoso potencial de autocura.

(*Ver também* quartzo turmalinado, página 243.)

Vareta de turmalina no quartzo

Turmalina com lepidolita

TURQUESA

Polida *Rolada*

COR	Azul-turquesa, verde ou azul
APARÊNCIA	Opaca, muitas vezes com veios, todos os tamanhos, em geral polida
RARIDADE	Fácil de obter
ORIGEM	Estados Unidos, Egito, México, China, Irã, Peru, Polônia, Rússia, França, China, Afeganistão, Arábia Saudita

ATRIBUTOS A turquesa é um dos mais eficientes agentes de cura jamais criados, pois dá conforto ao espírito e promove o bem-estar do corpo. Trata-se de uma pedra protetora que tem sido usada como amuleto desde épocas imemoriais. Acreditava-se que ela mudava de cor para sinalizar o perigo e a infidelidade. A turquesa promove a sintonização espiritual e intensifica a comunicação com os mundos físico e espiritual. Colocada sobre o terceiro olho*, favorece a intuição e a meditação. No chakra' da garganta elimina antigos juramentos, inibições e proibições e deixa que a alma se expresse como antes. Ela explora vidas passadas e mostra que o nosso "destino" muda constantemente e depende do que fazemos a cada momento.

A turquesa é uma pedra de purificação. Ela dispersa energia negativa e elimina a neblina eletromagnética*, dando proteção contra poluentes que existem no ar. Equilibra e alinha todos os chakras* com os corpos sutis e sintoniza o nível físico com o espiritual. Segundo a tradição, a turquesa une o céu e a terra, integrando as energias masculina e feminina. Essa pedra propicia a empatia e o equilíbrio. Promovendo a realização de nossos propósitos, ela ajuda a solucionar problemas e acalma os nervos de quem tem de falar em público.

Do ponto de vista psicológico, a turquesa é uma pedra fortificante. Dissipa a atitude de mártir ou a sabotagem contra nós mesmos. Do ponto de vista mental, a turquesa propicia a calma interior e nos mantém alertas, beneficiando a expressão criativa. Do ponto de vista emocional, essa pedra estabiliza a oscilação de humor e traz calma interior. Estimula o amor romântico.

Do ponto de vista físico, a turquesa é uma pedra excelente para a exaustão, a depressão ou ataques de pânico. Uma das suas funções é proteger contra influências externas ou poluentes na atmosfera.

CURA A turquesa fortalece os meridianos do corpo e os campos energéticos sutis. Favorece os sistemas imunológicos psíquico e físico e regenera os tecidos, intensificando a assimilação de nutrientes, diminuindo os efeitos da poluição e protegendo contra infecções virais. A turquesa cura o corpo todo, especialmente os olhos, incluindo a catarata. Reduz o excesso de acidez e combate a gota, o reumatismo e as doenças no estômago. Essa pedra tem propriedades antiinflamatórias e desintoxicantes e alivia cãibras e dores.

LISTA DE CRISTAIS

POSIÇÃO Em qualquer lugar, mas especialmente na garganta, no terceiro olho e no plexo solar. Faz um excelente elixir.

TIPO ESPECÍFICO
Além das propriedades genéricas, o tipo a seguir tem propriedades adicionais:

A **turquesa tibetana** é verde e irradia uma vibração ligeiramente diferente da turquesa azul, de tom mais vibrante. Ele é especialmente útil para curar bloqueios no chakra da garganta e dificuldades de expressão de nós mesmos, retrocedendo na linhagem ancestral até chegar à fonte do problema.

Turquesa tibetana (bruta)

ULEXITA

TAMBÉM CONHECIDA COMO PEDRA-TV

Lapidada

COR	Transparente
APARÊNCIA	Cristal incolor, sedoso, anguloso, às vezes levemente estriado. Amplia.
RARIDADE	Fácil de obter
ORIGEM	Estados Unidos

ATRIBUTOS A ulexita é mais conhecida pela sua capacidade de ampliar qualquer coisa que estiver embaixo dela. Trata-se de uma pedra extremamente límpida, que coloca as coisas em foco nos níveis espiritual e interior, proporcionando objetividade e clareza. É excelente para nos ajudar a entender o significado dos sonhos e visões. Mostra o caminho que temos de seguir no nível espiritual e nos ajuda a mergulhar no nosso eu interior.

Num nível mais pragmático, a ulexita nos leva à origem dos problemas e aponta o caminho da resolução ou ativa soluções. Essa é a pedra da revelação no mundo físico. Ela nos dá capacidade para sondar o coração da outra pessoa, saber o que ela pensa e sente, de modo que as decisões possam ser tomadas com base num perfeito entendimento.

A energia suave da ulexita é benéfica para a meditação e o relaxamento. Colocada sobre o terceiro olho*, ela intensifica a visualização e dispersa a energia mental negativa. Equilibrando as energias yin-yang, ela alinha os corpos sutis*.

Do ponto de vista mental, a ulexita estimula a imaginação e a criatividade, especialmente nos negócios. Se você está aumentando a proporção das coisas, a ulexita o ajudará a vê-las de modo mais claro.

CURA A ulexita é usada para clarear a visão. É excelente como elixir para a pele, pois suaviza as rugas. Só não pode ser deixada na água por muito tempo, pois pode começar a se dissolver.

POSIÇÃO Use-a ou coloque-a como for mais apropriado, especialmente nos olhos e no terceiro olho. A ulexita é uma excelente pedra de meditação, se você contemplar as suas profundezas.

LISTA DE CRISTAIS

UNAQUITA

Rolada

Bruta

COR	Verde e cor-de-rosa
APARÊNCIA	Pedra manchada, muitas vezes pequena e rolada
RARIDADE	Fácil de obter
ORIGEM	Estados Unidos, África do Sul

ATRIBUTOS A unaquita é uma pedra da visão. Ela equilibra as emoções com a espiritualidade. Colocada sobre o terceiro olho*, ela o abre e promove a visualização e a visão psíquica. Essa pedra também ancora a energia quando necessário e pode ser útil depois da meditação ou do trabalho psíquico.

A unaquita pode ser usada como bola de cristal na escriação*, pois sinaliza quando são necessários integração e compromisso. É melhor usá-la com outras dez ou doze pedras (ver páginas 375-376). As pedras roladas devem ser guardadas num saquinho. Uma das pedras é então tirada ao acaso, depois de formular uma pergunta. Também se pode apanhar um punhado delas ao acaso e as jogar sobre uma superfície, para interpretar o seu significado.

Colocada no ambiente (uma pedra grande ou várias pedrinhas roladas numa tigela), a unaquita irradia uma energia suave e calmante e pode reverter os efeitos da poluição eletromagnética causada pelo televisor, quando colocada sobre o aparelho ou ao lado dele.

A unaquita facilita o renascimento, trazendo luz e revelações integradoras do passado sobre bloqueios, e eliminando problemas que inibiam o crescimento espiritual e psicológico. Essa pedra também é útil na terapia de vidas passadas, pois mostra a fonte do problema e nos ajuda a vê-lo de outro ângulo. Para esse propósito, a unaquita pode ser colocada sobre o terceiro olho.

Tenha a indisposição* surgido num passado distante ou próximo, a unaquita atinge e traz à tona a sua causa principal, seja qual for o nível em que ela tenha ocorrido, de modo que possa ser transformada.

CURA A unaquita ajuda na recuperação e na convalescença de doenças graves. Trata o sistema reprodutor, estimulando o ganho de peso quando necessário, e propicia uma gravidez saudável, o crescimento da pele e dos cabelos.

POSIÇÃO Coloque-a onde for mais apropriado ou aplique-a em forma de elixir.

VANADINITA

Cristais na matriz

COR	Marrom-alaranjado, marrom-avermelhado, marrom-amarelado, vermelho, laranja, amarelo
APARÊNCIA	Cristais brilhantes e muito pequenos sobre matriz
RARIDADE	Obtida em lojas especializadas
ORIGEM	Estados Unidos

ATRIBUTOS A vanadinita é uma pedra excelente para pessoas que têm dificuldade em aceitar a vida no corpo físico. Tem forte ligação com o chakra* da terra, que fica abaixo dos pés. Pelo fato de ancorar a alma no corpo físico e ajudá-la a sentir-se confortável no plano físico, a vanadinita evita a perda de energia e ensina como conservar a energia no nível físico.

A vanadinita pode auxiliar a meditação. Diminuindo a tagarelice interior da mente, ela facilita o estado de "não-mente", e pode ser usada para direcionar a percepção conscientemente para a visão psíquica e a viagem astral. Tem o poder de abrir um canal interno dentro do corpo para aceitar o influxo de energia universal. Essa energia alinha os chakras* e traz o eu superior para o corpo físico, facilitando a paz profunda.

Do ponto de vista mental, a vanadinita preenche a lacuna entre pensamento e intelecto. Ajuda-nos a definir e atingir metas e calar o diálogo interior da mente, permitindo que a compreensão e pensamentos racionais se combinem numa voz interior orientadora.

Essa pedra tem a proveitosa propriedade de inibir os gastos excessivos. Coloque-a na Área da Abundância da casa ou uma pedrinha na bolsa para não cair na tentação de gastar.

A vanadinita é venenosa, por isso os elixires dessa pedra devem ser elaborados pelo método indireto (ver página 371).

CURA A vanadinita é útil para problemas respiratórios como asma e acúmulo de catarro. Ela facilita a prática da respiração circular e também trata a fadiga crônica e os problemas de bexiga. Só pode ser ingerida caso o elixir tenha sido elaborado pelo método indireto.

POSIÇÃO Coloque-a como for mais apropriado ou massageie a região do peito com o elixir. Se usada para ajudar na aceitação da fisicalidade, o elixir feito pelo método indireto deve ser ingerido por várias semanas.

VARISCITA

Rolada

COR	Verde, cinza e branco
APARÊNCIA	Opaca, às vezes com veios, pode ser uma grande massa ou pequenas incrustações numa matriz
RARIDADE	Obtida em lojas especializadas
ORIGEM	Estados Unidos, Alemanha, Áustria, República Tcheca, Bolívia

ATRIBUTOS A variscita é uma pedra de estímulo. Por inspirar esperança e coragem, ela é extremamente útil em casos de doença ou invalidez. Ela ajuda e estimula a pessoa inválida a continuar a viver apesar da doença e ajuda aqueles que cuidam dela a lidar com a indisposição* que a doença provoca. Abrindo o chakra do coração, ela traz amor incondicional ao problema.

A variscita é extremamente útil na terapia de vidas passadas. Facilita a visualização das experiências passadas ao mesmo tempo que traz à tona os sentimentos e experiências das vidas mais felizes. Estimula a descoberta da causa da indisposição ou dos padrões que persistem no presente e nos ajuda a ver situações de um outro ângulo, possibilitando a cura.

Do ponto de vista psicológico, essa pedra ajuda a pessoa doente a sair do desespero, ter esperança e confiar mais no universo. A variscita acaba com a pretensão, ajudando-nos a mostrar ao mundo quem realmente somos. Ela acalma o nervosismo e deixa o coração em paz. Essa pedra favorece a sobriedade e, no entanto, evita que sejamos sérios demais. Colocada embaixo do travesseiro à noite, ela propicia um sono tranqüilo e aquieta a mente.

Do ponto de vista mental, a variscita melhora o raciocínio e aumenta a percepção. Ela ajuda a expressão de nós mesmos e a comunicação de idéias. Do ponto de vista físico, a variscita é um energizador que ajuda a restaurar as reservas energéticas esgotadas.

CURA A variscita cura o sistema nervoso, trata a distensão abdominal e o fluxo sanguíneo bloqueado. Regenera a elasticidade das veias e da pele. Neutraliza a acidez e trata gota, gastrite, úlcera, reumatismo e outras doenças correlatas. Útil nos casos de impotência masculina, essa pedra também alivia cãibras.

POSIÇÃO Posicione-a como for mais apropriado e use-a por longos períodos. Coloque-a sobre o terceiro olho* para lembrar-se de vidas passadas. Use-a como pingente ou segure-a com a mão esquerda.

WULFENITA

Cristais na matriz

COR	Amarelo, dourado, laranja, verde, cinza, amarelo-acinzentado, marrom, branco, incolor
APARÊNCIA	Cristais pequenos ou laminados numa matriz, ou um cristal grande, transparente e anguloso
RARIDADE	Obtida em lojas especializadas
ORIGEM	Estados Unidos, México

ATRIBUTOS A wulfenita é uma pedra extremamente útil para aceitarmos os aspectos menos positivos da vida e evitar o desânimo e a inércia diante de sentimentos ou situações negativas. É particularmente útil para as pessoas que perderam o equilíbrio e só têm olhos para as coisas positivas, reprimindo as experiências e os traços negativos. Essas pessoas se tornaram "açucaradas" demais e se mostram tão gentis que perderam autenticidade e seu senso de realidade. Essa pedra ajuda essas pessoas a aceitar e integrar as energias sombrias e a transcender a dualidade entre positivo e negativo, aceitando-a como forças complementares e equilibradoras.

No nível espiritual, a wulfenita facilita a passagem rápida e fácil do nível físico para os níveis psíquico, intuitivo ou espiritual. Diz-se que ela dá acesso ao passado, ao presente e ao futuro e ajuda a comunicação com esses estados. Ela facilita o contato e a comunicação com o mundo espiritual, abrindo um canal para as vibrações espirituais ancorarem na terra.

Se você fez um acordo com outra alma, para que se encontrassem na vida presente, a wulfenita facilita o reconhecimento dessa alma e a lembrança das razões pelas quais vocês marcaram esse encontro. Ela fortalece os laços entre as almas, não deixando que esqueçam o seu propósito e facilitando o seu cumprimento no presente.

A wulfenita é uma pedra que pode ser usada na magia branca, em rituais e viagens astrais e para facilitar a recuperação de conhecimentos mágicos de vidas passadas. Esse conhecimento, vindo talvez de templos da Grécia ou do Egito Antigo ou de tempos mais recentes, pode ser então colocado em prática no presente. Se a pessoa sofreu nas mãos da Igreja cristã devido às crenças relacionadas à magia, essa pedra ajuda a curar a experiência, fazendo com que a pessoa se sinta segura para praticá-la outra vez.

CURA A wulfenita tem o poder de rejuvenescer e preservar a energia, mas não tem atributos terapêuticos específicos.

POSIÇÃO Segure-a ou posicione-a como for mais apropriado. Você pode programar a wulfenita para fazê-lo entrar em contato com os seus vínculos kármicos* e depois colocá-la na área dos relacionamentos da sua casa.

ZEÓLITA

Agregado de estilbita, apofilita, prehnita e okenita

COR	Incolor, branco, azul, pêssego
APARÊNCIA	Variadas, de todos os tamanhos, muitas vezes em agregados
RARIDADE	Obtida em lojas especializadas
ORIGEM	Grã-Bretanha, Austrália, Índia, Brasil, República Tcheca, Itália, Estados Unidos

ATRIBUTOS A zeólita é o nome genérico de um grupo de cristais que geralmente se apresentam juntos numa matriz. Esse grupo de cristais inclui a apofilita, a okenita, a petalita, a prehnita e a estilbita (ver páginas 64, 204, 220, 277). Essa combinação de pedras é muito bonita e pode ser usada como peça decorativa para elevar as vibrações do ambiente. A zeólita absorve toxinas e odores. Enterrada no solo ou colocada perto de plantações, essa pedra beneficia a agricultura e a jardinagem.

A zeólita é uma pedra do Reiki* que ajuda a sintonizar as energias e acelerar a reação à cura.

CURA A zeólita pode ser usada para tratar o bócio, neutralizar os efeitos do álcool e eliminar toxinas do corpo físico. Também nos ajuda a superar os vícios, e especialmente o alcoolismo, e pode ser usada como elixir para esse propósito. Nesse caso, convém usar o vinagre de maçã em vez do conhaque ou da vodca na preparação do elixir.

POSIÇÃO Coloque-a como for o mais apropriado ou use-a como elixir.

ZINCITA

Transparente, reformada

COR	Vermelho, laranja-amarelo, verde, incolor
APARÊNCIA	Massa granular, embora existam cristais transparentes belíssimos na Polônia, que se formaram graças ao processo de derretimento em uma mina
RARIDADE	Obtida em lojas especializadas
ORIGEM	Polônia, Itália, Estados Unidos

ATRIBUTOS A zincita é uma poderosa pedra que sintetiza a energia física e o poder pessoal com a criatividade. Essa pedra ígnea pode ajudar no processo de manifestação e reenergizar os sistemas energéticos e exauridos. Remove bloqueios energéticos do corpo e permite que a força vital flua sem impedimentos. Essa pedra atrai abundância para o nível físico e espiritual e pode ser usada para ancorar com segurança o corpo de luz no reino físico.

A zincita entra em sintonia com os chakras* inferiores, reenergizando todo o corpo e estimulando a criatividade e a fertilidade. Estimula a subida da energia kundalini*, os sentimentos instintivos e a intuição.

Essa pedra favorece a confiança e a capacidade de encontrar a própria força. Do ponto de vista psicológico, a zincita cura o choque e o trauma e aumenta a coragem para lidar com situações traumáticas. Ameniza a depressão e as lembranças dolorosas, de modo que elas possam ser curadas. Se você sofre de letargia ou tem o hábito de adiar tudo, essa pedra o ajudará a realizar todo o seu potencial e a empreender mudanças necessárias.

A zincita é útil para fobias. Ajuda-nos a achar a causa principal dessas fobias e então a eliminá-las, reprogramando a mente de maneira mais positiva. Ela também pode eliminar comandos hipnóticos e impressões mentais.

A zincita é útil para mulheres que sofrem os sintomas da menopausa ou da síndrome do ninho vazio, pois alivia suavemente esses sintomas e as ajuda a aceitar essas mudanças naturais da vida.

A zincita promove atividades em grupo, agregando pessoas que pensam de modo parecido e as ajudando a formar um todo coeso. Também beneficia relacionamentos físicos. Se uma purificação é necessária, a zincita pode estimular uma crise salutar que promova uma catarse e reenergize o organismo.

CURA A zincita melhora a pele e o cabelo. É benéfica para a próstata e ameniza os sintomas da menopausa. Também estimula o sistema imunológico e os meridianos* energéticos do corpo. Trata a síndrome da fadiga crônica, a AIDS e as doenças auto-imunes, além de aliviar a candidíase, os problemas nas mucosas, a bronquite e evitar a epilepsia. A zincita estimula os órgãos excretores, melhora a assimilação dos nutrientes e pode ser usada nos casos de infertilidade.

POSIÇÃO Posicione-a ou segure-a como for mais apropriado.

ZOISITA

Bruta

COR	Incolor, branco, amarelo, marrom, azul, verde, vermelho, cor-de-rosa (tulita), lavanda-azulada
APARÊNCIA	Massa sólida, pleocróica*, de todos os tamanhos
RARIDADE	Em lojas especializadas, muitas vezes com o rubi
ORIGEM	Áustria, Tanzânia, Índia, Madagáscar, Rússia, Sri Lanka, Camboja, Quênia

ATRIBUTOS A zoisita transmuta as energias negativas em positivas e nos conecta aos reinos espirituais.

Do ponto de vista psicológico, a zoisita nos ajuda a manifestar o nosso próprio eu, em vez de sermos influenciados pelos outros ou tentarmos nos adaptar às normas sociais. Ajuda-nos a concretizar as nossas próprias idéias e transformar impulsos destrutivos. Essa pedra combate a letargia e traz à tona sentimentos e emoções reprimidos, de modo que possam ser expressos. Do ponto de vista mental, a zoisita é uma pedra criativa, que ajuda a mente a concentrar-se novamente em seus objetivos depois de uma interrupção. Do ponto de vista físico, a zoisita estimula a recuperação de doenças graves ou do estresse.

CURA A zoisita é um desintoxicante que neutraliza a acidez e reduz inflamações. Fortalece o sistema imunológico e regenera células, trata o coração, o baço, o pâncreas e os pulmões. Essa pedra estimula a fertilidade e cura doenças nos ovários e nos testículos. Quando combinada com o rubi aumenta a potência.

POSIÇÃO Use-a ou coloque-a sobre o corpo em contato com a pele, como for mais apropriado. Use-a por longos períodos, pois é uma pedra que age lentamente.

COR ADICIONAL Além dos atributos genéricos, a cor a seguir tem propriedades adicionais:

A **tanzanita (zoisita lavanda-azulada)** é uma pedra que passa por um processo de aquecimento para avivar o seu matiz. Com uma vibração extremamente elevada, essa pedra facilita estados alterados de consciência e favorece um profundo estado meditativo. Ela muda de cor dependendo do ângulo pelo qual é contemplada. Essa pedra de cores mutantes facilita a elevação da consciência. Liga-nos aos reinos angélicos*, aos guias espirituais* e aos mestres ascensionados*. A tanzanita traz informações dos Registros Akáshicos* e facilita as viagens exteriores e astrais. Ela ativa a ligação dos chakras*, desde os mais inferiores até o da coroa, estabelecendo uma ligação entre a mente superior e o plano físico. Estimulando o chakra da garganta, ela facilita a comunicação das informações recebidas de níveis superiores. Na cura, a tanzanita age sobre a cabeça, a garganta e o peito. Ela é uma ótima pedra para ser usada em forma de elixir, principalmente quando combinada com pedras como a água-marinha e a moldavita. Adicionada à iólita e à danburita e aplicada durante a terapia de vidas passadas, a tanzanita dissipa antigos padrões negativos relacionados a indisposições* kármicas, e cria espaço para que novos padrões sejam integrados.

Tanzanita

(*Ver também* Tulita, página 287, e rubi na zoisita, página 251.)

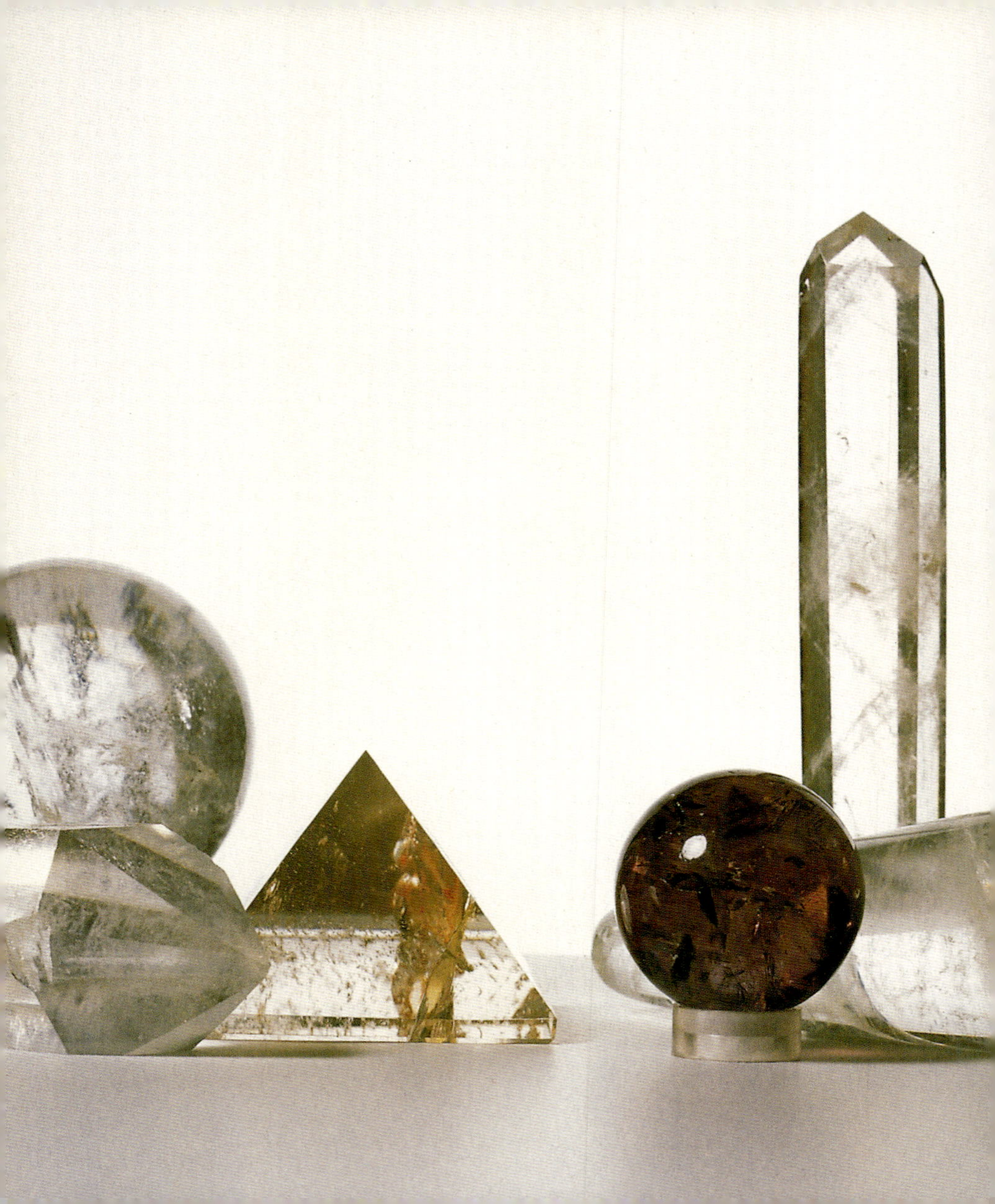

OS FORMATOS DOS CRISTAIS

Existem cristais de todos os tamanhos e cores. Alguns têm pontas e facetas naturais, enquanto outros são arredondados e lisos. Alguns formam aglomerados; outros são únicos. Existem cristais que se formam em camadas, e outros que adquirem a forma de bolhas. Alguns crescem espontaneamente; outros são cortados artificialmente para adquirir um determinado formato. Cada formato tem os seus próprios atributos e aplicações. O conhecimento acerca de como usar esses diferentes formatos nos abre muitas possibilidades mágicas. Por exemplo, podemos usar a capacidade do quartzo de armazenar informações, assim como um computador. Alguns formatos abrem uma janela para outros mundos — passado, presente, futuro, terreno ou extraterrestre. Outros atraem a nossa alma gêmea ou a abundância para a nossa vida.

    Um geodo com o seu núcleo em forma de caverna concentra e preserva a energia, liberando-a lentamente, enquanto um aglomerado irradia essa energia rapidamente, em todas as direções. É importante levar em conta essas propriedades específicas de cada formato na hora de selecionar ou usar um cristal, pois elas determinam se ele cumprirá o seu propósito brilhantemente, ou se não exercerá efeito algum. O aglomerado de citrino atrai abundância; no entanto, ela pode não durar muito. O geodo de citrino, porém, com a sua propriedade de preservar a energia, pode ajudar-nos a conservar o nosso dinheiro, enquanto uma pedra pontiaguda desse mineral nos ajuda a direcioná-lo.

OS FORMATOS DOS CRISTAIS

AS FORMAS DOS CRISTAIS

Quando conhecemos as propriedades de cada um dos formatos cristalinos, como os geodos e as pontas, e temos consciência do potencial de cada um deles, é mais fácil aproveitar o poder único dessas pedras, especialmente das variadas formas de quartzo. Certos formatos são naturais, enquanto outros são cortados de modo a adquirir um formato determinado. Alguns desses formatos artificiais imitam os cristais formados naturalmente – muitos cristais de quartzo transparentes ou enfumaçados são cortados na forma de pilares para serem usados como cristais ornamentais ou instrumentos de cura, por exemplo; e cristais especiais que ocorrem muito raramente na natureza podem ser reproduzidos, de modo que sejam encontrados mais facilmente pelo público.

Aglomerado de apofilita

São raros os cristais num formato perfeitamente esférico, mas durante séculos os quartzos, as obsidianas e os berilos foram lapidados artesanalmente para serem usados como instrumento de escriação*. Os videntes contemplam as profundezas desses cristais para prever o futuro. Os cristais esféricos, no entanto, não têm só essa função. Também emitem energia uniformemente no ambiente, em todas as direções.

Os cristais com base de quartzo, principalmente, têm extremidades facetadas. Geralmente têm seis facetas que correspondem aos seis chakras*, da base ao do terceiro olho*, sendo que a terminação pontiaguda representa o chakra da coroa e a sua ligação com o infinito.

O modo como o cristal cresce é um dos aspectos mais levados em conta

OS FORMATOS DOS CRISTAIS

na tradição esotérica dos cristais. Os cristais de quartzo anuviados na base e mais claros nas extremidades representam o potencial de crescimento espiritual. Um pilar de cristal ou um cristal com uma terminação grossa, com falhas e oclusões*, pode apontar para um período traumático ou sofrido da vida. Esses "detritos" emocionais precisam ser eliminados para que a consciência possa evoluir. Os cristais de quartzo totalmente límpidos são símbolos da sintonia com a harmonia cósmica. Se mantivermos um desses cristais conosco, as nossas energias ficarão em sintonia com o reino espiritual.

Embora alguns formatos facetados sejam mais óbvios em cristais maiores, até nas facetas dos menores se pode formar uma "janela". Uma janela na forma de um paralelogramo voltado para a esquerda levará você de volta ao passado. Se voltado para o lado oposto, essa janela levaria você para o futuro. Uma janela com um contorno diferente nos ajudaria a canalizar ou transmitir energia de cura por longas distâncias. Existe um cristal armazenador de dados que preserva a sabedoria das eras gravada em suas facetas. Meditar com uma dessas pedras veneráveis nos dá acesso ao conhecimento universal. O cristal da alma gêmea, por outro lado, atrai e preserva o nosso amor verdadeiro.

Se o cristal tem dentro dele um arco-íris, isso é sinal de alegria e felicidade. Os arco-íris são causados por fraturas minúsculas na pedra. O quartzo-arco-íris pode ser usado para amenizar a depressão. Eniaros são cristais que contêm inclusões líquidas em forma de bolhas datadas de milhões de anos. Eles são símbolos do inconsciente coletivo que agrega todas as coisas.

Cada cristal tem um uso específico na cura, dependendo do seu formato. Os bastões concentram a energia e podem estimular pontos do corpo ou absorver negatividade. Os cristais com terminação dupla ajudam a romper padrões antigos e podem integrar o espírito e a matéria. O ovo de cristal detecta e corrige desequilíbrios energéticos. Os cristais com uma só terminação focam a energia num feixe de raios; o quadrado consolida a energia, e o esférico a irradia em todas as direções. As páginas a seguir mostram como os diferentes cristais, usados com sabedoria, podem ser excelentes instrumentos de cura.

OS FORMATOS DOS CRISTAIS

Ponta natural

CRISTAL DE UMA PONTA

Muitos cristais têm terminações pontiagudas; alguns são grandes, e outros tão pequenos que são quase invisíveis a olho nu. As terminações pontiagudas podem ser naturais ou feitas artificialmente. O cristal de uma ponta geralmente tem uma terminação pontiaguda, com facetas bem definidas, e a outra costuma ter um formato irregular, no local onde foi separado do aglomerado. O cristal de uma ponta é muitas vezes usado em trabalhos de cura. Quando a ponta está voltada para o corpo, o cristal canaliza energia para este. Na posição contrária, o cristal retira energia do corpo.

Ponta natural

TERMINAÇÃO DUPLA

Os cristais de terminação dupla têm pontas bem definidas dos dois lados. Alguns são naturais, e outros são lapidados artificialmente. O cristal de terminação dupla irradia e absorve energia simultaneamente, canalizando-a nas duas direções ao mesmo tempo. Pedra própria para dar equilíbrio, o cristal de terminação dupla integra o espírito e a matéria, e pode propiciar uma ponte entre dois pontos de energia.

Esses cristais são úteis nos trabalhos de cura, pois absorvem energia negativa e rompem antigos padrões, o que pode ajudar a pessoa a superar vícios. Esses cristais também podem ser usados para integrar partes do eu que foram bloqueadas. Colocados no terceiro olho*, os cristais de terminação dupla podem intensificar a telepatia.

Cristal de terminação dupla produzido artificialmente (veja na página 350 um cristal de terminação dupla natural)

AGLOMERADO

O aglomerado tem muitos cristais incrustados, embora nem todos estejam necessariamente fixados em sua base. Esses cristais podem ser pequenos ou grandes. Os aglomerados irradiam energia para o ambiente a sua volta e também podem absorver energias nocivas do ambiente. Podem ser programados e deixados num lugar para cumprir o seu propósito. São especialmente úteis para purificar um cômodo ou outros cristais. Nesse caso basta deixar os cristais sobre o aglomerado durante a noite.

Aglomerado

GEODO

O geodo forma-se nas paredes internas de aberturas rochosas. Quando abertos, eles se parecem com uma cavidade arredondada com muitos cristais que crescem a partir das paredes. Os geodos conservam e ampliam a energia dentro deles. Graças ao seu formato arredondado, com aparência de caverna, forrado de terminações, os geodos difundem lentamente a energia amplificada, suavizando-a, sem neutralizá-la. Podem ser usados para proteção e para estimular o crescimento espiritual. Os geodos ajudam a romper hábitos nocivos e são benéficos para personalidades viciosas e excessivamente indulgentes.

Geodo

OS FORMATOS DOS CRISTAIS

CRISTAIS NATURAIS COM PONTA ALONGADA

Esses cristais focam a energia e a irradiam em linha reta. Eles são muito reproduzidos artificialmente para a confecção de bastões de cristal. São muitas vezes usados em trabalhos e rituais de cura, pois transmitem a energia rapidamente quando apontados para o corpo e retiram dali energia quando apontados para fora. (Ver Bastões nas páginas 354-359.)

FANTASMA

O cristal-fantasma é aquele que parece conter uma imagem fantasmagórica dentro de um cristal maior. Graças à maneira como se formou, o cristal-fantasma teve oportunidade de absorver aprendizado ao longo de muitas eras. Colocando o passado em perspectiva, ele aponta o caminho rumo ao crescimento e a evolução e nos ajuda a superar a estagnação. Cada cristal-fantasma tem um significado específico, dependendo do tipo a que pertence. (Ver página 233.)

Cristal com ponta alongada

Fantasma

ESFERA

As esferas são geralmente lapidadas a partir de um cristal maior e podem ter rachaduras e planos dentro delas. Elas emitem energia em todas as direções da mesma maneira. Geralmente usadas como janelas para o passado ou para o futuro, elas movimentam a energia através do tempo e proporcionam um vislumbre do que está por vir ou do que já aconteceu – uma prática que recebe o nome de escriação*.

Esfera

OS FORMATOS DOS CRISTAIS

QUADRADO
O cristal quadrado consolida a energia dentro da sua forma. É útil para ancorar intenções e para aterrar as energias. Os cristais naturais em forma de quadrado, como a fluorita, também podem absorver energias negativas e transformá-las.

Quadrado

PIRÂMIDE
O cristal lapidado em forma de pirâmide tem quatro lados numa base, mas a própria base pode ser extraída em forma de quadrado, se o cristal for natural, em vez de cortado artificialmente. Os cristais naturais em forma de pirâmide, como a apofilita, ampliam e então focam a energia através do seu ápice. Esse formato de cristal é apropriado para absorver programas de manifestação.

Os cristais em forma de pirâmide também podem ser usados para absorver energias negativas e bloqueios dos chakras*, substituindo-as por uma energia vibrante. Existem cristais de todos os tipos lapidados em forma de pirâmide. Esse tipo de lapidação intensifica e concentra as propriedades inerentes do cristal.

Pirâmide

OVO
Os cristais no formato de ovo confinam e modelam a energia e podem ser usados para detectar e corrigir bloqueios no corpo. Aqueles com uma extremidade mais alongada são ótimos instrumentos de reflexologia ou acupressura. Também provocam uma sensação agradável quando manipulados em momentos de estresse.

Ovo

AMORFO
Os cristais amorfos, como a obsidiana, não têm um formato bem definido. A energia flui rapidamente através desses cristais, pois eles não têm uma organização interna rígida. Os seus efeitos são poderosos e instantâneos.

Amorfo

OS FORMATOS DOS CRISTAIS

ESTRATIFICADO
Com os cristais estratificados, como a lepidolita, podemos trabalhar em vários níveis ao mesmo tempo, pois eles distribuem a energia em suas várias camadas. A energia desses cristais pode ajudar-nos a chegar ao cerne de uma questão.

Lepidolita estratificada

TABULAR
O cristal tabular tem duas laterais largas que resultam num cristal achatado, com terminação dupla. Muitos cristais tabulares têm chanfraduras que, ao serem esfregadas, ativam a informação contida no cristal. A energia flui livremente através do cristal, que oferece pouca resistência. Esse tipo de cristal elimina a confusão, mal-entendidos e interpretações equivocadas e beneficia a comunicação em todos os níveis, tanto interior quanto exterior. Diz-se que o cristal tabular é o mais sofisticado instrumento de comunicação com outros reinos.

Na cura, o cristal tabular liga dois pontos, propiciando o perfeito equilíbrio, e pode ser usado para intensificar a telepatia. Esse cristal ativa outros cristais.

Tabular

ELESTIAL
O cristal elestial tem múltiplas camadas e terminações naturais. Tem um suave fluxo de energia que remove bloqueios e o medo, equilibrando as polaridades e abrindo caminho para a mudança necessária. Por irradiar uma energia que conforta e sustenta, ele nos ajuda a suportar fardos emocionais e a entrar em sintonia com o eu eterno. Esse cristal pode transportar-nos para outras vidas, ajudando-nos a entender o nosso karma, ou propiciar um mergulho em nosso mundo interior que nos propicie uma visão do processo espiritual em andamento.

Elestial

OCLUSÃO*

A oclusão é normalmente produzida pelo depósito de outro mineral no interior de um cristal de quartzo (ver clorita, na página 108). Trata-se de uma mancha ou ponto em forma de nuvem, dependendo do mineral. Os minerais também podem depositar-se numa face interna e só ser visíveis quando vistos pelo outro lado do cristal. A oclusão irradia a energia do mineral, que é concentrada ou amplificada pelo quartzo que a cerca.

Quartzo tibetano com oclusões

ABUNDÂNCIA

O cristal da abundância consiste num longo cristal de quartzo cercado de muitos cristais menores, encravados numa base. Sua função é atrair riqueza e abundância para a nossa vida. Esse cristal fica mais bem posicionado na Área da Abundância de uma casa ou estabelecimento comercial – o canto esquerdo mais distante da casa com relação à porta da frente.

Abundância

OS FORMATOS DOS CRISTAIS

GERADOR

O cristal gerador simples tem seis facetas que se agregam numa extremidade pontiaguda. Grande ou pequeno, esse poderoso cristal tem o formato perfeito para gerar energia. Otimiza a energia de cura e nos ajuda a focar e a definir melhor a nossa intenção.

O aglomerado gerador é um cristal muito grande, cheio de longas terminações pontiagudas, que podem ser programadas para cumprir propósitos específicos. O aglomerado gerador promove a união de um grupo, levando-o a trabalhar na mais perfeita harmonia. Nesse caso, cada ponta é programada para um membro do grupo. Esse cristal é extremamente útil para gerar energia de cura e é muitas vezes colocado no centro do cômodo onde se realiza um trabalho de cura.

Gerador grande

Aglomerado gerador

MANIFESTAÇÃO

O cristal de manifestação é uma pedra rara e preciosa em que um ou mais cristais são totalmente encobertos por um cristal maior. Quando temos uma idéia absolutamente clara do que queremos manifestar, esse cristal pode ser programado para ajudar-nos nessa manifestação. Se você tiver algum tipo de dúvida ou ambivalência com relação ao que quer, ou estiver pedindo por razões puramente egoístas, o cristal não funcionará. O cristal da manifestação também pode ser usado para estimular a criatividade e o pensamento original, promover a visualização e invocar a cura do planeta. Trata-se de um excelente cristal para o trabalho em grupo, pois ajuda os membros a cumprirem o seu mais elevado propósito, quando programado pelo bem de todos.

Manifestação

OS FORMATOS DOS CRISTAIS

Quartzo-catedral grande

QUARTZO-CATEDRAL

O quartzo-catedral é um computador cósmico que contém a sabedoria das eras. Trata-se de uma biblioteca de luz*, que contém os registros de tudo o que já aconteceu na Terra. Muitos cristais-catedral são extremamente grandes – o que ilustra a página ao lado é maior do que o meu antebraço. No entanto, até um cristal-catedral pequeno nos dá a informação de que precisamos. Partes deste livro foram escritas com a ajuda de um cristal-catedral do tamanho da palma da mão, um cristal natural gerador guarnecido com cristais pontes.

O quartzo-catedral pode parecer composto de vários pedaços convolutos separados, mas na verdade são todos parte do mesmo cristal principal, que tem várias terminações com pelo menos uma ponta no ápice.

Pode-se ter acesso à biblioteca de luz por meio da meditação com o quartzo-catedral. Ele nos ajuda a entrar em sintonia com a mente universal e age como receptor e transmissor do pensamento grupal, que atinge uma vibração mais elevada quando em contato com as energias puras do cristal. Essa pedra também provê o acesso aos Registros Akáshicos*.

Acredita-se que o quartzo-catedral se faça conhecer a cada 2 mil anos para cooperar com a evolução da consciência planetária, elevando o pensamento a uma vibração superior. O quartzo-catedral pode ser programado para promover um mundo melhor.

Colocado num local dolorido, o quartzo-catedral traz um alívio considerável.

ARMAZENADOR DE REGISTROS

O cristal que armazena registros tem gravações em forma de pirâmide num dos lados ou em todos eles. Às vezes essas figuras estão separadas, de modo que a superfície do cristal é coberta de triângulos, enquanto outros mostram apenas um ou vários, entalhados num padrão que lembra as divisas em forma de V que indicam o posto na hierarquia militar. Esses cristais são normalmente, mas não necessariamente, quartzos transparentes. Simbolizam a harmonia perfeita da mente, do corpo, das emoções e do espírito, além do olho que tudo vê.

Os armazenadores de registros guardam impressões a respeito de tudo o que já aconteceu e são portais para a sabedoria espiritual. Para trabalhar com essas pedras é preciso discernimento e integridade. Colocado com um triângulo sobre o terceiro olho*, esse cristal pode ser usado na meditação para chegar ao passado coletivo ou pessoal ou restabelecer a sintonia com a nossa própria sabedoria e facilitar o conhecimento da nossa evolução. Para que o "livro se abra", basta segurar o cristal e esfregar o dedo suavemente sobre a pirâmide.

O armazenador de registros é uma excelente maneira de explorar o nosso eu interior. Pode servir como um catalisador para o crescimento e ajudar a remover obstáculos ao progresso. Por reenergizar todo o nosso ser, ele pode prevenir o esgotamento emocional. (*Ver também* cerussita armazenador de registros, página 98.)

Quartzo armazenador de registros

ENTALHADO

O cristal entalhado parece ter hieroglifos ou uma escrita cuneiforme em suas faces. Usado durante a meditação, esse cristal nos leva de volta a civilizações antigas, permitindo-nos chegar à sabedoria e ao conhecimento de vidas passadas. Pode ser extremamente útil para resgatar o conhecimento adquirido em treinamentos ou iniciações espirituais realizadas nessa época, ou despertar habilidades de cura inerentes.

Diz-se que o cristal entalhado é um cristal pessoal, por isso deve ser usado somente por uma pessoa, e devidamente purificado e reprogramado antes e depois de usado. Esse cristal também tem o poder de orientar outra alma consciente para que ela chegue ao seu próprio conhecimento do passado. Ele é especialmente útil na terapia de vidas passadas, principalmente quando a pessoa estabelece contato com uma época anterior a indisposições* ou ao estabelecimento de padrões emocionais destrutivos, pois o cristal faz com que a pessoa regresse ao presente com a sensação de que não carrega sobre os ombros esses fardos emocionais e com muito mais possibilidade de restabelecer o estado de perfeição interior.

Quartzo entalhado

QUARTZO EM FORMA DE CETRO

O quartzo em forma de cetro é uma grande haste central em torno da qual outro cristal se formou. O quartzo em forma de cetro também se apresenta numa forma menor, em que a haste de quartzo tem uma crista bem definida e um remate mais largo, além de um outro cetro que aponta para o lado oposto, onde um cristal pequeno ou uma terminação opaca emerge de uma base de pedra mais larga.

Esse tipo de quartzo em tamanho grande é uma pedra muito especial. Usado como instrumento de meditação, ele estabelece uma ligação com a sabedoria das eras e facilita a canalização de vibrações superiores. Por gerar e amplificar a energia, esse cristal é um excelente instrumento de cura, pois direciona a cura para o âmago do problema ou para a parte central dos corpos sutis*. A indisposição é combatida e as energias reestruturadas nos níveis físico, mental, emocional ou espiritual do ser, como for mais apropriado. É particularmente útil quando a energia tem de ser transmitida numa direção específica.

Existe uma lenda segundo a qual essas pedras eram usadas, na Atlântida e na Lemúria*, como um símbolo da autoridade espiritual, que voltaram a surgir para trazer o poder dos cristais para a nossa era. Por serem um *lingam* natural, podem ser usados para curar problemas de fertilidade e para equilibrar as energias masculina e feminina.

Os cetros de quartzo que apontam para o lado oposto transmitem energia de cura, purificam essa energia e depois a fazem retornar para o agente de cura. Libertam a mente de falsas ilusões e a ajudam a atingir um estado de quietude.

Outros cristais também podem ter o formato de cetros. Os bastões naturais de selenita, longos e delicados, são às vezes fixados a outro cristal para transformarem-se num poderoso instrumento de cura que ressoa numa vibração extremamente elevada e inspira sabedoria profunda e conhecimento antigo. O cetro de selenita também pode ser usado para eliminar partes doentes ou lesionadas do esquema etérico*, que carregam impressões de feridas físicas ou emocionais do passado que afetam o corpo físico no presente.

OS FORMATOS DOS CRISTAIS

Cetro grande

Cetro apontando para o lado oposto

ELO DO TEMPO (ATIVADOR)

O cristal elo do tempo ou ativador pode assumir duas formas, a direita e a esquerda. A partir da estrutura atômica helicoidal única do quartzo, um pequeno paralelograma forma uma janela que se inclina ou para a direita ou para a esquerda. Essa formação nos ensina que o tempo é uma ilusão que usamos para organizar as nossas experiências na Terra, mas que, na realidade, o tempo como o conhecemos não existe. O elo do tempo inclinado para a esquerda nos leva ao passado para explorarmos outras vidas e dimensões espirituais, enquanto o elo do tempo inclinado para a direita nos leva a um futuro ou futuros aparentes, mostrando que o futuro é o que fazemos dele. Alguns cristais mostram tanto o presente quanto o futuro.

Um par de cristais ativadores é um excelente instrumento para sintetizarmos os hemisférios direito e esquerdo do cérebro e pode ser usado para corrigir distúrbios no lado contrário do corpo, especialmente os causados por problemas ou disfunções neurológicas – o ativador inclinado para a esquerda trata problemas do lado direito do corpo, e o ativador inclinado para a direita trata indisposições* do lado esquerdo. Os ativadores também podem ser usados para alinhar os chakras*, sendo que os chakras das costas são tratados pelo cristal inclinado para a direita e os chakras da frente do corpo são tratados pelo cristal inclinado para o lado esquerdo.

Elo do tempo (lado esquerdo)　　　　　　*Elo do tempo (lado direito)*

JANELA DE DIAMANTE

As faces achatadas na parte superior do cristal são chamadas "janelas", que podem ser grandes ou pequenas e assumir o formato de um diamante. Essas janelas em forma de diamante facilitam a lucidez mental e a organização de informações recebidas de diferentes níveis do ser. Quando contemplamos uma delas somos levados para as profundezas do nosso ser, ou conseguimos extrair dali informações sobre outra pessoa.

A verdadeira janela em forma de diamante é larga e conectada ao ápice e à base, mas até as janelas de diamante pequenas podem ajudar a equilibrar os mundos material e espiritual, ajudando-nos a viver o dia-a-dia ao mesmo tempo que nos conecta com uma realidade maior. As janelas em forma de diamante proporcionam um portal para outros níveis do ser e uma conexão profunda com o eu. Eles refletem o estado interior do ser e as causas das indisposições*, e podem ajudar a localizar pessoas perdidas nas cercanias, caso uma imagem da pessoa seja projetada com força suficiente no centro do diamante. (*Ver também* páginas 352-353.)

Janela de diamante

OS FORMATOS DOS CRISTAIS

AGENTE DE AUTOCURA

O cristal agente de autocura tem muitas terminações pequenas logo acima da base, onde ele se quebrou, e corrigiu essa falha, formando novos cristais. Capaz de curar ferimentos, esse cristal tem um impressionante conhecimento de autocura que se dispõe a compartilhar com alegria. Ensina a curar e restabelece a nossa integridade, independentemente da lesão ou ferimento que possamos ter sofrido.

LINHA DO TEMPO ANCESTRAL

O cristal linha do tempo ancestral tem uma saliência achatada e muito bem definida que vai da base até o ápice do cristal. Tem em geral uma linha que mostra exatamente onde está localizada a dor familiar, e há quanto tempo essa dor existe. A sintonização com esse cristal revela a fonte da indisposição* familiar, de modo que ela possa ser curada. Essa energia de cura é então enviada para as gerações passadas, até aquela onde a indisposição surgiu. Essa cura transforma toda a linhagem familiar, além de beneficiar as gerações futuras.

Agente de autocura

Linha do tempo

PORTAL (ABERTURA)

O cristal portal ou de abertura tem uma depressão em forma de taça grande o suficiente para represar líquidos. Contemplar o conteúdo líquido dessa depressão propicia um portal para outros mundos e nos permite viajar pelo passado, presente e futuro. Trata-se de uma pedra excelente para a preparação de elixires de pedras que intensificam a visão espiritual e as faculdades psíquicas.

CUNHA (ABERTURA)

O cristal cunha tem um entalhe ou abertura em um dos lados que se estreita à medida que penetra no cristal. Esse entalhe normalmente tem, mas nem sempre, três ou seis lados e proporciona uma passagem para destrancar partes do eu que normalmente se mantêm ocultas, ou para chegar a informações ocultas de qualquer espécie. A meditação com um desses cristais revela o que escondemos dentro de nós, especialmente na mente subconsciente, arrancando-nos da ilusão. Trata-se de um instrumento excelente para eliminar qualquer coisa que restrinja a nossa alma e para romper amarras.

Cunha

CAMINHO DA VIDA
O cristal caminho da vida é um quartzo transparente fino e comprido com um ou dois lados absolutamente lisos. Esse cristal dá acesso ao propósito da nossa vida e nos ajuda a seguir com o fluxo e a nossa alegria, levando-nos ao nosso destino espiritual. Essa pedra nos ensina a seguir o que a nossa alma, não o nosso ego, quer.

QUARTZO ESPIRAL
O quartzo espiral tem um efeito espiralado que chega ao ápice e ajuda a manter o equilíbrio em qualquer nível. Absorve a energia universal e a transmite ao corpo e ancora essa energia durante a meditação. Esse cristal pode estimular a subida da energia kundalini* através dos chakras*, eliminando qualquer bloqueio energético que impeça a subida dessa energia.

Caminho da vida

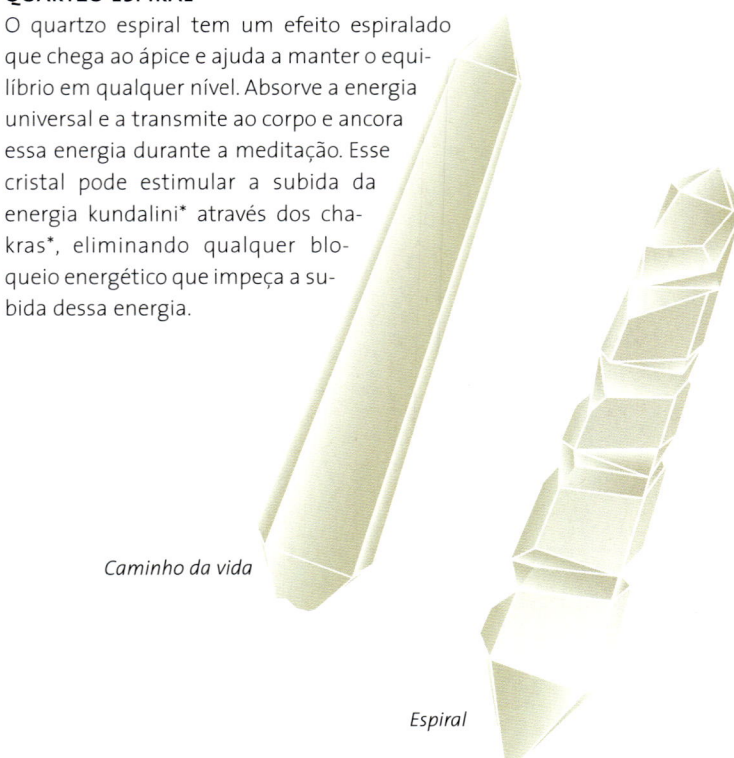

Espiral

QUARTZO-LÂMINA

O quartzo-lâmina é uma camada de cristal transparente e achatada, muitas vezes entre dois cristais, que nos proporciona uma janela para outras dimensões e facilita o nosso acesso e comunicação com os Registros Akáshicos*. Esse cristal pode ser usado para estabelecer contato com vidas passadas relevantes e para mergulhar profundamente no eu. Estimula o uso pleno do potencial psíquico, ativa o terceiro olho* e facilita a visualização e a visão espiritual. Usado na meditação, ele nos leva a um lugar onde as respostas podem ser encontradas.

Quartzo-lâmina

ACOMPANHADO

O cristal acompanhado tem dois cristais geminados, que cresceram a partir um do outro, ou um cristal pequeno desenvolvido a partir de um cristal principal. Há casos em que um cristal circunda totalmente o outro. Os cristais acompanhados irradiam energia benéfica e nos proporcionam um grande apoio, particularmente em períodos difíceis. Podem ajudar-nos a entender melhor um relacionamento e a reconhecer como um parceiro pode apoiar o outro.

Acompanhado

Gêmeo tântrico

Alma gêmea

ALMA GÊMEA (GÊMEO TÂNTRICO)

O cristal alma gêmea faz exatamente o que o nome sugere: atrai para você a sua alma gêmea, embora ela possa não ser um parceiro romântico. Os cristais alma gêmea, ou gêmeos tântricos, são um par de cristais aproximadamente do mesmo tamanho, que crescem da mesma base e estão unidos por uma lateral, embora tenham terminações distintas e separadas. Tântrico significa "união de energias". Cristais alma gêmea são benéficos para todos os tipos de relacionamento. Quanto mais parecidos eles forem em tamanho, mais harmonioso será o relacionamento.

Essas pedras têm uma mensagem poderosa com relação à união de duas pessoas num relacionamento íntimo. Ensinam como podemos ser um único ser sem perder a individualidade, enquanto mantemos uma parceria onde ambos têm os mesmos direitos. Para que a união seja bem-sucedida, precisamos nos sentir à vontade com nós mesmos. Se isso não acontecer, projetaremos nossas questões mal resolvidas sobre o parceiro. Os gêmeos tântricos ajudam-nos a conhecer e aceitar de fato quem somos. Como resultado, a interdependência e a intimidade profunda com outra pessoa serão possíveis.

Os gêmeos tântricos de cristais de tamanho desigual são úteis quando trabalhamos um relacionamento entre pai e filho, mãe e filha, empregado e patrão, pois ajuda o amor incondicional a manifestar-se na situação e promove a harmonia entre as duas pessoas.

Se você tiver a sorte de encontrar um cristal alma gêmea ou gêmeos tântricos que tenha um arco-íris de cores vibrantes na intersecção entre os dois cristais, então o seu relacionamento será especialmente harmonioso. Você terá encontrado a sua verdadeira alma gêmea. Deixe o seu cristal na Área do relacionamento da sua casa ou quarto – o canto direito mais afastado da porta.

O verdadeiro gêmeo tântrico é composto de dois cristais absolutamente idênticos, alinhados um ao lado do outro. Trata-se de uma pedra excelente para duas pessoas que trabalham juntas em pé de igualdade, seja material ou espiritualmente. Esses cristais também podem ser usados para harmonizar e integrar os diferentes níveis do eu. O gêmeo tântrico de terminação dupla é a pedra perfeita para a ascensão – eleva a vibração e alinha o eu superior com o propósito da nossa alma.

A Área do relacionamento é o canto direito mais afastado com relação à porta da frente ou da porta de um cômodo

OS FORMATOS DOS CRISTAIS

Ponte

Tabular

Cruz

Craca

Esta formação é um cristal tabular de terminação dupla com cristais ponte, craca e cruz sobrepostos

CRACA

O cristal craca tem muitos cristais pequenos cobrindo total ou parcialmente outro cristal maior. O cristal principal é supostamente uma "alma antiga" cuja sabedoria atrai os cristais mais jovens. Trata-se de um cristal útil para a meditação em família, ou sobre problemas comunitários e para pessoas que trabalham em empresas prestadoras de serviço. Propicia uma energia grupal coesa que beneficia o propósito comum e promove o trabalho em equipe. Diz-se que esse cristal pode dar um grande conforto a quem perdeu um ente querido.

PONTE

O cristal ponte se desenvolve a partir de outro, maior. Como o nome sugere, ele supre uma lacuna e aproxima as coisas. Pode ser usado para aproximar o mundo interior e exterior, o eu superior e o ego, ou nós mesmos e outra pessoa. É útil quando falamos em público, especialmente nas ocasiões em que tentamos expressar novas idéias.

CRUZ

A formação em cruz consiste num cristal que se desenvolveu na transversal, sobre outro maior. Por estabilizar as nossas energias interiores, esse cristal nos abre para a multiplicidade de mundos e facilita o estudo espiritual. Essa formação remove implantes* energéticos e clareia e ativa os chakras*.

BUDA

O cristal Buda se diferencia por ser uma formação que lembra um Buda sentado no interior do quadrante superior do cristal. Essa formação ocorre em cristais transparentes como o quartzo e a danburita, e é uma pedra excelente para a iluminação e a meditação profunda, especialmente quando usada por um grupo que atinge por meio dela os níveis mais elevados de percepção. O cristal Buda ajuda-nos a trilhar o nosso caminho espiritual e nos orienta nos planos físico, mental e espiritual. Esse cristal facilita a transmissão da sabedoria antiga do Oriente para a glândula pineal e, a partir daí, para a consciência.

Buda

CANALIZAÇÃO

O cristal de canalização* tem sete faces na frente da terminação e uma face triangular no lado oposto. Como o nome sugere, ele canaliza energia de cura ou informações de fontes superiores e depois ajuda na expressão do que se aprendeu. Os cristais de canalização podem facilitar a canalização mediúnica, mas só devem ser usado com esse propósito por aqueles que têm experiência no assunto.

TRANSMISSOR

O cristal transmissor tem sete faces com dois triângulos perfeitos entre elas. Ele pode ser usado para enviar energia de cura a longas distâncias ou para a transmissão de pensamentos. Ligados às mais puras vibrações possíveis, eles abrem a intuição e atraem sabedoria e comunicação dos reinos mais elevados.

TRANSCANALIZADOR

O cristal transcanalizador combina o cristal de canalização com o transmissor. Ele tem a rara formação de três faces de sete lados, entre as quais há um triângulo perfeito. Diz-se que essa é uma pedra extremamente criativa, dedicada ao serviço à humanidade e que pode franquear o acesso à mais elevada sabedoria pessoal e coletiva, ativando a intuição em qualquer circunstância.

Transmissor

Transcanalizador

PEDRA VIDENTE

A pedra vidente é uma pedra natural polida pela água, que é cortada para revelar um mundo interior.

Ela é uma pedra excelente para a escriação*, pois mostra o passado, o presente e o futuro e pode levar-nos a dar um mergulho no nosso eu interior. Também se diz que podemos programar a pedra vidente para levar-nos de volta a uma época específica e chegar ao conhecimento armazenado ali.

ÍSIS (DEUSA)

O cristal Ísis tem uma face dominante de cinco lados, com uma terminação longa e pontiaguda parecida com a ponta de uma flecha. Esse cristal é extremamente útil para curar qualquer coisa que se tenha rompido, seja no plano físico, mental, emocional ou espiritual. Pode ser usado para integrar energias espirituais do corpo emocional, trazendo mais equilíbrio e emoções prazerosas, e amenizando a identificação excessiva com o sofrimento alheio. Esse cristal pode levar-nos ao fundo do nosso coração para que ele seja curado, proporcione vislumbres intuitivos e promova a aceitação. Útil para homens que querem entrar em contato com os próprios sentimentos, esse cristal também pode ajudar crianças sensíveis a estabilizarem-se emocionalmente. O cristal Ísis é benéfico para qualquer pessoa que esteja passando por uma transição, especialmente para o mundo espiritual.

Pedra vidente

Ísis

OS FORMATOS DOS CRISTAIS

Bastão com extremidade lapidada

BASTÕES

Os bastões são o instrumento de cura tradicional dos xamãs, agentes de cura e metafísicos. Os bastões mágicos das lendas e mitos eram usados pelos praticantes atlantes altamente desenvolvidos da cura com cristais e muitos agentes de cura de hoje acreditam que esses bastões de eras remotas estejam agora vindo à tona, carregados com a sua poderosa programação.

Os bastões têm a capacidade de focar a energia por meio da sua extremidade pontiaguda. A maioria deles é lapidado artificialmente, mas existe também os naturais. Cristais com terminações pontiagudas como os poderosos quartzos *laser* são excelentes instrumentos de cura.

A capacidade de cura dos bastões torna-se muito mais ampla quando eles são programados com intenção (ver página 29). Quando usamos o bastão, é importante permitir conscientemente que a energia de cura flua através do nosso chakra* da coroa, atravesse o braço e chegue até a mão que segura o bastão. A pedra então amplifica a energia e a transmite ao paciente. Se usarmos a nossa própria energia com esse propósito, a cura não será tão eficiente, e nos sentiremos enfraquecidos e sem energia.

BASTÃO DE QUARTZO

O bastão de quartzo longo e transparente, seja ele natural ou lapidado, emite tanto energia positiva quanto negativa. O bastão intensifica a energia e a concentração onde ela é mais necessária ou a absorve e dissipa. Esse cristal pode ser usado para descobrirmos a causa subjacente de uma indisposição* e para transformá-la. Ele também aponta e cura áreas bloqueadas ou debilitadas no corpo físico ou na aura*.

QUARTZO *LASER*

O quartzo *laser* é um cristal de quartzo longo e esguio, formado naturalmente, que termina numa ponta de pequeninas faces. Os seus lados são muitas vezes ligeiramente curvos. É um instrumento extremamente poderoso que deve ser usado com cautela. Nunca deve ser apontado ao acaso para ninguém e só deve ser usado com clareza de intenção. Se usado dessa maneira, esse cristal é um instrumento de cura surpreendente.

O quartzo *laser* foca, concentra e acelera a energia, transmitindo-a num feixe de energia que age como um *laser*. Apropriado para cirurgias psíquicas, ele estimula os pontos de acupuntura e pode atingir estruturas minúsculas dentro do corpo, como a glândula pineal ou pituitária, ou fazer curas nos corpos físico ou sutis em que se exige precisão absoluta. Esse bastão é capaz de libertar entidades presas à aura e desfazer apegos e amarras que nos prendem a outras pessoas, além de eliminar a negatividade de todos os tipos. Também dá proteção à aura e ao corpo físico. No nível mental ou emocional remove atitudes inadequadas, padrões de pensamento obsoletos e bloqueios energéticos.

Quartzo laser

OS FORMATOS DOS CRISTAIS

QUARTZO TURMALINADO

Os bastões de quartzo com fios de turmalina ao longo da sua extensão são extremamente eficazes para qualquer pessoa que esteja num estado de grande tensão, devido ao estresse ou a algum tipo de trauma. Esse cristal cria uma abertura para a energia de cura fluir pelo corpo, e realinha e reenergiza os meridianos* e os órgãos. Ele clareia e revitaliza os chakras* e a aura*, propiciando uma excelente proteção. O quartzo turmalinado dissolve padrões e comportamentos destrutivos que tenham se originado em outras vidas e alivia a negatividade da vida presente que pode cristalizar-se e afetar vidas futuras. Preenche essa lacuna com autoconfiança e um senso de valor próprio que evita o retorno da negatividade.

BASTÃO DE TURMALINA

Os bastões naturais de turmalina são instrumentos de cura muito úteis. Limpam a aura, removem bloqueios, dispersam a energia negativa e apontam soluções para problemas específicos. São excelentes para equilibrar e conectar os chakras*. No nível físico restabelecem o equilíbrio dos meridianos energéticos.

Bastões naturais de turmalina

BASTÕES VOGEL

Os bastões vogel (e do tipo vogel) têm uma assinatura vibratória muito precisa. Com as suas faces cortadas em ângulos precisos, eles são bastões especialmente criados para serem instrumentos de cura extremamente eficientes, com uma vibração alta e puríssima. Os poderes e propriedades dos bastões vogel variam, dependendo do número de faces. As terminações menores e mais "atarracadas" são femininas e absorvem energia prânica que é ampliada à medida que sobe em espiral pelas faces. As terminações mais longas e finas são masculinas e transmitem energia como um feixe de raios *laser*. Os vogel são excelentes para conectar os chakras, libertar entidades presas à aura* e eliminar a negatividade. Detectam e corrigem bloqueios energéticos e equilibram os campos energéticos em volta do corpo e no interior dele.

Bastões do tipo vogel

Os vogel precisam ser programados e usados com muita precisão, de preferência por pessoas que receberam o treinamento adequado em terapia com cristais.

BASTÃO DE FLUORITA

Os bastões de fluorita são lapidados artificialmente, na maioria das vezes a partir de uma mistura de fluorita verde e roxa. Eles têm uma energia maravilhosamente suave e servem para massagear a pele e aliviar a dor e inflamações. Até mesmo um bastão pequeno é capaz de absorver uma quantidade enorme de tensão e, se não for purificado, pode rachar sob pressão. Para purificá-lo, imerja o bastão em água e, depois de concluído o processo de purificação, devolva a água à terra para que a energia de dor seja transmutada.

OS FORMATOS DOS CRISTAIS

BASTÃO DE OBSIDIANA
O bastão de obsidiana é ideal para casos em que é preciso eliminar energias negativas do corpo emocional e o paciente está pronto para confrontar essas energias. Depois de as liberar, o bastão de obsidiana protege a aura* e promove a conexão com a terra, apontando o caminho a seguir. Os bastões de obsidiana também podem ser usados para diagnóstico e localização de bloqueios.

BASTÃO DE AMETISTA
O bastão de ametista é um instrumento perfeito para abrir o chakra do terceiro olho* e ativar a glândula pineal, para estimular a visão intuitiva. Ele também remove bloqueios do chakra do sacro e da aura. Pode ser usado para curar a aura debilitada e proporcionar proteção.

Bastões lapidados artificialmente

BASTÃO DE QUARTZO ROSA
O bastão de quartzo rosa é imbuído de uma maravilhosa energia de paz. Trata-se de uma ferramenta excelente para acalmar os nervos e curar o coração partido, embora funcione perfeitamente bem em qualquer estado de agitação ou ansiedade. A influência suave dessa pedra normaliza rapidamente o pulso acelerado e baixa a pressão sanguínea. Se os chakras estão girando de maneira desequilibrada, o quartzo rosa estabiliza instantaneamente a energia e restabelece a harmonia.

BASTÃO DE QUARTZO ENFUMAÇADO
O quartzo enfumaçado é um cristal excelente para ancorar as energias negativas e dar proteção. O bastão de quartzo enfumaçado ancora a energia no chakra básico, ligando-o ao chakra da terra sob os pés. Purifica esse chakra* no corpo etérico e neutraliza o efeito de qualquer estresse geopático*. Também pode ser usado em qualquer lugar do corpo em que haja energia negativa.

Bastão de quartzo enfumaçado natural

BASTÃO DE SELENITA
Os bastões de selenita têm uma vibração extremamente pura. Podem ser usados para libertar entidades presas à aura e prevenir qualquer influência externa que possa afetar a mente.

Bastão de selenita natural

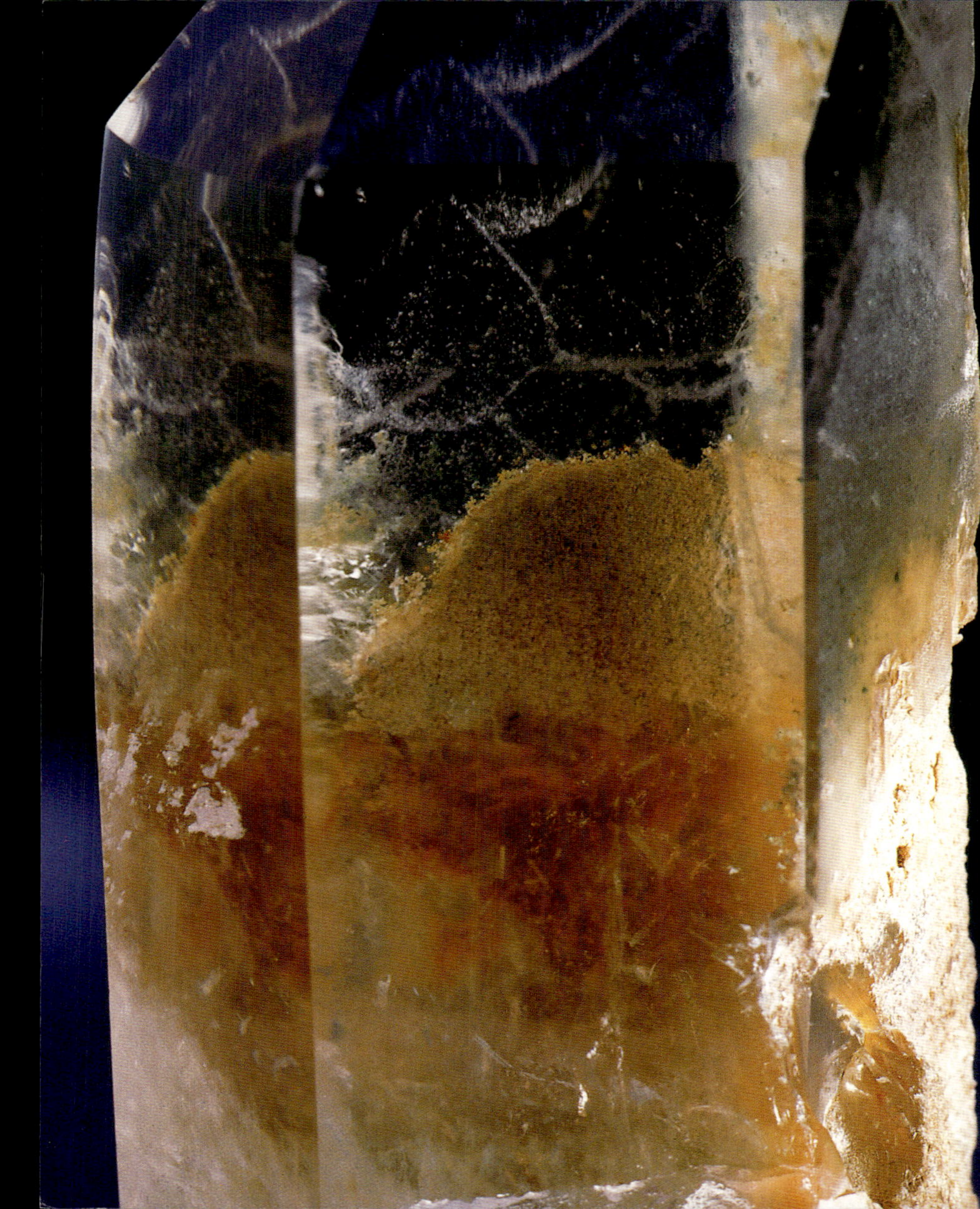

GUIA DE REFERÊNCIA RÁPIDA

Nas páginas que seguem, você encontrará guias de referência rápida das correspondências entre os cristais e os signos do zodíaco, o corpo, os chakras* e a aura*, com sugestões sobre como posicionar os cristais sobre o corpo, na terapia com cristais, como gradear um ambiente com a ajuda dessas pedras e como fazer elixires de pedras. Esses guias servem para ajudá-lo na seleção dos cristais e para apresentar-lhe alguns princípios gerais.

O posicionamento dos cristais para cura e proteção, por exemplo, pode ser facilmente adaptado para as suas necessidades. Encontre o posicionamento que seja mais adequado à sua intenção, consulte as correspondências entre os cristais e o corpo ou o Índice e encontre o cristal de que você precisa. Verifique as propriedades do cristal na Lista de Cristais, para ter certeza da sua escolha. Posicione o cristal como explicado ou faça uma ligeira modificação, de acordo com as suas necessidades. Se você está em busca do amor, por exemplo, pode adaptar o posicionamento para a cura de cristais com o quartzo rosa, a rodocrosita, a rodonita e a kunzita. Se você está na maturidade, pode acrescentar a aventurina verde, pois essa pedra estimula o amor em idades mais avançadas. Se você está mais interessado numa paixão, o jaspe vermelho e a turmalina verde são as pedras mais indicadas. Você logo aprenderá a usar a sua intuição para descobrir a combinação exata de cristais de que precisa.

OS CRISTAIS E O ZODÍACO

As pedras do zodíaco ancoram e ampliam as energias celestiais. Cada um dos doze signos do zodíaco é associado, por tradição, a determinadas pedras. A ligação entre o signo e as pedras às vezes se baseia no mês do nascimento e outras vezes se baseia nos planetas. À medida que novos cristais são descobertos, eles são associados aos signos. Use a tabela a seguir como orientação.

ÁRIES 21 de março – 19 de abril	Rubi, diamante, ametista, água-marinha, aventurina, pedra-do-sangue, cornalina, citrino, ágata-de-fogo, granada, jadeíta, jaspe, kunzita, magnetita, turmalina cor-de-rosa, espinélio laranja, topázio
TOURO 20 de abril – 20 de maio	Esmeralda, topázio, água-marinha, azurita, espinélio preto, pedra boji, diamante, cianita, kunzita, lápis-lazúli, malaquita, quartzo rosa, rodonita, safira, selenita, olho-de-tigre, turmalina, variscita
GÊMEOS 21 de maio – 20 de junho	Turmalina, ágata, apatita, apofilita, água-marinha, espinélio azul, calcita, crisocola, crisoprásio, citrino, ágata dendrítica, obsidiana verde, turmalina verde, safira, serpentina, quartzo turmalinado e rutilado, olho-de-tigre, topázio, variscita, zoisita, ulexita
CÂNCER 21 de junho – 22 de julho	Pedra-da-lua, pérola, âmbar, berilo, espinélio marrom, cornalina, calcita, calcedônia, crisoprásio, esmeralda, opala, turmalina cor-de-rosa, rodonita, rubi, ágata musgo, ágata-de-fogo, ágata dendrítica
LEÃO 23 de julho – 22 de agosto	Olho-de-gato, olho-de-tigre, rubi, âmbar, pedra boji, cornalina, crisocola, citrino, danburita, esmeralda, ágata-de-fogo, granada, berilo dourado, turmalina verde e cor-de-rosa, kunzita, larimar, muscovita, ônix, calcita laranja, petalita, pirolusita, quartzo, obsidiana vermelha, rodocrosita, topázio, turquesa, espinélio amarelo
VIRGEM 23 de agosto – 22 de setembro	Peridoto, sardônix, amazonita, âmbar, topázio azul, dioptásio, cornalina, crisocola, citrino, granada, magnetita, pedra-da-lua, ágata musgo, opala, obsidiana roxa, rubelita, quartzo rutilado, safira, sodalita, sugilita, smithsonita, okenita

Granada

GUIA DE REFERÊNCIA RÁPIDA

LIBRA 23 de setembro – 22 de outubro	Safira, opala, ametrina, apofilita, água-marinha, aventurina, pedra-do-sangue, quiastolita, crisolita, esmeralda, espinélio verde, turmalina verde, jade, kunzita, lápis-lazúli, lepidolita, obsidiana-cor-de-mogno, pedra-da-lua, peridoto, safira, topázio, prehnita, pedra-do-sol
ESCORPIÃO 23 de outubro – 21 de novembro	Topázio, malaquita, lágrima-de-apache, água-marinha, berilo, pedra boji, caroíta, dioptásio, esmeralda, granada, turmalina verde, diamante Herkimer, kunzita, malaquita, pedra-da-lua, obsidiana, espinélio vermelho, rodocrosita, rubi, turquesa, hidenita, variscita
SAGITÁRIO 22 de novembro – 22 de dezembro	Topázio, turquesa, ametista, azurita, ágata rendada azul, calcedônia, caroíta, espinélio azul-escuro, dioptásio, granada, obsidiana com reflexos dourados, labradorita, lápis-lazúli, malaquita, obsidiana-floco-de-neve, turmalina cor-de-rosa, rubi, quartzo enfumaçado, espinélio, sodalita, sugilita, turquesa, wulfenita, okenita
CAPRICÓRNIO 22 de dezembro – 19 de janeiro	Azeviche, ônix, âmbar, azurita, cornalina, fluorita, granada, turmalina verde e preta, labradorita, magnetita, malaquita, peridoto, quartzo, rubi, quarzo enfumaçado, turquesa, aragonita, galena
AQUÁRIO 20 de janeiro – 18 de fevereiro	Água-marinha, ametista, âmbar, angelita, celestita azul, obsidiana azul, pedra boji, crisoprásio, fluorita, labradorita, magnetita, pedra-da-lua, atacamita
PEIXES 19 de fevereiro – 20 de março	Pedra-da-lua, ametista, água-marinha, berilo, pedra-do-sangue, ágata rendada azul, calcita, crisoprásio, fluorita, labradorita, turquesa, smithsonita, pedra-do-sol

Quartzo enfumaçado

Ametista

OS CRISTAIS E OS CHAKRAS

No trabalho de cura ou harmonização dos chakras*, coloque a pedra mais apropriada em cada um dos chakras* – na frente do corpo ou nas costas, dependendo do que for mais confortável – e deixe-as ali durante quinze minutos. Podem-se colocar pedras em todos os chakras* ou, dependendo do nosso propósito, também acima da cabeça e abaixo dos pés.

Citrino

Kunzita cor-de-rosa

PARA ANCORAR A ENERGIA DO CHAKRA DA COROA AO CHAKRA DA BASE: quartzo enfumaçado
PARA ABRIR E LIMPAR TODOS OS CHAKRAS: âmbar, ágata dendrítica, malaquita
PARA ALINHAR OS CHAKRAS: pedra boji, kunzita amarela, cianita
PARA ELEVAR OS CHAKRAS: turquesa
PARA LIMPAR OS CHAKRAS INFERIORES: pedra-do-sangue

DA COROA SUPERIOR	kunzita, apofilita, celestita, muscovita, selenita, petalita, azeztulita, fenacita
DA COROA	moldavita, citrino, quartzo, serpentina vermelha, jaspe roxo, turmalina incolor, berilo dourado, lepidolita, safira roxa
DA SOBRANCELHA / TERCEIRO OLHO	apofilita, sodalita, moldavita, azurita, diamante de Herkimer, lápis-lazúli, granada, fluorita roxa, kunzita, lepidolita, malaquita com azurita, safira real, obsidiana azul-elétrico, azeztulita, atacamita
DA GARGANTA	azurita, turquesa, ametista, água-marinha, topázio azul, turmalina azul, âmbar, kunzita, ametista, lepidolita, obsidiana azul, petalita
DO CORAÇÃO SUPERIOR	dioptásio, kunzita
DO CORAÇÃO	quartzo rosa, quartzo verde, aventurina, kunzita, variscita, muscovita, calcita vermelha, rodonita, turmalina-melancia, turmalina cor-de-rosa, turmalina verde, peridoto, apofilita, lepidolita, morganita, quartzo verde, danburita cor-de-rosa, rubi, crisocola, safira verde
DO PLEXO SOLAR	Malaquita, jaspe, olho-de-tigre, citrino, turmalina amarela, berilo dourado, rodocrosita, smithsonita
DO SACRO	jaspe azul, jaspe vermelho, cornalina laranja, topázio, calcita laranja, citrino

GUIA DE REFERÊNCIA RÁPIDA

DA BASE	azurita, pedra-do-sangue, crisocola, obsidiana, topázio amarelo dourado, turmalina negra, cornalina, citrino, jaspe vermelho, quartzo enfumaçado
DA TERRA	Pedra boji, ágata-de-fogo, jaspe marrom, quartzo enfumaçado, hematita, obsidiana-cor-de-mogno, turmalina, rodonita

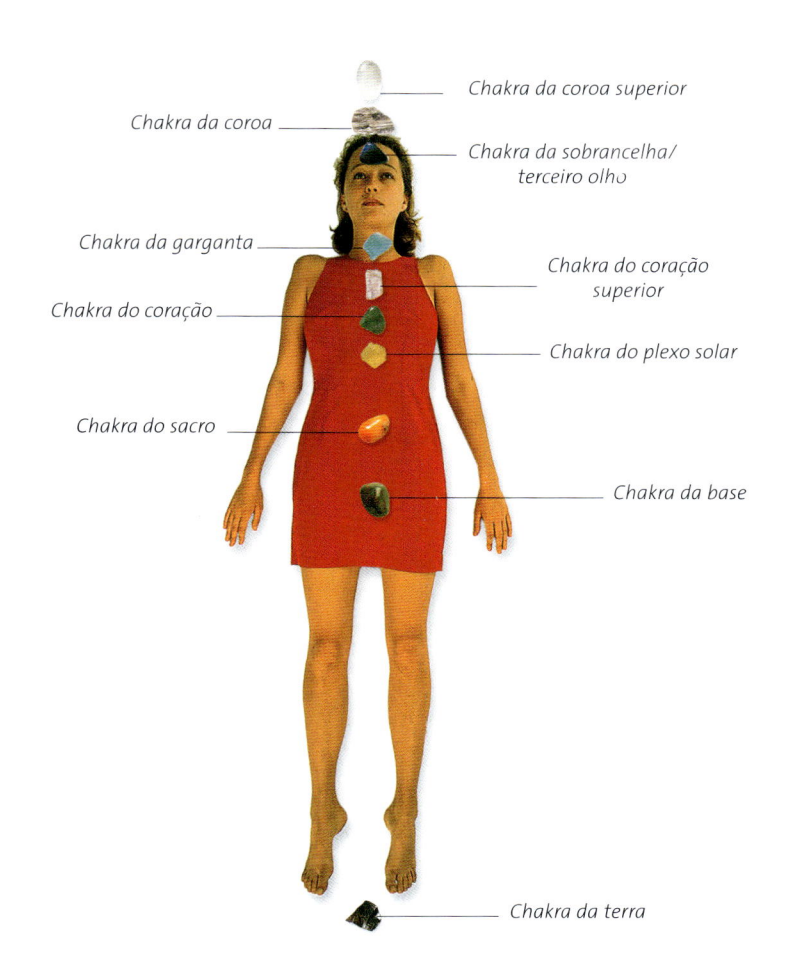

Chakra da coroa superior

Chakra da coroa

Chakra da sobrancelha/ terceiro olho

Chakra da garganta

Chakra do coração superior

Chakra do coração

Chakra do plexo solar

Chakra do sacro

Chakra da base

Chakra da terra

OS CRISTAIS E A AURA

Use ou posicione os cristais a seguir em volta do corpo, a um palmo de distância, para os propósitos relacionados neste quadro.

ÂMBAR	Pedra protetora desde tempos antigos. Alinha a aura* com o corpo físico, a mente e o espírito. Elimina a energia negativa e limpa a aura.
AMETISTA	Limpa suavemente a aura, elimina buracos e a protege, canalizando energia divina.
LÁGRIMA-DE-APACHE (OBSIDIANA PRETA)	Protege delicadamente a aura, evitando que ela absorva energia negativa.
JADE PRETO	Protege a aura contra a negatividade.
PEDRA-DO-SANGUE	Purificador etérico que beneficia suavemente a aura.
CITRINO	Limpa e alinha a aura, preenchendo os buracos.
FLUORITA E TURMALINA	Propicia um escudo protetor.
TURMALINA VERDE	Cura os buracos na aura.
AZEVICHE	Protege a aura contra os pensamentos negativos das outras pessoas.
LABRADORITA	Evita a perda de energia, dá proteção alinhando a energia espiritual.
MAGNETITA	Fortalece a aura.
QUARTZO	Limpa, protege e amplia o campo áurico, eliminando buracos.
KUNZITA E SELENITA	Afasta influências mentais da aura.
PETALITA	Vibração mais elevada. Libera o karma negativo e entidades da aura.
QUARTZO ENFUMAÇADO	Ancora a energia e dissipa os padrões negativos da aura.

Lágrima-de-apache

Pedra-do-sangue

GUIA DE REFERÊNCIA RÁPIDA

O INVÓLUCRO BIOMAGNÉTICO

A aura e seus corpos etéricos com os pontos de ligação com os chakras* (ver página 364).

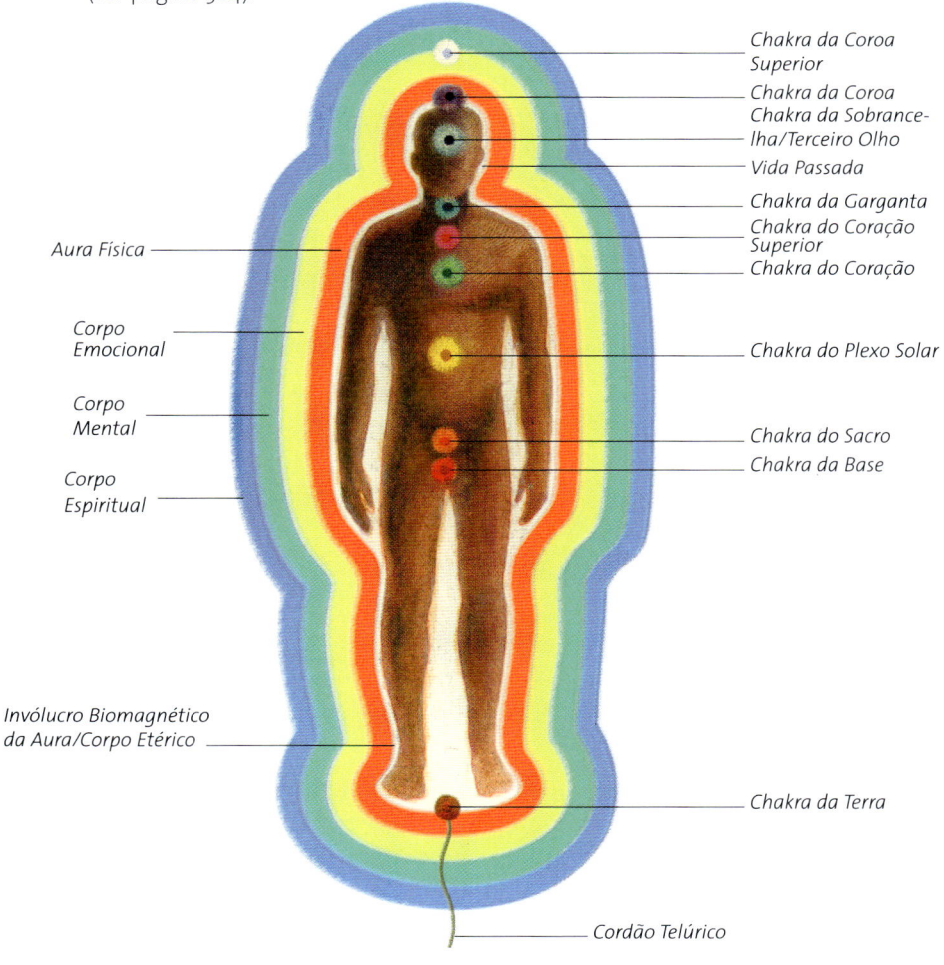

- *Chakra da Coroa Superior*
- *Chakra da Coroa*
- *Chakra da Sobrancelha/Terceiro Olho*
- *Vida Passada*
- *Chakra da Garganta*
- *Chakra do Coração Superior*
- *Chakra do Coração*
- *Chakra do Plexo Solar*
- *Chakra do Sacro*
- *Chakra da Base*
- *Chakra da Terra*
- *Cordão Telúrico*

- *Aura Física*
- *Corpo Emocional*
- *Corpo Mental*
- *Corpo Espiritual*
- *Invólucro Biomagnético da Aura/Corpo Etérico*

GUIA DE REFERÊNCIA RÁPIDA

CORRESPONDÊNCIAS ENTRE OS CRISTAIS E O CORPO

Coloque o cristal apropriado sobre o órgão do corpo para restabelecer-lhe o equilíbrio, estimulá-lo ou sedá-lo, de acordo com as suas necessidades.

Obsidiana vermelha e preta

Peridoto

CÉREBRO	âmbar, turmalina verde, turmalina azul-escura, berilo, ágata rendada azul
OUVIDO	âmbar, obsidiana vermelha e preta e floco-de-neve, celestita, rodonita, calcita laranja
OLHOS	água-marinha, berilo, calcedônia, crisoprásio, safira, caroíta, turmalina azul-escura, celestita, fluorita azul, ágata-de-fogo, olho-de-gato, calcita laranja
DENTES	água-marinha, quartzo rutilado, fluorita
PESCOÇO	água-marinha, quartzo
OMBROS	selenita
TECIDOS MUSCULARES	magnetita, danburita
PULMÕES	berilo, turmalina cor-de-rosa, peridoto, rodonita, âmbar, dioptásio, kunzita, lápis-lazúli, turquesa, rodocrosita, sardônix, turmalina azul, crisocola, esmeralda, morganita
BAÇO	âmbar, água-marinha, azurita, pedra-do-sangue, calcedônia, obsidiana vermelha
ESTÔMAGO	fluorita verde, ágata-de-fogo, berilo
INTESTINOS	berilo, peridoto, celestita, fluorita verde
APÊNDICE	crisólita
BRAÇOS	malaquita, jadeíta
PRÓSTATA	crisoprásio
TESTÍCULOS	jadeíta, topázio, cornalina, variscita
MÃOS	moldavita, água-marinha, pedra-da-lua
OSSOS	amazonita, azurita, crisocola, calcita, fluorita, ágata dendrítica, fluorita roxa, sardônix, pirita de ferro
SISTEMA NERVOSO/ TECIDO NEUROLÓGICO	âmbar, jade verde, lápis-lazúli, turmalina verde, ágata dendrítica

GUIA DE REFERÊNCIA RÁPIDA

MEDULA ÓSSEA	fluorita roxa
GLÂNDULA PINEAL	rodonita ornamental
GLÂNDULA PITUITÁRIA	pietersita
MAXILAR	água-marinha
GARGANTA	água-marinha, berilo, lápis-lazúli, turmalina azul, âmbar, jaspe verde
TIREÓIDE	âmbar, água-marinha, azurita, turmalina azul, citrino
TIMO	aventurina, turmalina azul
CORAÇÃO	quartzo rosa, caroíta, rodonita, granada, dioptásio
FÍGADO	água-marinha, berilo, pedra-do-sangue, cornalina, jaspe vermelho, caroíta, danburita
VESÍCULA BILIAR	cornalina, jaspe, topázio, calcita, citrino, quartzo amarelo, olho-de-tigre, calcedônia, danburita
RINS	água-marinha, berilo, pedra-do-sangue, hematita, jadeíta, nefrita, quartzo rosa, citrina, calcita laranja, quartzo enfumaçado, âmbar, muscovita
PÂNCREAS	turmalina vermelha, ágata rendada azul, crisocola
ESPINHA	granada, turmalina, labradorita, berilo
TUBAS UTERINAS	crisoprásio
SISTEMA REPRODUTOR FEMININO	cornalina, pedra-da-lua, crisoprásio, âmbar, topázio, unaquita
BEXIGA	topázio, jaspe, âmbar, calcita laranja
SISTEMA CIRCULATÓRIO E SANGUE	ametista, pedra-do-sangue, calcedônia, hematita, jaspe vermelho
VEIAS	variscita, pirolusita, obsidiana floco-de-neve
JOELHOS	azurita, jadeíta
ARTICULAÇÕES	calcita, azurita, rodonita, magnetita
PELE	azurita, jaspe marrom, jaspe verde
PÉS	ônix, quartzo enfumaçado, apofilita
SISTEMA ENDÓCRINO	âmbar, ametista, jaspe amarelo, turmalina cor-de-rosa, ágata-de-fogo

Berilo

Cornalina vermelha

GUIA DE REFERÊNCIA RÁPIDA

Ágata-de-fogo

SISTEMA IMUNOLÓGICO	ametista, turmalina negra, lápis-lazúli, malaquita, turquesa
TRATO DIGESTIVO	crisocola, jade vermelho, jade verde
METABOLISMO	ametista, sodalita, pirolusita
COSTAS	malaquita, safira, lápis-lazúli
REGIÃO LOMBAR	cornalina
CAPILARES	ágata dendrítica

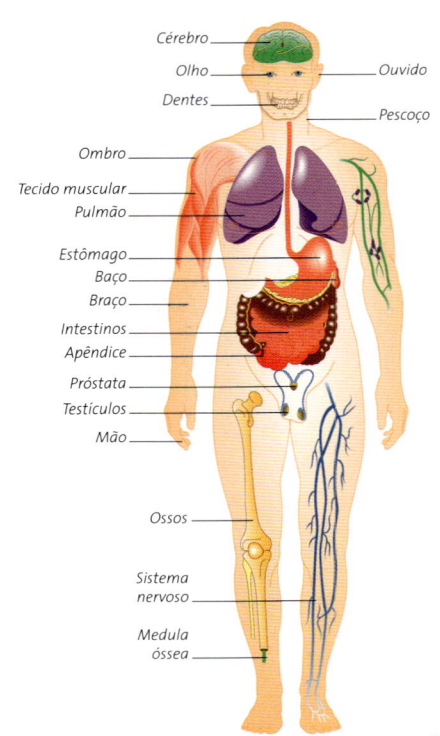

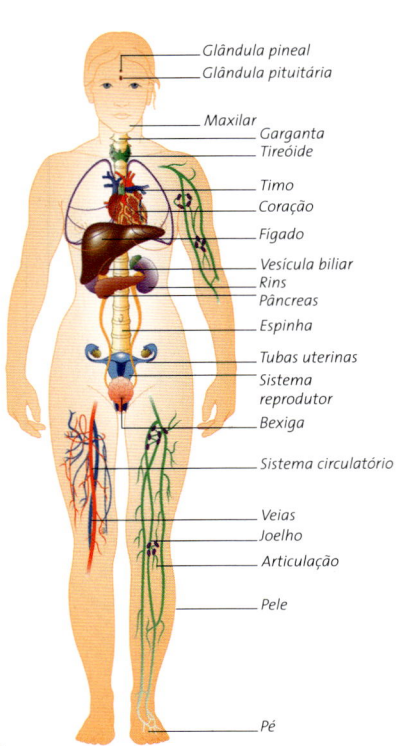

Cérebro, Olho, Ouvido, Dentes, Pescoço, Ombro, Tecido muscular, Pulmão, Estômago, Baço, Braço, Intestinos, Apêndice, Próstata, Testículos, Mão, Ossos, Sistema nervoso, Medula óssea

Glândula pineal, Glândula pituitária, Maxilar, Garganta, Tireóide, Timo, Coração, Fígado, Vesícula biliar, Rins, Pâncreas, Espinha, Tubas uterinas, Sistema reprodutor, Bexiga, Sistema circulatório, Veias, Joelho, Articulação, Pele, Pé

ELIXIRES DE PEDRAS

Como os cristais têm uma poderosa vibração, é fácil transferir essas vibrações para a água. Os elixires de pedras, também conhecidos como essências de cristais, podem ser ingeridos, casos os minerais não sejam tóxicos. Eles também podem ser aplicados sobre a pele ou despejados na água do banho. Elixires como os de turmalina negra podem ser misturados na água ou borrifados no ambiente.

COMO FAZER UM ELIXIR DE PEDRAS

Numa tigela de vidro cheia de água mineral, coloque um cristal purificado que não se deteriore na água. (Caso o seu cristal seja tóxico ou do tipo que se deteriora em contato com a água, coloque-o dentro de uma tigela menor e depois na tigela maior, cheia de água. Esse é o método indireto.) Coloque a tigela com água no sol durante doze horas. Tire o cristal e engarrafe a tintura-mãe numa garrafa de vidro hermeticamente fechada. Caso queira usar a tintura por mais de uma semana, para preservá-la acrescente 50% de vodca ou conhaque. Armazene num local fresco e protegido da luz. Adicione a tintura à água do banho ou coloque numa embalagem com dosador (ver página 372).

Método direto de preparação do elixir de pedras

Engarrafando o elixir

COMO FAZER UM FRASCO COM DOSADOR

Adicione várias gotas da tintura-mãe no frasco com dosador. Acrescente um terço de conhaque e dois terços de água, caso pretenda fazer uma solução oral ou usar o elixir em contato com a pele. Caso pretenda pingá-lo no olho, não coloque o conhaque. Ingira sete gotas três vezes ao dia. (Obs.: Certos elixires só devem ser usados externamente.)

ÁGATA RENDADA AZUL	Trata infecções oculares.
TURMALINA NEGRA	Promove a proteção psíquica e contra a neblina eletromagnética*. Alivia o *jet lag*, reduz a energia tóxica do corpo emocional, da mente e do corpo.
MALAQUITA	Harmoniza o físico, o mental, o emocional e o espiritual; ancora o corpo. Use apenas a pedra rolada.
FLUORITA	Rompe bloqueios no corpo etérico. Antiviral.
JADEÍTA	Cura problemas nos olhos e traz paz.
AMAZONITA	Equilibra o metabolismo.
JASPE VERDE	Equilibra o biorritmo e a sexualidade natural.
HEMATITA	Fortalece as fronteiras pessoais.
KUNZITA	Abre o coração.
ÂMBAR	Serve como antibiótico, cura problemas na garganta.
BERILO DOURADO	Cura a dor de garganta quando usado em gargarejo.
PEDRA-DO-SANGUE	Alivia a constipação e a estagnação emocional.
CAROÍTA	Excelente purificador do corpo.
DIAMANTE DE HERKIMER	Melhora a visão psíquica e a recordação dos sonhos.
ÁGATA-MUSGO	Trata infecções por fungo.

Ágata-musgo

Turmalina negra

DISPOSIÇÃO DOS CRISTAIS E GRADES CRISTALINAS

Os cristais proporcionam um alívio rápido em casos de indisposição*, quando dispostos sobre ou ao redor do corpo. Você também pode gradear* a cama ou proteger a casa com cristais. Os cristais também podem ser usados para fortalecer o sistema imunológico, para aliviar o estresse ou para estimular a memória. Também nos protegem contra o estresse geopático* ou a neblina eletromagnética*. Lembre-se apenas de programar o cristal antes de usá-lo.

PARA ALIVIAR O ESTRESSE

O relaxamento é o melhor antídoto para o estresse. Pegue oito pontas de ametista e coloque-as ao redor do corpo, à distância de um palmo, com a ponta voltada para dentro. Coloque uma pedra entre os pés e ligeiramente abaixo deles, outra acima da cabeça, duas no nível do pescoço, duas ao lado dos quadris e duas ao lado dos tornozelos. Feche os olhos e relaxe por um período mínimo de dez minutos – vinte seria o ideal. Você pode deixar os cristais nessa disposição a noite toda ou posicioná-los em volta da cama.

PARA ESTIMULAR O SISTEMA IMUNOLÓGICO

Tratamento breve. Coloque uma turmalina cor-de-rosa sobre o coração; uma verde sobre o timo, acima do coração; e uma ponta de quartzo acima da cabeça, apontando para cima. Coloque oito malaquitas em volta do corpo. Deixe-as no lugar durante um período de quinze a vinte minutos.
Tratamento longo. Durante o sono, mantenha uma turmalina verde fixada ao timo com fita adesiva ou esparadrapo. Coloque uma smithsonita cor-de-rosa em cada um dos cantos da cama e outra sob o travesseiro.

Smithsonita cor-de-rosa

LAYOUT DOS CHAKRAS

Coloque uma pedra marrom entre os pés e ligeiramente abaixo deles, uma pedra vermelha no chakra da base, uma pedra laranja abaixo do umbigo, uma pedra amarela no plexo solar, uma pedra cor-de-rosa no coração, uma kunzita no chakra do coração superior, uma pedra azul na garganta, uma índigo no terceiro olho, uma roxa no chakra da coroa e uma pedra branca de vibração elevada sobre a cabeça.

Turmalina verde

GUIA DE REFERÊNCIA RÁPIDA

PARA GRADEAR A CASA
Coloque uma turmalina negra (para proteção, estresse geopático* ou neblina eletromagnética), uma selenita (para proteção e orientação angélica) ou um sardônix (proteção contra o crime) em cada canto da casa ou do cômodo. Quando possível, coloque uma pedra grande do lado de fora da porta da frente.

LAYOUT DA MEMÓRIA
Você precisará de dois citrinos ou fluoritas amarelas para fortalecer a memória, uma calcita verde para aumentar a clareza mental, uma azurita para propiciar vislumbres intuitivos. Coloque dois cristais amarelos, um em cada lado da cabeça, na altura do ouvido. Coloque uma calcita verde no topo da cabeça e uma azurita sobre o terceiro olho*. Deixe as pedras no lugar durante vinte minutos.

PARA CURAR O CORAÇÃO
Coloque sete quartzos cor-de-rosa, um dioptásio e uma turmalina-melancia como mostrado abaixo e deixe-as no lugar durante vinte minutos. Você pode acrescentar quatro pontas de ametista, apontando para fora, para eliminar qualquer desequilíbrio emocional que possa estar bloqueando o coração.

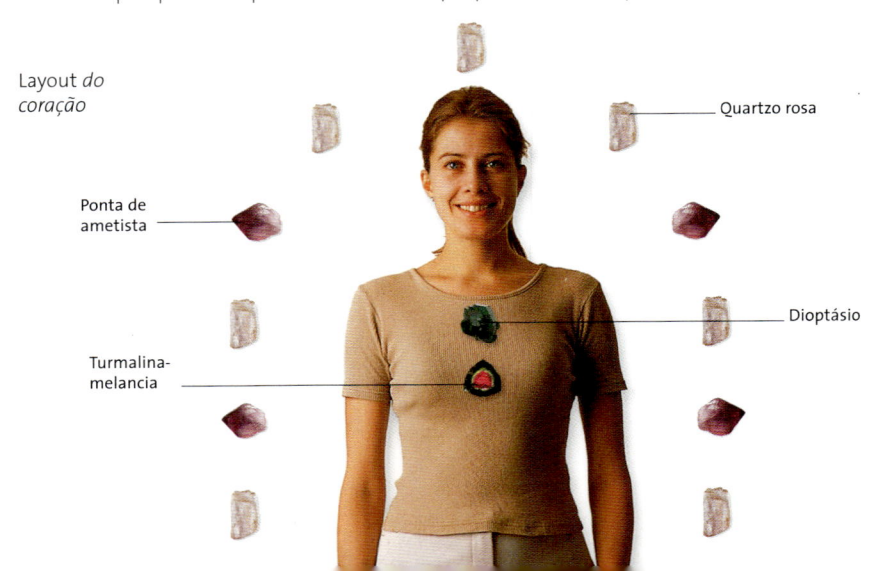

Layout *do coração*

Quartzo rosa

Ponta de ametista

Dioptásio

Turmalina-melancia

SIGNIFICADOS DIVINATÓRIOS DOS CRISTAIS

Por tradição, vários significados divinatórios foram associados a cada cristal. Para obter uma resposta rápida à sua pergunta, coloque os cristais relacionados na tabela a seguir num saquinho. Concentre-se na sua pergunta e pegue um cristal ao acaso. Em seguida consulte a tabela para encontrar a sua resposta. Se você pegar dois ou três cristais de uma só vez, leia todos os significados.

AMETISTA	Uma mudança na vida e na consciência. No amor, uma relação fiel e livre de ciúme.
ÁGATA	Sucesso mundano ou surpresa agradável. Saúde, prosperidade e vida longa. Sorte principalmente para pessoas que lidam com a terra.
ÁGATA RENDADA AZUL	É necessário um trabalho de cura.
ÁGATA PRETA	Apesar das dificuldades, a pessoa encontrará coragem e conquistará a prosperidade.
ÁGATA VERMELHA	Saúde e longevidade.
PEDRA-DO-SANGUE	Surpresa desagradável não relacionada à saúde.
JASPE VERMELHO	Assuntos materiais exigindo atenção.
AVENTURINA	Possibilidade de crescimento e expansão no futuro.
GRANADA	Uma carta a caminho.
CITRINO	A sabedoria celestial aconselha você.
DIAMANTE OU QUARTZO TRANSPARENTE	Permanência. Avanço nos negócios. Se o cristal perdeu o seu brilho, traição.
ESMERALDA	Fertilidade ou admirador secreto. Se a cor empalidece, o amor está diminuindo.
HEMATITA	Novas oportunidades à espera.
JADE	Carência ou busca de imortalidade ou perfeição.
LÁPIS-LAZÚLI	Nas graças de Deus.

Ágata-musgo

GUIA DE REFERÊNCIA RÁPIDA

Opala

QUARTZO	Convém esclarecer as questões relativas à pergunta e outras que possam surgir.
QUARTZO ROSA	Amor e autocura são necessários e surgirão.
QUARTZO-NEVE	Mudanças profundas.
RUBI	Poder e paixão, sorte e amizade, mas cautela com estranhos.
SAFIRA	Verdade e castidade. O passado será exposto.
OBSIDIANA-FLOCO-DE-NEVE	Fim de tempos atribulados.
OLHO-DE-TIGRE	Nada é o que parece.
UNAQUITA	Integração e compromisso.
OPALA	Morte ou conclusão. Se o cristal perde o brilho, amor infiel.
SARDÔNIX	Casamento.
TOPÁZIO	Cautela.
TURQUESA	Viagem iminente.

Obsidiana-floco-de-neve

INVOCAÇÃO DO AMOR

Os cristais podem ser usados em rituais como este aqui, no qual se usa um quartzo rosa para invocar o amor. Você precisará de quatro quartzos cor-de-rosa e uma ametista de tamanho maior. Também precisará de velas e candelabros, que podem ser feitos de quartzo rosa também.

1 Coloque os cristais e as quatro velas sobre uma mesa coberta com um tecido de seda. Coloque uma vela no norte e acenda-a para dar as boas-vindas aos espíritos dessa direção. Depois coloque as outras velas nas direções sul, leste e oeste e as acenda também, para dar as boas-vindas aos espíritos dessas direções. Peça a esses espíritos para que sirvam como guardiões e o mantenham a salvo de qualquer influência externa.

2 Pegue os cristais de quartzo rosa nas mãos e sente-se à mesa (se os cristais forem muito grandes, segure um de cada vez). Feche os olhos e entre em sintonia com os cristais, silenciosamente. Deixe que a energia dos cristais flua através das suas mãos e braços, até chegar ao coração. Quando a energia atingir o coração, sinta-o se abrindo e ampliando. Toque o coração com os cristais. O quartzo rosa é um poderoso agente de cura e purificação do coração, portanto deixe o seu coração ser purificado pela energia dos cristais.

3 Então diga em voz alta: "Eu sou um ímã para o amor. Eu dou as boas-vindas para o amor no meu coração..." Coloque os cristais sobre a mesa, em volta da pedra ametista, e diga em voz alta: "...e na minha vida." Sente-se em silêncio por alguns instantes com os olhos fixos nos cristais. Quando estiver pronto para concluir o ritual, levante-se e sopre a chama de cada vela, dizendo: "Eu irradio luz e amor para o mundo." Deixe os cristais sobre a mesa ou coloque-os em volta da sua cama.

GLOSSÁRIO

ANCORAMENTO Criar uma ligação sólida entre uma pessoa e o planeta Terra, que permita o escoamento ou o fluxo de energias corporais desequilibradas.

ATAQUE PSÍQUICO Projeção de pensamentos ou sentimentos malevolentes em outra pessoa, consciente ou inconscientemente, que pode criar doenças ou perturbações na vida dessa pessoa.

AURA Invólucro biomagnético sutil que cerca o corpo físico, proporcionando uma zona de proteção de meio metro a um metro de largura, e que contém informações sobre os estados físico, mental, emocional e espiritual do ser. Esse nome tradicional para o campo energético humano deriva do termo grego *avra*, que significa "brisa". O olho intuitivo pode ver os desequilíbrios da aura. *Ver também* CORPO ETÉRICO.

BIBLIOTECA DE LUZ Repositório energético de cura e conhecimento.

BUSCA DE VISÃO Prática xamânica dos nativos norte-americanos em que a pessoa se isola num ambiente natural e selvagem para comungar com a natureza e confrontar medos. Essa prática não deve ser realizada sem a devida orientação.

CÂMERA KIRLIAN Invenção russa que tira fotografias do INVÓLUCRO BIOMAGNÉTICO ou da AURA que cerca o corpo. Esse método de fotografar a aura foi descoberto em 1939 por Semyon Kirlian.

CAMPO ENERGÉTICO SUTIL Campo de energia sutil mas detectável que cerca todos os seres vivos.

CANALIZAÇÃO Processo pelo qual se transmitem informações de um ser desencarnado (almas que não estão encarnadas no plano físico) por meio da voz ou da mente de um ser encarnado.

CHAKRA Vórtice giratório de energia sutil. O termo deriva do termo sânscrito *chakram*, que significa "roda", pois esses centros têm, para os clarividentes e yogues, a aparência de discos de luz rodopiantes. O sistema de canais e de centros de energia sutil é a base dos conceitos de MERIDIANOS e de pontos de energia usados na acupuntura, na yoga e na cura energética. Existem oito chakras principais, alinhados ao longo da coluna. Esses centros conectam a energia do corpo físico com a do CORPO SUTIL. Os oito chakras estão localizados no topo da cabeça, no centro da testa (terceiro olho), na garganta, no plexo solar, na base da coluna, nos genitais e abaixo dos pés (terra) (ver páginas 364-365). Quando os chakras estão funcionando apropriadamente, o corpo físico e as energias sutis estão em equilíbrio e harmonia. O mau funcionamento dos chakras pode causar distúrbios físicos, mentais, emocionais ou espirituais. Muitos terapeutas holísticos acreditam que os chakras podem ser curados por meio da interação entre as vibrações dos cristais e das energias do CAMPO BIOMAGNÉTICO ou da energia sutil do corpo. *Ver também* CHAKRA DO TERCEIRO OLHO.

CHAKRA DA TERRA Chakra localizado entre os pés e ligeiramente abaixo deles, que fixa a alma nesta encarnação e liga o corpo físico à Terra. *Ver também* ANCORAMENTO E CORDÃO TELÚRICO.

CHAKRA DO TERCEIRO OLHO Chakra que tem sido prejudicado pelas drogas, por práticas psíquicas inadequadas ou pelo hábito de meditar por um período de tempo muito extenso. O chakra mantém-se aberto e passa a não cumprir a sua função de filtrar energias e ligar-se com planos superiores na meditação.

CLARIAUDIÊNCIA Capacidade psíquica para ouvir coisas inaudíveis ao sentido físico da audição.

CLARISSENCIÊNCIA Capacidade psíquica para sentir coisas fisicamente intangíveis.

CLARIVIDÊNCIA Capacidade psíquica para ver coisas que não são visíveis no mundo físico.

COMANDOS HIPNÓTICOS Programas inconscientes instilados por uma influência externa, que podem "comandar" o comportamento de uma pessoa, levando-a a agir automaticamente.

CONSCIÊNCIA CÓSMICA Estado de consciência elevadíssimo em que o sujeito faz parte de energias divinas não-físicas.

CONSCIÊNCIA CRÍSTICA No pensamento cristão, crença em nossa própria divindade interior (semelhante à manifestada por Cristo), que nos liga a todas as formas de vida do universo. No pensamento esotérico, a consciência mais elevada e a manifestação da energia divina. *Ver também* CONSCIÊNCIA CÓSMICA.

CORDÃO TELÚRICO Cordão energético vibratório fixado na terra, que segura os corpos etéricos e a alma na encarnação.

CORPO DE LUZ Corpo energético sutil que vibra numa freqüência extremamente elevada. Trata-se do veículo da alma e da consciência superior.

CORPO ETÉRICO Invólucro biomagnético sutil que cerca o corpo físico, também conhecido como AURA. *Ver também* AURA; CAMPO ELETROMAGNÉTICO.

CORPOS SUTIS As camadas do INVÓLUCRO BIOMAGNÉTICO relacionadas aos níveis físico, emocional, mental e espiritual do ser. *Ver também* ESCUDO BIOMAGNÉTICO.

CRIANÇA INTERIOR Parte da personalidade que se mantém infantil e inocente ou que pode ser o repositório de abusos e traumas e, portanto, pode precisar ser curada.

CRIANÇAS DAS ESTRELAS Seres evoluídos de outros sistemas planetários que encarnam na Terra para ajudar a evolução do planeta.

CRISE DE CURA sinal positivo de que os sintomas de uma doença logo desaparecerão e que é marcado por uma breve intensificação desses mesmos sintomas.

CURA DA TERRA Tentativa de corrigir distorções nas energias telúricas, causadas pela poluição e pela destruição dos recursos naturais.

DEFUMAÇÃO Método de purificação usada pelos nativos norte-americanos para preparar uma pessoa ou lugar sagrado para a prática espiritual. Esse método consiste em queimar ervas aromáticas e expor a pessoa ou lugar à fumaça.

DISPRAXIA Distúrbio caracterizado por falta de coordenação motora, falta de elegância nos movimentos e dificuldade para distinguir direita e esquerda. Ocorre muitas vezes junto com a dislexia.

DONS PSÍQUICOS Capacidades como a clarividência, a telepatia e a cura.

ENERGIA PRÂNICA A energia que permeia todas as coisas. Ela é particularmente útil no trabalho de cura, pois revitaliza e reenergiza. Do sânscrito *prana*, que significa "respiração".

ENTIDADES PRESAS À AURA Formas espirituais podem colar-se ao campo energético de uma pessoa encarnada.

ESCRIAÇÃO Identificação de imagens num cristal, que revelam o futuro ou os segredos do passado ou do presente.

ESCRITA AUTOMÁTICA Tipo de escrita que ocorre quando uma caneta empunhada frouxamente desliza pelo papel por conta própria, ou quando a pessoa que segura a caneta é impelida a escrever por pensamentos que são transmitidos da mente para o papel.

ESQUEMA ETÉRICO Programa sutil pelo qual um corpo físico é construído. Esse esquema inclui as impressões de desequilibrio ou lesões de vidas passadas, que podem resultar, na vida atual, em doenças ou deficiências.

ESTADO ENTRE-VIDAS No pensamento esotérico, o estado em que a alma deixa a encarnação física (isto é, morre). A alma existe nesse estado num corpo energético sutil que carrega impressões do que aconteceu a ela nas vidas passadas. É nesse estado que a alma formula o seu plano para a vida seguinte. O estado entre-vidas também pode ser atingido pela alma durante a encarnação física. Nesse estado, é possível curar o passado e tomar conhecimento do propósito e do plano para a vida presente.

ESTADO PRÉ-NATAL Dimensão habitada pelos seres humanos antes de nascer. *Ver também* ESTADO ENTRE-VIDAS.

ESTRESSE GEOPÁTICO Estresse criado por emanações sutis e distúrbios energéticos de veios subterrâneos, linhas de força e linhas de energia telúricas (LINHAS LEYS) negativas. O estresse geopático origina-se no interior da Terra e pode afetar as pessoas e poluir os edifícios. Também pode provocar doenças de todos os tipos. *Ver também* LINHAS LEYS.

EXTASIADO Termo que descreve uma sensação da percepção ampliada em que o sujeito fica excessivamente alegre, aéreo e fora do chão, incapaz de viver o seu dia-a-dia apropriadamente no plano físico.

FISSURAS Falha ou rachadura interna em um cristal que refrata a luz e que parece dividir o cristal em seções.

FORMAS-PENSAMENTO Formas criadas no nível etérico ou espiritual por pensamentos positivos e negativos poderosos, e que podem afetar o corpo mental da pessoa.

GRADEAMENTO Colocar cristais em volta de um edifício, de uma pessoa ou de um cômodo para protegê-los ou elevar as suas energias.

GLOSSÁRIO

GRUPO ANÍMICO Agrupamento de almas encarnadas.

GUIAS ESPIRITUAIS Almas desencarnadas que habitam o estado entre-vidas e auxiliam os encarnados. *Ver também* ESTADO ENTRE-VIDAS.

HOMEOPATIA Sistema de cura, praticado originariamente pelo médico grego Hipócrates (c.460-377 a.C), que estimula os poderes de cura do corpo por meio de quantidades infinitesimais de uma substância que pode causar os sintomas de uma determinada doença ou distúrbio. O médico alemão Samuel Hahnemann (1755-1843) foi o fundador da homeopatia na era moderna.

IMPLANTES ENERGÉTICOS Pensamentos ou emoções negativas que são "implantadas" nos CORPOS SUTIS por uma fonte externa, alienígena.

INDISPOSIÇÃO Estado que resulta de desequilíbrios físicos, sentimentos bloqueados, emoções suprimidas e pensamentos negativos.

INFLUÊNCIAS MENTAIS Os poderosos efeitos que os pensamentos e opiniões de outras pessoas podem exercer sobre a nossa mente.

KÁRMICO Que teve origem em vidas passadas ou se relaciona a uma delas. Débitos, crenças e emoções de outras vidas, como a culpa, podem persistir e afetar a vida presente.

KUNDALINI Energia sexual e espiritual que reside na base da coluna, mas pode ser estimulada a subir até o chakra da coroa.

LEMÚRIA No pensamento esotérico, civilização antiga supostamente anterior aos atlantes.

LINHAGEM ANCESTRAL Meio pelo qual os padrões e crenças familiares são herdados das gerações anteriores.

LINHAS LEYS Linhas de energia sutil, retas ou em espiral, que ligam lugares antigos ou pontos proeminentes da paisagem.

MATRIZ Base em que se assentam os cristais em estado natural.

MERIDIANO Na medicina chinesa, canal de energia sutil que corre próximo à superfície da pele e que contém pontos de acupressura.

MERIDIANO TRIPLO-QUEIMADOR Um dos meridianos do corpo usado na Medicina tradicional chinesa. Ver também MERIDIANO.

MESTRES ASCENSIONADOS Seres extremamente evoluídos que podem ou não ter encarnado um dia na Terra. Esses seres orientam a evolução espiritual do planeta. As pessoas que procuram elevar as suas vibrações espirituais e físicas estão em meio a um processo de ascensão.

MIASMA Impressão sutil de uma doença infecciosa do passado, como a tuberculose ou a sífilis, e que pode ser transmitida de geração em geração ou por um lugar. Esse termo foi cunhado por Samuel Hahnemann, o fundador da homeopatia. *Ver também* HOMEOPATIA.

NEBLINA ELETROMAGNÉTICA Campo eletromagnético sutil, mas detectável que pode exercer um efeito adverso sobre as pessoas sensíveis. A neblina é causada por linhas de força eletromagnéticas e equipamentos como computadores, telefones celulares e televisores.

NÍVEIS EXTERIORES Os níveis do ser que estão voltados para o plano físico e ambiental. *Ver também* NÍVEIS INTERIORES.

NÍVEIS INTERIORES Os níveis co ser que abrangem a intuição, a percepção psíquica, as emoções, os sentimentos e as energias sutis. *Ver também* NÍVEIS EXTERNOS e CORPOS SUTIS.

OCLUSÃO Depósito mineral contido no cristal, que geralmente se apresenta na forma de pontos, manchas enevoadas ou figuras fantasmagóricas, dependendo da cor do material (ver quartzo tibetano, na página 228).

ORÁCULO AUDÍVEL Oráculo que faz profecias por meio de sons como os de rachadura.

PENSAMENTO ESOTÉRICO Pensamento não-científico e não-materialista baseado na crença da existência da metafísica.

PLEOCRÓICO Diz-se de cristal que parece ter duas ou mais cores ou matizes diferentes, dependendo do ângulo pelo qual é contemplado.

PORTAL CELESTIAL Meio de acesso a reinos espirituais superiores. *Ver também* REINO CELESTIAL.

PORTAL ESTELAR Ponto de acesso por meio do qual se estabelece o contato extraterrestre.

PROGRAMAÇÃO EMOCIONAL NEGATIVA Os "deveria" e "não deveria" aliados à culpa que são instilados na infância ou em vidas passadas e permanecem na mente subconsciente, influenciando o comportamento presente. A menos que sejam reprogramados ou eliminados, eles sabotam os nossos esforços para evoluir.

QI (OU KI) Força vital que energiza os corpos físico e sutis.

RADIÔNICA Método de diagnóstico e tratamento a distância que usa principalmente instrumentos especialmente projetados com base na premissa de que todas as doenças e indisposições* são uma distorção no campo eletromagnético do corpo. O método se origina na pesquisa do doutor Albert Abrams, um médico norte-americano do século XIX.

RECUPERAÇÃO ANÍMICA Trauma, choque ou maus-tratos podem fazer com que uma parte da energia da alma se mantenha "presa". O praticante de "recuperação anímica" ou xamã recupera a alma trazendo essa parte de volta ao corpo físico ou, temporariamente, a um cristal.

REENQUADRAMENTO Prática de considerar um acontecimento passado de um ponto de vista diferente, com o objetivo de curar uma situação que ele ocasionou no presente.

REGISTROS AKÁSHICOS No pensamento esotérico, banco de dados que existe além do tempo e do espaço e que contém informações sobre tudo o que já ocorreu e ocorrerá no universo.

REIKI Técnica terapêutica de imposição das mãos na qual um fluxo de energia é transmitido ao paciente através das mãos do agente de cura. A palavra *reiki* deriva de *rei*, que significa "força sobrenatural ou inteligência espiritual" e *ki* (*qi*), que significa "força vital". Essa técnica foi usada pela primeira vez no Japão, em 1922, por Mikao Usui.

REINO ANGÉLICO O nível energético em que se acredita que os anjos vivam.

REINO CELESTIAL No pensamento da Nova Era, a morada dos seres superiores.

REINO DÉVICO Morada dos devas, ou espíritos da natureza, que, segundo o pensamento esotérico, habitam ou regem objetos naturais como árvores, rios ou montanhas. Embora os devas sejam geralmente invisíveis, pessoas clarividentes às vezes podem ver ou comunicar-se com eles, ou entrar em contato intuitivamente com o reino dévico, o nível energético em que esses espíritos existem.

ROLADA Termo usado com referência a pedras que foram polidas num enorme tambor cheio de grés (espécie de argila misturada com areia fina), o que resulta em pedras lisas e brilhantes.

SEMENTES KÁRMICAS Resíduo de traumas, atitudes ou doenças de vidas passadas alojadas no corpo etérico e que tem potencial para manifestar-se em forma de doenças ou distúrbios na vida presente.

SÍNDROME DA FADIGA CRÔNICA (SFC) Distúrbio viral debilitante caracterizado pela fadiga extrema, por dores musculares, pela falta de concentração, pela perda de memória e pela depressão. Até o momento não existe um tratamento médico convencional para esse distúrbio.

SÍNDROME DO EDIFÍCIO DOENTE Conjunto de sintomas, inclusive dores de cabeça, tontura, náusea, problemas respiratórios e fadiga, associado com edifícios onde há ventilação inadequada, poluição no ar ou energias ambientais negativas.

TERCEIRO OLHO Chakra localizado entre as sobrancelhas e ligeiramente abaixo delas, sede da visão interior e da intuição. *Ver também* CHAKRA.

VAMPIRISMO PSÍQUICO Capacidade de uma pessoa de "sugar" ou absorver a energia de outras.

VIAGEM ASTRAL A alma é capaz de deixar o corpo físico e viajar a lugares distantes. Esse fenômeno também é conhecido como experiência fora do corpo ou viagem da alma.

VÍNCULO ANÍMICO Ligação entre os membros de um GRUPO ANÍMICO.

ÍNDICE

A
Abandono 125, 270, 284
Abdome 211, 241, 315
Abertura, cristais de 345
Absorção de nutrientes 134, 146, 191, 219, 257, 270, 295, 306
  Ver também Minerais, Absorção de vitaminas
Absorção de odores 319
Abundância, atraem 43, 95, 115, 122, 291, 293, 320, 333
  Riquezas 19, 26, 48, 118, 131, 251, 255, 297
Abuso 94, 231, 247, 270
  Emocional 269
  Sexual 244
Acalmam, pedras que 39, 41, 45, 65, 67, 74, 118, 144, 157, 203, 259, 261, 290
  A aura 214
  A mente 54, 68, 80
  As emoções 127, 179, 190, 240, 254
  Os sistemas corporais 253
Ação
  Com base na intuição 277
  Depois de críticas 118, 163
  Facilitar 58, 85, 152, 159
  Idéias em 89, 155
  Positiva 127
  Racional 290
  Revelando intenções da 170
Aceitação 60, 61, 70, 94, 115, 198
  Da verdade 205
  De apoio 165
  De mudanças 111, 236
  Do amor 39
  Do corpo físico 61, 66, 188, 201, 240, 312
  Do eu 39, 92, 114, 249, 272, 353
  Do momento presente 102, 104, 109, 124, 249
  Dos dons psíquicos 190
  Dos erros 141
  Dos outros 58, 105, 114
Acidez 85, 107, 185, 306, 315, 323
Acidose 139
Açucaradas, pessoas 316-317
Acumular bens 221
Acupuntura 225
Adesões 130
Afirmações
  Fortalecer 261
  Potencializar efeitos 236

Sustentar 293
Afrodisíaco 301
Agentes de cura 213, 220, 226, 241, 299
  Ativar capacidade de cura 233
  Curar o agente de cura 220
  Direcionar energia 265, 340
  Filtrar negatividade 238, 299
  Tratar resistência 81
Agitado, temperamento 290
Aglomerado 329
Agressão 85, 191, 231, 302
Agricultura 43, 47, 87, 297, 319
Água, purificadores 227
AIDS 215, 247, 321
  Ativação das células T 125
  Ver também Doenças auto-imunes, Imunológico, sistema
Ajuda, cristais para atrair 294
Ajudar outras pessoas 154
Álcool
  Amenizar efeitos do 54, 148
  Problemas com o 269, 270, 319
Alegria, cristais que trazem 83, 101, 102, 112, 118, 127, 153, 231, 283, 293, 300
Alergias 66, 74, 121, 123, 177, 193
Alienação 105, 137
Alma
  Almas antigas 161
  Aspirações da 81, 123
  Ativar 230
  Crescimento 121, 133, 174, 199, 237, 251
  Cura 91, 197, 216, 251
  Encarnação física 61, 201
  Energizar 47
  Grupo anímico 383
  Libertação 164, 227, 270, 383
  Noite escura da 90
  Propósito da 20, 107, 142, 349
  Proteger 279-280
  Purificar 225
  Vínculo anímico 317, 383
Alma gêmea, atrair 174, 244, 348-349
Altruísmo 85
Altruísmo, estimular o 52, 298
  Ver também Humanitarismo
Alzheimer, mal de 177, 200, 236, 302
Amamentação 101, 103, 107, 191, 205, 260
Amarras, romper 183, 200, 201, 215, 231, 284, 345

Ambiente 54, 118, 143, 156, 164, 240, 243, 299
  Curar 108, 131, 188, 197, 221
  E poluição 73, 155, 164, 197, 306
  Elevar 109
  Energizar 215
  Ficar à vontade no 98, 207
  Limpar 52
  Proteger 60, 117, 162
Amizade 126, 152, 173, 184, 223, 256, 270, 302
Amor
  Abrir mão do 201
  Aceitar 39
  Apaixonado 153, 209, 361
  Atrair 21, 40, 56, 72, 80, 97, 110, 136, 137, 174, 178, 181, 205, 235-236, 274, 280, 293, 295, 301, 306, 314, 377
  Casamento 80, 122, 256
  Compreendendo 235, 302
  Elixires 372
  E coração partido 112, 125
  E intelecto 165, 287
  E servidão 173
  Espiritual 165, 279
  Falta de 138, 221, 244, 269
  Firme 133
  Incondicional 72, 83, 162, 178, 183, 193, 220, 231, 236
  Invocação do 377
  Na maturidade 361
  Oculto 157
  Posicionamentos 361
  Pais-filho 95
  Possessivo 284
  Por si mesmo 121, 178, 235, 236, 247
  Universal 65, 226, 227, 231, 270
Amorfos, cristais 331
Amplificadores 187
  Da aura 251
  Da cura 130, 131, 230
  De características 209
  De energia 133, 136, 167, 183, 211, 217, 225, 340, 354, 362
  Dos pensamentos/sentimentos 173, 209, 211
Ancorar 39, 45, 83, 85, 134, 180, 240, 243, 274, 299, 310, 362, 380
  Alma no corpo 140, 312
  Ao corpo etérico 218
  Com a moldavita 188
  Cordão telúrico 367, 380

ÍNDICE

Corpo de luz 259
Corpo físico 86, 155
Elixires 372
Em viagens astrais 65
Energia espiritual na terra 183, 288
Energia espiritual no corpo 137, 165, 170, 199, 353
Energia para 52 ,69, 85, 117, 131, 155, 246, 257, 291, 298, 358, 359
Espiritual 51, 65, 129, 214
Informações 231
Meridianos para o corpo etérico 226
No ambiente 98
No presente 94, 249
No trabalho com os chakras 168, 197
Para as crianças das estrelas 188
Para o autismo 380
Pessoas aéreas 70
Anemia 141
Anestésicos 163
Angina 179
Animosidade 110
Anorexia 177, 293
Ansiedade 65, 90, 99, 150, 163, 359
Antibacterianos 148, 231, 372
Antiespasmódicos 50, 70, 99, 112, 179, 200, 202, 215
Anti-sépticos 90
Apatia 62, 94
Apego excessivo 181
Apêndice (órgão do corpo) 368
Aprendizado, dificuldades de 280
Ver também Dislexia
Aprisionamento (metafórico) 146
Aquecem, pedras que 70, 95, 117, 119, 198, 211
Arco-íris, cristais 327, 349
Arquetípico, agente de cura 56
Arrumação 221
Arteriosclerose 74, 175, 179, 198
Artes 97, 99, 209, 293
Artesanato 300
Articulações 22, 52, 63, 78, 163, 175, 177, 198, 282
Correspondências 369
Fortalecer 89
Imobilizar 93, 130
Inflamação 184, 247
Ver também Artrite
Artrite 42, 63, 78, 91, 95, 112, 130, 138, 184, 247, 299
Alívio da dor 112, 198
Ver também Articulações
Ascensão, processo de 167, 170, 188, 216, 349

Asma 66, 81, 150, 181, 184, 245, 313
Ver também Peito, Respiratório, sistema
Assaltos 92
Assertividade 155, 213
Astral, viagem 378
Ancorar/Aterrar 59-60, 140
Condução durante 277-278
Direcionar a percepção 313
Facilitar 55, 56, 57, 89, 97, 107, 138, 144, 147, 156, 164, 172, 176, 186, 192, 200, 201, 237, 274, 317, 323
Ler Registros Akáshicos 218
Proteção durante 87, 140, 155, 160, 263
Segurança durante 72, 77
Astrologia 25, 60
Astúcia 293
Audição, problemas de 55, 173, 234, 247
Ver também Ouvidos
Aura (corpo etérico) 361, 366-367, 378
Abrir 200, 238
Acalmar 214, 230
Alinhar 50, 155, 170, 181, 299
Amplificar 251
Buracos 123, 230
Clarificar 121
Desbloquear 354, 358
Diagnose 56
Efeitos do quartzo sobre 225
Eliminar a negatividade 83, 201
Energizar 131, 147, 237, 356
Estabilizar 39, 129, 155, 157
Expandir 137
Fortalecer 201, 223, 358
Libertar entidades 215, 359
Ligação com o cordão telúrico 263
Limpar/Purificar 56, 58, 104, 129, 137, 230, 237, 274, 293, 356
Limpeza 297, 299, 356
Vazamentos de energia 150, 169
Proteger 68, 117, 141, 162-163, 169, 202, 212, 221, 299, 355, 356, 358
Remover formas-pensamento 170
Autismo 62, 105, 280
Autocura, cristais de 344
Autoridades 219, 223
Azia 138

B

Baço 52, 63, 78, 83, 101 119, 152, 171, 184, 213, 303, 323
Correspondências 368
Desintoxicar 85
Estimular 251, 302

Bactérias
Antibióticos 148, 231
Benéficas 108
Ver também Infecções
Base, chakra da 46, 240
Abertura 81
Aterrar 197
Ativar 95, 157, 210
Curar 92
Energia, liberação de 63
Energizar 81, 92, 291
Estabilizar 69
Ligação com o da coroa 137, 138, 211, 226
Ligação com o da coroa superior 323
Ligação com o da terra 181, 359
Ligação com o do coração 301
Limpar/Purificar 161, 210, 231, 240, 245, 291, 359
Proteger 138-139
Bastões 23, 24, 327, 354
Ametista 358
Fluorita 357
Obsidiana 358
Quartzo 354, 359
Selenita 359
Turmalina 356
Vogel 357
Bexiga 52, 85, 119, 221, 299, 313, 369
Biomagnético, invólucro 24, 286, 367, 378
Biorritmo/Relógio biológico 191
Bipolar, transtorno 105, 175, 177, 213
Bloqueios, pedras que eliminam 54, 72, 87, 92, 174, 198, 219, 297, 311, 356, 358
À comunicação 77
Emocionais 58, 198, 223, 254, 299
Energéticos 115, 175, 197, 201, 225, 298, 320, 355, 357
Espirituais 47
Excesso de energia 133
Vidas passadas 142
Ver também Bloqueios em aura, Chakras (*gerais e específicos*), Sutis, corpos
Boa vontade 101
Bócio 52, 114, 319
Bolas/Esferas de cristal 326, 330
Bondade 268, 274
Botânica 47
Braços 66, 368
Bronquite 150, 223, 238, 321
Brotoejas 249
Buda, cristais 120, 351
Buscas 248, 279
Busca de visão 214, 218, 383

385

ÍNDICE

C

Cabeça, dores de 23, 55, 57, 58, 83, 125, 175, 179, 210, 241, 280, 323
  Ver também Enxaquecas
Cabelo 171, 191, 193, 311, 321
Cãibras 105, 112, 184, 198, 241, 306, 315
  À noite 181
  Estômago 179
  Intestinais 131, 179
  Menstruais 112, 161, 179, 265
  Pernas 141
  Vasculares 179
Calafrios 70, 179, 201, 263, 302
Cálcio
  Absorção 63, 70, 89, 108, 137, 265
  Deficiência 50, 272, 287
  Depósitos 50
  Equilíbrio 139, 145, 164
Calor
  Absorver do corpo 141
  Equilibrar temperatura corporal 179
Calor, ondas de 46, 119
Caminho da vida, cristais 346
Canais biliares 157
Canalização 60, 77, 89, 171, 230, 237, 274, 279, 352, 379
  Preparação para 205
  Proteção durante 266
Câncer 76, 138, 215, 240, 280
Cândida 102, 321
Candidíase 102, 321
Capacidades analíticas
  Ensinar 89
  Equilibrar com criatividade 150
  Estimular 105, 177, 202
  Fortalecer 107
  Melhorar 39, 95, 97, 118, 139
Capilares 42, 44, 286, 370
Caráter, fortalecimento do 110, 127, 257
Carboidratos, absorção 276
Caridade 137
Carisma 83, 138, 268, 294
Cartilagens, problemas 175, 284
Casamento 80, 122, 256
Castidade 207
Catarata 306
Catarse 197, 321
Catedral, quartzo 336-337
Celestial
  Portal 164, 379
  Reino 379
Celulares, telefones 19, 50, 73, 122, 123, 163, 164, 298
Células 130, 215
  Alinhar estrutura 184
  Bloqueios intracelulares 267

Células T 125
Distúrbios celulares 55, 76, 125, 136, 143, 195, 276
  Equilibrar 231
  Estabilizar esquema 164
  Formação 63, 150
  Lesões nos cromossomos 107
  Regeneração 112, 152, 238, 294, 323
  Regular metabolismo 257
  Sangue 133, 141, 159
Celulite 63, 119
Centramento, pedras que propiciam o 39, 44, 54, 69, 83, 109, 134, 156, 178, 203, 210, 228, 254
Cérebro 78, 123, 130, 167, 299, 300
  Caminhos neurais 54, 280
  Cerebelo 168
  Correspondências 368
  Desequilíbrios 42, 48, 99, 297, 342
  Distúrbios 42, 170, 254, 278, 342
  Ver também Alzheimer, mal de, Demência, Dislexia
  Fluxo sanguíneo 150
  Ondas beta 56, 240
  Regeneração dos tecidos 83
  Ver também Nervoso, sistema
Cetro, quartzo em forma de 340-341
Chakras 24, 326, 361, 364-365, 379
  Abrir 188, 273, 279
  Acalmar 111
  Alinhar 44, 68, 87, 90, 111, 115, 131, 155, 167, 181, 188, 269, 279, 297, 313, 342
  Ativar 183, 216, 351
  Conectar 297, 357
  Curar 216
  Desbloquear 176, 188, 346
  Do terceiro olho 46, 379
  Energizar 89, 111, 124, 136, 356
  Equilibrar/Harmonizar 44, 63, 89, 231, 285, 288, 297, 356
  Estabilizar 359
  Gradear 373
  Harmonizar 226
  Limpar 52, 89, 90, 111, 136, 356
  Proteger 356
  Purificar 205, 231
  Purificar 78, 142, 265, 283, 297, 351
  Restaurar movimento giratório 201
  Reverter movimento giratório 285
  Ver também chakras específicos: Base, Coroa, Terra, Coroa superior, Coração superior, Sacro,

Plexo solar, Terceiro olho, Garganta
Choque 125, 191, 198, 227, 246, 247, 321
  Proteção contra 279
Choques e abalos 80
Ciática 177
Cicatrizes 247, 299
Cinismo 145
Circulatório, sistema 40, 85, 101, 150, 155, 181, 198, 201, 203, 251, 286, 291, 299
  Correspondências 369, 370
  Distúrbios 46, 141, 200
  Estimular 103, 119, 134, 302
  Fortalecer 80, 150, 163, 236
  Fortificar 138
  Purificação/Limpeza 48, 157, 245
  Ver especificamente Arteriosclerose, Sangue, Capilares, Colesterol, Coração, Veias
Cistos, 282
Ciúme 21, 110, 138, 213
Clariaudiência 234, 379
Clarissenciência 210, 379
Clarividência 379
  Ativar 68, 210
  Intensificar 96, 142, 190, 291
Claustrofobia 114, 127, 301
Cobre, absorção de 102
Co-dependência 133, 247, 284
Colesterol, problemas 74, 83, 131, 179
Colheitas *ver* Agricultura
Coluna 127
  Alinhar 133, 141, 200, 259, 297, 299, 301
  Correspondências 369
  Distúrbios 176, 210
  Elasticidade dos discos 70
  Lesões 130
  Ligação com o corpo etérico 263
  Vértebras lesionadas 200
Combustível, economia de 225
Compaixão 60, 73, 82, 114, 137, 167, 173, 189, 198, 215, 244, 254, 265, 274, 297, 300, 301
Companheirismo 272
Compatibilidade, intensificadores da 58
Complacência 290
Comportamento, padrões
  Eliminar 107, 136, 177, 291, 306, 356
  Identificar 198, 203, 245
Compreensão
  Aumentar 78, 184, 291, 353
  De causas 70, 198, 202, 285
  De depressão 48

ÍNDICE

De sonhos 145
Emocional 58
Espiritual 54, 165
Estimular 89, 295
Integrar 311
Manifestar 272
Subconsciente 183
Compromisso 136, 181, 289
Compulsões 105, 114, 141
Computadores 19, 50, 129, 164, 176, 177, 272
Comunicação 350
  Acalmar 102, 145
  Clarividência 96
  Com outros mundos 174, 187, 285
  Desbloquear 68, 77
  Dificuldades 90, 173, 210, 240
  Espiritual 352
  Estimular 167
  Intensificar 48, 63, 91, 97, 99, 102, 111, 130, 162, 200, 230, 232, 347
  Manter silêncio 112
  Psíquica 131, 200, 226, 230, 269
Comunidade, trabalho com a 115, 299, 350
Concentração 39, 58, 63, 70, 95, 118, 129, 141, 177, 225, 240, 251, 253
Confiança 39, 52, 82, 83, 103, 109, 110, 112, 114, 118, 129, 136, 141, 150, 170, 210, 213, 221, 223, 254, 270, 272, 315, 356
  Em si mesmo 89, 94, 181, 272
  Na divindade 97
Conflito 97, 155, 173, 200, 219, 251, 280, 289
  Ver também Família
Confusão 62, 68, 85, 167, 193, 198, 206, 219, 247, 259, 272, 299
Consciência, elevação da 54, 57, 60, 68, 75, 77, 89, 93, 104, 120, 123, 137, 142, 157, 169, 170, 171, 174, 187-188, 192, 194, 195, 204, 209, 211, 214, 216, 218, 220-221, 225, 231, 245, 254, 259, 262, 266, 271, 274, 277-278, 294, 301, 305-306, 323, 337, 351
Conselheiros 197, 238
  Ver também Centramento, Pedras de, Empatia, Ética, Ouvir, habilidade para, Sombrio, lado
Constância 94, 206
Constipação 92, 119, 232, 301, 372
Contato, fazer 226
Contradições 58, 156, 158, 240
Contra-indicações
  Agressão 150
  Condições psiquiátricas 55

Durante a lua cheia 190
Indução à ilusão 191
Inflamação 141
Irritabilidade 250
Pessoas sensíveis 250
Sintonização mental 127
Controle
  Amenizar 272
  Autocontrole 207, 257, 293
  Assumir 153, 161, 173, 175, 265
  Necessidade de 125
Contusões 55
Convalescença 48, 90, 99, 127, 270, 311, 322
Cooperação 127, 131, 138, 242
Coração 74, 105, 124, 127, 139, 201, 213, 241, 244, 251, 270, 300, 301, 302, 323
  Apertado 211
  Ataques 74, 125
  Correspondências 369
  Disposição das pedras para cura 374
  Distúrbios 81, 105 114, 125, 175, 179
  Elixires 372
  Energizar 66
  Equilíbrio do 250
  Fortalecer 103, 139, 163, 236
  Meridiano do 215
  Partido 359
  Prevenção de doenças do 179
  Purificação 107, 235
  Regeneração 74, 137
Coração, chakra do 72 231, 235
  Abertura do 50, 92, 178, 183, 200, 212, 226, 263, 274, 300, 314
  Alinhar 163, 274
  Ativar 66, 163, 212, 246, 302
  Cura do 112
  Desbloquear 138
  E energização 113
  E viagens astrais 156
  Equilíbrio do 184
  Estabilizar 226, 245
  Estimular 56, 139, 175, 192, 250, 254
  Ligação com o da base 301
  Ligação com o da coroa 104, 254
  Ligação com o da coroa superior 121
  Pedras associadas ao 152
  Posicionamento do 361
  Proteger 74
  Purificação do 80, 200, 212, 263, 301
Coração superior, chakra do
  Abrir 124
Coragem 67, 80, 85, 94, 137, 155, 251, 314, 321
Coroa chakra 40
  Abertura de 76, 79, 80, 82, 121, 158, 176, 188, 259, 262, 300
  Alinhar 82
  Ativar 117, 123, 251, 259
  E kundalini 161
  Equilibrar 105
  Estimular 55, 121, 131, 156, 254, 265
  Ligação com a base 136, 226
  Ligação com o coração 104, 226
  Ligação com o corpo físico 274
  Proteger 138
Coroa superior, chakra da
  Abrir 121, 194, 214, 259, 262
  Ativar 216
  Estimular 121
  Ligar com o da base 323
Cósmica, consciência 379
Costas, problemas 370
  Alinhamento da coluna 78, 133, 141, 200, 299, 301
  Ciática 177
  Elasticidade dos discos 70
  Fortalecimento das costas 241
  Região lombar 95, 211
  Vértebras lesionadas 200
Craca, cristais 350
Crescimento
  Espiritual 39, 188, 237, 285, 293, 311
  Físico 68, 74, 89, 201, 219
Criança interior 114, 125, 269, 381
Crianças
  Crianças das estrelas 188
  Expressão de si mesmas 91
  Hiperatividade 191, 251, 301
  Insônia 105
  Maturidade prematura 163
  Pesadelos 114
  Possessividade 284
  Promover o crescimento 74, 89
  Sensibilidade 353
  Ver também Infância
Criatividade e análise 150
  Ao contar histórias 103
  Desbloquear 289
  E inventividade 146
  Estimular 58, 62, 94, 113, 123, 137, 173, 175, 209, 228
  Explorar 40
  Inspirar 112, 226
  Intensificar 73, 82, 83, 85, 97, 101, 117, 130, 131, 138, 142, 162, 245, 352
  Na solução de problemas 67
Crime, prevenção contra o 256
Crises
  de cura 241, 321, 380

ÍNDICE

Pedras para 136, 235, 241
Cristais ativadores 342
Cristais
　Atributos 36- 37
　Comprar 27, 28
　Correspondências 368-369
　Cuidados com 30-31
　Cura com 22-27
　Escolha dos 26
　Falhas 327
　Formação 14-17
　Formatos de 15-16, 324-359
　Identificar 36-37
　Janelas 327
　Limpeza dos 13, 31
　Ornamentais 18-21
　Programação 29
Cristais de companhia 347
Crística, consciência 231, 379
Cromossomos, lesão 107
Crueldade 60,173
Cruz, formação em 351
Culpa
　Aliviar a 107, 112, 138, 175, 212, 272
　Kármica 205
　Oculta 157
Culpados, descobrir 297
Culturas, choque entre 99
Cunha, cristais 345
Cura 22-27
　Amplificar 130, 131, 230
　Crise 241, 321, 371
　precisão, 355
Cura dos animais 227

D

Debilidade física 114
Defumar 31, 383
Delegar 70
Demência 101, 236
Dentário, tratamento 130
Dente, problemas ver Dentes
Dentes 63, 68, 78, 130, 146, 179, 207
　Correspondências 368
　Envenenamento por mercúrio 259-260
　Níveis de cálcio 145
Dependência 133, 148, 177, 247, 284
Depressão 40, 48, 52, 58, 63, 90, 92, 118, 139, 146, 150, 161, 163, 164, 173, 177, 227, 232, 240, 253, 257, 276, 289, 302, 303, 306, 321, 327
Derrames 138
Desajustes sociais 280
Desânimo 177, 227, 316
Desaparecidas, pessoas 343
Desconfiança 138
Desejo 209, 270
　Insatisfeito 141

Redução 65, 274, 290
Desespero 150, 280, 315
Desidratação 48, 193
Desintoxicantes 63, 108, 110, 114, 121, 124, 131, 139, 143, 152, 198, 212, 232, 240, 251, 255, 265, 278, 301, 302, 306, 319, 323
　De odores corporais 158, 179
　Do fígado 148, 185, 211
Desorganização 129
Despeito 213
Destrutivas, tendências 118, 322
Determinação 155, 223
Deusa, a 157, 175, 353
Devaneios 95
Dévicas, energias, 73, 114, 183, 297, 379-380
Devoção 302
Diabetes 127, 185, 265
　Regulagem da insulina 112, 209
Diagnóstico, pedras de 221, 245, 299, 358
Diamante, janelas de 343
Diarréia 301
Dificuldades 280
　Abandonar 181
　Apoio durante 206, 240
　Encontrar causas 199, 200
　Resolver 249, 269
Digestório, sistema 26, 52, 63, 112, 138, 153, 155, 156, 157, 191, 198, 211, 213, 215, 257, 293, 302
　Correspondências 368, 370
　Distúrbios 55, 89, 269, 272
　Estimular 39, 119
　Fortalecer 150
　Intolerância a lactose 139
　Limpeza 48, 85
　Suavizar 114
　Ver especificamente Abdome, Gastrite, Intestinos, Síndrome do intestino irritável, Absorção de nutrientes, Úlceras no estômago
Dignidade 158
Diplomacia ver Tato
Discernimento 89
Discriminação 284
Dislexia 184, 254, 280, 297, 299
Disposição das pedras 361
Dispraxia 193, 380
Disputa 40
Diuréticos 60
Divinação 200, 375-376
DNA
　Alinhamento do 184
　Estabilizar 58
　Reparo do 130, 137, 143, 150, 164, 177

Doença/Indisposição 24, 189, 380
　Alívio das 156, 223, 340
　Auto-imune 321
　Causada por
　　desequilíbrios nos chakras 44
　　Exaustão 219
　　Falta de expressão 172
　　Radiatividade 143
　Convalescença 48, 181, 227, 282, 311
　Crônicas 48, 57, 76, 99, 102, 119, 121, 123, 155, 156, 238
　Debilitantes 299
　De fobias e medo 221
　De vidas passadas 143, 291
　Diagnosticar 165, 189, 217, 221, 299
　Encontrar causas 57, 73, 83, 150, 170, 173, 189, 198, 279, 291, 299, 311, 343, 354
　Gerada pela raiva 91
　Infecciosas 149, 251
　Kármicas 150, 323
　Localizar 39, 175, 177
　Malignas 74, 127, 221
　Mentais ver Mente, distúrbios da
　Miasmas 78, 112, 121, 215
　Prevenir 160
　Prevenir a transmissão de 286
　Projeção de 133
　Psicossomáticas 103, 150, 183, 280
　Relacionadas a menstruação 191
　Relacionadas ao clima 102
　Relacionadas ao computador 177
　Relacionadas ao estresse 58
　Síndrome do edifício doente 177
　Tratar 39, 51, 63, 92, 105, 107, 193, 222, 295, 314, 322
　Ver também cada doença pelo nome
Doenças auto-imunes 125, 215, 247, 321
Dor 23
　Aliviar 90, 97, 125, 130, 175, 181, 198, 200, 201, 213, 265, 270, 280, 299, 306, 337, 357
　Emocional 123, 301
　Mental 60, 123
Dores 105, 181, 284
Dores súbitas 152
Drogas, problemas com 270
　Ver também Vícios
Dúvida 293

ÍNDICE

E

Egocentrismo 114, 179, 200, 350
Egoismo 145
Elestiais 332
Eletromagnética, neblina 380
   Absorção 73, 240
   Limpeza 143, 155, 176, 183, 272, 303, 306
   Proteção contra 19, 24, 50, 122, 129, 163, 298, 372
   Ver especificamente Celulares, Telefones, Computadores, Microondas, Televisor
Elixires 371-372
Emocional, bagagem 79, 212, 265
Emoções
   Abusar 269
   Compreensão das 68, 191
   Dolorosas 123, 301
   E intelecto 89, 181, 191
   E necessidades insatisfeitas 81
   Equilibrar 55, 63, 107, 112, 118, 161, 246, 249, 265, 272, 277
   Estagnação das 372
   Influências das 283-284
   Padrões/Programação 372
      Da infância 114
      Liberar 58, 66, 78, 79, 91, 107, 112, 129, 173, 177, 183, 189, 211, 212, 245, 261, 265, 270, 306, 355, 356
      Revelar 87
   Segurança das 39, 45, 303
   Ver também Comportamento, Padrões de, Repressão, Trauma
Empatia 73, 103, 184, 189, 190, 236, 300, 306
Emprego, perspectivas de 253
Encorajamento 273, 314
Endócrino, sistema 46, 55, 63, 231, 253, 295
   Correspondências 368, 369, 370
   Energizar 157
   Equilibrar 68, 83, 114, 119, 138, 170, 191, 215, 219, 226, 301
   Ver também cada glândula pelo nome, Hormônios, Menopausa
Energizantes 64, 66, 92, 95, 99, 101, 105, 109, 117, 118, 130, 131, 136, 155, 181, 215, 241, 250, 273, 315, 320, 346
   Depois de uma doença 282
Energia
   Amplificar 122-123, 133, 136, 167, 183, 211, 217, 225, 340, 354, 362
   Desbloquear 115, 175, 197, 201, 225, 298, 320
   Estagnada 63, 89, 92, 294
   Excesso 131, 133, 159

   Filtros 90
   Implantes 108, 234, 351, 380
   Limpar 136
   Poupar 225, 313
   Retrógrada 180
   Vazamento 150, 169
Enfisema 81, 247
Enidros 327
Entalhados, cristais 339
Entendimento 107, 127, 142, 147, 254, 259, 297, 303
   Conceitos complexos 184
   Do coração 200
   Vendo duplo sentido 92
Entidades presas à aura 378
   Libertar 163, 175, 215, 259, 355, 357, 359
Entre-vidas, estado 234, 259, 265, 279, 378
Envelhecimento 260
Envenenamento 123, 127, 278
Enxaquecas 23, 74, 92, 125, 148, 161, 173, 179, 245
Epilepsia 127, 161, 163, 177, 184, 280, 302
   Prevenir 179, 259, 321
Equilibrio, pedras que restauram 52, 55, 70, 97, 127, 134, 156, 173, 185, 193, 250, 253, 269, 306
   Da experiência 157
   Dos corpos etérico e emocional 270
   Dos corpos etérico e físico 60
   Emocional 55, 63, 107, 112, 118, 161, 246, 249, 265, 272, 274
   Energia 133, 136, 200, 247
   Espiritual 63
   Mental 55, 91, 97, 265
   Ver também Masculina e feminina, yin e yang, Sistemas corporais
Erotismo 209, 245
Erros
   Admitir 213
   Em vidas passadas 205, 228
   Valorizar 303
Esclerose múltipla 247, 303
Escriação 201, 382
   Ajudar na 54, 65, 66, 76, 79, 80, 97, 157, 183, 192, 198, 199, 200, 211, 237, 240, 259, 278, 295, 297, 353
   Cristais que servem para 310
Escrita automática 267, 378
Esgotamento 211
Esgotamento mental 268
Esôfago 299
Esotérico, pensamento 380
Espasmos 50, 70, 78, 99, 112, 179, 200, 202, 215, 302

Esperança 113, 226, 295, 314, 315
   Falta de 136
Espiral, quartzo 346
Espiritos presos à terra 108
Espirituais, guias 167, 172, 323, 383
Espiritual, crescimento *ver* Crescimento
Espiritual, visão *ver* Visão (espiritual)
Espiritualidade 287
Espontaneidade 202, 209, 245
Esportes, lesões nos 181
   Ver também Muscular, sistema
Esquelético, sistema 44, 110, 152, 203, 260
   Correspondências 368, 369, 370
   Fortalecer 42, 89
   Ver especificamente Artrite, Costas, problemas nas, Ossos, Cartilagens, problemas nas, Fraturas, Articulações, Osteoporose, Coluna
Esquizofrenia 200, 280, 289
Estabilizadores 138, 156, 181, 201, 351
   Da personalidade 152
   De amizades 223
   De energia de grupos 131
   De peso 115
   Do campo biomagnético 167
   Domésticos 111
   Emocionais 87, 89, 105, 107, 109, 129, 158, 159, 161, 177, 209, 259, 261, 293, 306
   Espirituais 70
   Físicos 39, 157
   Mentais 158
Estagrada, energia 63, 89, 92, 294
Estática, eletricidade 225
Estelar, portais 66, 383
Esteróides naturais 159
Estômago 40, 46, 52, 68, 157, 171, 287, 303, 306
   Cãibra 179
   Correspondências 368
   Desconforto por estresse 144
   Distúrbios 131
   Dor 161
   Problemas noturnos 150
   Úlceras 232, 247, 284
Estratificados, cristais 332
Estreiteza de visão 110, 129
Estrela, cristais em formato de 98
Estrelas, crianças das 188, 383
Estresse 373
   Aliviar 52, 55, 80, 276
   Apoio durante 154, 175, 206, 241
   Doenças causadas por 58, 81
   Emocional 55, 70, 78, 164, 177, 179
   Físico 55, 143, 201, 206

ÍNDICE

Liberar 48, 78, 125, 167, 172, 240, 268, 290, 298
Mental 42, 57, 65, 67, 197, 206
Reduzir 21, 65, 67, 72, 105, 129, 177, 191, 213, 245, 303, 356, 357
Estudos, ajuda nos 63, 89, 102-103, 129, 145
Espiritualidade 351
Fazer testes 290
Herbalismo 300
Matemática/Assuntos técnicos 141
Etérico, corpo ver Aura
Etérico, esquema 210, 217, 340, 380
Ética 299
Eu
Aceitação do 39, 92, 114, 249, 272
Amor 178, 235, 236, 247, 301
Análise 39
Auto-estima 48, 82, 92, 118, 133, 141, 150, 209, 231, 236, 245, 249, 272, 284, 289, 356
Auto-suficiência 152
Centramento no 163
Conhecimento 152, 173, 198, 199, 209
Controle 199, 207, 257, 293
Crença 170
Criticismo 289
Cura 83, 175, 262, 284, 304
Destrutividade 247
Dualidades do 207
Dúvida 101, 193
Enganar 179
Exploração 248
Expressão 42, 48, 52, 61, 62, 68, 72, 78, 118, 127, 147, 163, 167, 173, 184, 193, 209, 230, 253, 272, 299, 303, 307, 315
Limitação 141, 202
Ódio 238
Percepção 65, 102, 112, 173
Perdão 205
Realização 234, 293, 306
Respeito 83, 138
Retidão 110
Sabotagem 174, 243, 306
Exaustão 85, 105, 159, 177, 219, 238, 251, 282, 301, 306
Crônica 313
Emocional 63
Ver também Fadiga
Extasiado 378
Extraterrestre, comunicação 99, 187, 188, 217, 254, 267, 285
Extremidades frias 198

F

Facial, dor 83
Fadas, reino dos contos de 56
Fadiga 58, 63, 125, 143, 150
Na menopausa 119
Ver também Sindrome da fadiga crônica
Falta de graça 193
Fama 294
Família conflito na 118, 133, 159, 300, 344, 350
Conexões 44
Cura dos ancestrais 85, 199, 214, 307
Mitos 56
Fantasma, cristais 330
Febre do feno 68
Febres 42, 141, 148, 167, 201, 209, 251, 281, 282
Baixar 42, 48, 91, 107, 139, 205, 272, 286
Equilíbrio da temperatura 179
Remédio tradicional 276
Fechamento 68
Felicidade doméstica 126
Feminilidade 175
Em equilíbrio com o masculino 50, 58, 74, 87, 191, 286, 297, 306, 340
Feng Shui, pedras 221
Feridas, curar 22, 52, 90, 130, 157, 247, 270, 344
Abertas 101
Ferro, absorção de 108, 137, 141
Fertilidade 95, 114, 187, 321, 340
Aumentar 115, 138, 152, 236, 287
E concepção 191
Estimular 247, 323
Talismãs 286
Tubas uterinas 369
Ver também Infertilidade, Reprodutor, sistema
Festas 93
Fidelidade 113, 122, 209, 254, 299
Sinal de infidelidade 126-127
Fígado 52, 63, 78, 83, 85, 121, 131, 137, 171, 191, 219, 295, 303
Correspondências 369
Danos provocados pelo álcool 105
Desbloquear 157
Desintoxicação 102, 127, 148, 157, 185, 211
Energizar 137
Estimular 114, 302
Regenerar 125, 148, 211
Sardas 108
Filantropia 293
Finanças 115
Ver também Riqueza
Físico, corpo aceitar 61, 66, 188, 240, 312
Fissura 380
Flexibilidade 52, 85, 193
Emocional 40, 215
Física 115, 133, 259
Mental 40, 70, 102
Fluidos corporais
Absorção 272
Purificação 236
Regulação 60, 95, 152, 191, 241, 257, 299
Retenção 61, 191
Fluxo, seguir o 175
Fobias 112, 118, 221, 238, 272, 290
Encontrar a fonte 78, 321
Foco 177, 253
Fogo, andar sobre 66
Fora do corpo, experiências ver Astral, viagem
Força de vontade 92, 93, 141, 257
Formas-pensamento 147, 170, 383
Fortalecimento 82, 112, 115, 158, 172, 174, 196, 199, 211, 274, 284, 303
Fortificantes 70, 111, 201, 206, 215, 219, 248, 251, 256, 274, 287, 303, 306
Ver também sistemas orgânicos específicos
Fracasso medo do 240
Sentimento de 165, 284
Fraqueza 287, 354
Fraternidade 101, 201, 246
Fraturas 42, 184
Frigidez 95, 139
Frustração 63, 105, 150, 167, 253
Fumar
Deixar de 40, 141, 156, 276
Limpar pulmões 102
Razões por trás do vício 276
Fungo, infecção por 48, 114, 231, 372
Futilidade, senso de 200

G

Gagueira 73
Garganta 42, 167, 168, 173, 232, 289, 299, 323
Correspondências 369
Elixires 372
Problemas 52, 60, 61, 68, 78, 130, 173, 175
Ver especificamente Esôfago, Laringe, Garganta inflamada, Tonsilite, voz
Garganta, chakra
Abrir 50, 63, 72, 97, 167, 176, 200, 214, 253, 274
Alinhar 274

ÍNDICE

Ativar 41, 230, 232, 299
Curar 41, 97, 253
Desbloquear 42, 72, 138, 307
Equilibrar 172
Estimular 55, 56, 156, 266, 323
Ligação com o coração 163
Purificar 68, 200
Ressoar 210
Garganta inflamada 138, 372
  Crônica 284, 299
Gastos excessivos 303
Gastrite 39, 315
Generosidade 82, 293
Genitais 72, 83
Geodos 325, 329
Geopático, estresse 380
  Alívio do 156, 359
  Bloqueio do 19, 24, 50, 54, 55, 122, 129, 143, 163, 175, 197, 240
  Estabilizar 44
  Grade contra 73
  Transformar 69
Gerador, cristal 334
Glândulas supra-renais 74, 152, 167, 171, 236
  Acalmar 91
  Adrenalina 83
  Equilibrar 211
  Estimular 251
Glaucoma 102, 123
Glossário 378-383
Gota 107, 114, 170, 221, 306, 315
Gradear 361, 373-374, 380
Gravidez 78, 191, 311
  Ver também Nascimento
Gripes e resfriados 48, 130, 161, 170, 211
Grupo atividades em 63, 272, 280, 300, 321, 350
  Encarnação em 234
Guardião cristalino 217
guardiões, espíritos 37

H

Herbalismo 132, 134, 300
Herpes-zóster 130
Hesitação 257
Hidrocefalia 42
Hildegard de Bingen, santa 293
Hiperatividade 62, 191, 251, 301
Hipertensão 63
Hipertireoidismo 72
Hipnóticos, comandos 381
  Amenizar 66, 266, 321
  Neutralizar 189
Hipocondria 213
Hipoglicemia 48, 265
Homem
  E confiança 150

E sensibilidade 42, 353
Lado feminino 191
Machismo 150, 191
Homeopatia 78, 134, 381
  Ver também Miasmas
Honestidade 138, 173, 293
  Consigo mesmo 155
Hormônios
  Equilibrar 68, 83, 114, 119, 138, 170, 191, 215, 219, 226, 301
  Estimular a produção 55
  Ver também Endócrino, sistema
Hospitalização 155
Hostilidade 101, 280
Humanitarismo 62, 68, 105, 246, 352
Humildade 162, 273
Humor, oscilação de 161, 177, 306

I

Idealismo 85, 114, 271
Ignorância 110, 167
Ilusões
  Dissipar 107, 129, 167, 170, 319, 302, 340, 345
  Induzir (contra-indicado) 191
Imagem, aperfeiçoamento da 115
Imaginação, ativadores da 56, 83, 123, 155, 170, 272, 301, 309
Imortalidade 107
Impaciência 85
Imparcialidade 112, 129
Implantes, energia 8, 234, 351, 380
Impotência 81, 95, 136, 138, 201, 238, 240, 251, 315, 323
Impulsividade 114
Imunológico, sistema 269, 299, 301
  Acalmar 68
  Correspondências 370
  Distúrbios ver Auto-imunes, doenças
  Equilibrar 107
  Estimular 48, 56, 72, 85, 91, 156, 157, 163, 173, 225, 272, 301, 321, 373
  Fortalecer 58, 70, 89, 102, 103, 157, 177, 211, 226, 230, 249, 257, 299, 306, 323
  Psíquico 306
  Purificar 173
  Ver também Linfático, sistema
Inadequação 149
Incerteza 65, 293
Inchaço 156, 319
Inchaços 22, 55, 61, 102, 282
  Das articulações 184
  Das glândulas 68, 161
  Ver também Inflamação
Independência 80, 139, 177, 223, 251, 274, 322

Indolência 95
Inércia superar 149
  Prevenir 316
Infância 114, 268-269
  Cura da criança interior 114, 125, 269
Infecções 22, 42, 48, 112, 127, 130, 149, 167, 209, 245, 249, 251
  Acessos 272
  Agudas 85
  Bacterianas 91, 299
  Enfática 42
  Na garganta 42, 232
  Por fungo 48, 114, 231, 372
  Urogenitais 119
  Virais 130, 306
Inferioridade 138, 150
Infertilidade 38, 238, 269, 274, 321
  Causada por infecção 114
  Tubas uterinas 369
Infidelidade 127, 305
Inflamação 22, 42, 48, 74, 76, 91, 102, 134, 139, 156, 181, 232, 270, 282, 306, 323, 357
  Contra-indicações 141
  Nas articulações 174, 247
  Ver também Inchaço
Informação
  Acessar 39, 62, 189, 345
  Ancorar 231
  Codificada 297
  Ficar aberto à 272
  Filtrar 88, 89, 211
  Integrar 245, 289
  Organizar 129
  Prática 132
  Processar 184, 257, 343
  Reter 89, 118
Inibições 136, 184, 209, 284
Insegurança 193
Inseticidas 99, 282, 297
Insetos, mordida de 247
Insônia 55, 99, 105, 114, 141, 173, 177, 193, 272, 299, 300
  Causada por estresse geopático 143
  Causada por mente superativa 54, 144
  E sonambulismo 191
Insulina, regulagem da 112, 209
Insultos 247
Integridade 167, 254, 256, 289
Intelecto
  Acalmar 260
  Apoiar 131
  Ativar 720
  E amor 165
  E emoções 74, 89, 181
  E espírito 131

391

ÍNDICE

E intuição 163, 170, 186
Estimular 52, 62, 177, 255, 274
Intensificar 68
Servidão do 272
Inteligência 114, 129
Intergalácticas, pedras 217
Intestinos 211, 213, 215, 219, 291
   Cólicas 131, 179
   Correspondências 368
   Distúrbios 92, 131, 300
   Envenenamento por mercúrio 238
Intolerância 179
Introspecção 46, 65, 163, 170
Intuição
   Abrir 50, 54, 83, 117, 138, 192, 254, 277, 352
   Acessar 219
   Aumentar 20, 56, 68, 129, 184, 190, 200, 283, 306, 317, 321
   Confiar na 181, 253
   Facilitar 77, 272, 278
   E instinto 150
   E intelecto 163, 170, 186
   E pensamento 50, 271
   Estimular 65, 167, 170, 274, 302, 358
   Manifestar 48, 277
Inveja 95, 138, 157
Inventividade 123, 146, 277
Investigação 134
Invisibilidade 209
Irritabilidade 63, 74, 85, 152, 179, 250
Ísis, cristais 353
Isolamento 137, 203

J
Jardim, pedras de 221, 297, 319
Jejum 156, 193
Jet lag 99, 372
Joelhos 369
Julgamento 68, 114, 259
Justiça 156, 211

K
Karma/Kármico 98, 205, 294, 381
   Amarras 231
   Ciclos do 205
   Débitos 20
   E vidas passadas 156
   Expurgar 121
   Indisposições 323
   Negativo 215
   Novas maneiras de abordar 105
   Sementes 225, 381
Ki (força vital) 167, 181, 230, 287, 320, 357, 382
Kirlian, câmera 225, 381
Kundalini 381

Abrir caminhos para 265
Direcionar 161
Elevar 62, 136, 201, 273
Equilibrar 274
Estimular 76, 161, 254, 288, 321, 346

L
Labirintite 125
Lactação, aumentar 101
Lactose, intolerância a 139
Lâmina, quartzo 347
Laringe 168, 173, 272, 278, 299
Laringite 278
Laser, quartzo 355
Lealdade 126, 181, 209, 254
Legais, situações 138, 141
Lembranças, despertar de 184, 189
   Armazenar no cristal 207
   De vidas passadas 124, 265
   Desbloquear 163, 225
   Dissipar dolorosas 87, 321
   Recordação reprimida 170, 233
Lemúria 381
Lesões 55, 181, 198
Letargia 89, 213, 251, 290, 321, 322
Leucemia 83, 85, 139
Leys, linhas 44, 69, 381
Libido, perda da 297
Liderança 73, 251, 269
Ligamentos 91, 95, 278
Limitações, superar 294
Linfático, sistema 103
   E inchaços 48, 55, 161
   Estimular 85, 102
   Fortalecer 68
   Infecções 42
   Purificar 40, 236, 251, 272, 280
   Ver também Fluidos corporais
Língua, ressenssibilizar 257
Linguagem, habilidades de 102
Linhagem ancestral 85, 199, 214, 307, 378
   Cristal linha do tempo 344
Lista de cristais 34- 323
Lógica 167, 271, 277
Longa distância, cura a 352
   Ver também Radiônica
Loucura, medo da 107
Luxúria 207
Luz, biblioteca da 337, 381
Luz, corpo de 167, 189 231, 381
   Ancorar 231, 259, 320
   Ativar 142, 216

M
Mãe Terra 157
Magia, pedras associadas 83, 84, 186

Perseguição cristã em vidas passadas 317
Ritual 80, 275, 297, 317
Magnésio, absorção de 108, 137, 164, 265
Mágoas 112, 125, 163, 202, 236
Mal, banir 84
   Ver também Mau-olhado.
Malária 148
Maldições 107, 172, 289
Malignidade 74, 127, 220
Manifestação, pedras de 62, 80, 83, 103, 118, 122, 167, 199, 204, 217, 221, 277, 289, 293, 295, 320, 322, 335
Manipulação 95, 215, 223
Mãos 368
Martírio 132, 173, 175, 242, 284, 297, 306
Masculino/Feminino equilíbrio 50, 58, 74, 87, 191, 286, 297, 306, 340
Matemática 60, 141
Maternal, instinto 101
Matriz 381
Maturação
   Espiritual 167
   Física 58, 110
Mau-olhado 107, 279, 298, 303
Maxilar 68, 369
Medicação 138
Médicos 113
Meditação 32-33, 37, 87
   Acessar sabedoria antiga 228, 339, 340
   Ancorar 86, 168, 310, 346
   Aprofundar 62, 113, 220, 231, 323, 351
   E a cura de si mesmo 262
   E andar sobre brasas 66
   E entendimento 54, 271
   E kundalini 254
   Elevar vibrações 97, 240
   E o poder do Sol 283
   E orientação 120, 242
   E serenidade mental 76, 95, 145, 223, 225, 240, 259, 260, 313
   E viagens astrais 248
   Induzir 162, 174
   Intensificar 46, 57, 71, 72, 131, 156, 167, 181, 201, 203, 211, 214, 233, 265, 294, 306, 309
   Mover 218
   Preparação para 70, 77
   Revelar segredos 98, 345
   Sintonizar com o plano superior 68, 91, 93, 270
   Trazendo a paz 111, 178, 230
Medo
   Aliviar 48, 50, 65, 92, 104, 107, 123, 146, 181, 207, 226, 240, 270,

280, 300
Apoio durante 179
Da loucura 107
Da responsabilidade 118
Do fracasso 240
Encontrar a fonte 78
Irracional 160, 245
Preocupações com dinheiro 26
Remoção do 72, 92, 170, 175
Meia-idade, crise de 236
Melancolia 101, 150
Memória cristal 143
    Alma 251
    Fortalecer 127, 145, 226, 374
    Intensif car 39, 52, 54, 77, 89, 90, 102, 141, 150, 209
    Processar 102
    Ver também Lembranças
Memórias *ver* Lembranças
Menopausa 119, 177, 210, 299, 321
Menstruais, problemas 119, 191
    Cólicas 112, 161, 179, 184, 265
    Tensões 121, 170, 191, 209-210
Mentais, influências *ver* Mente
Mentais, padrões/Programação *ver* Mente
Mental, diálogo 93, 260
Mente
    Abrir 134
    Acalmar 54, 76, 80, 152
    Distúrbios da 114, 129, 289, 297
    Dor 60, 123
    esgotamento 97, 268
    Focar 54, 129, 146
    Influências mentais 128-129, 163, 219, 223, 259, 283-284, 359, 381
    Intensificar poderes da 39, 85, 91, 97, 114, 118, 127, 131, 150, 159, 171, 213
    Padrões/Programação 199, 203, 205, 219, 272, 321, 355, 356
    Serenidade 68, 76, 80, 93, 95, 144, 170, 260, 272, 300, 313
    Tensão na 112, 253
    Tônico para 207
    Ver também distúrbios pelo nome
Mercúrio, envenenamento por 238, 259-260
Meridianos 381
    Alinhar 130, 292, 300, 356
    Cura 60, 63
    Desenergizar 181
    Energizar 87, 219, 228, 321, 356
    Equilibrar 140, 193, 226, 243, 297, 356
    Fortalecer 306
    Purificar 167, 175, 219, 228

Triplo-queimador 46, 211, 215, 383
Mestres ascensionados 188, 216, 323, 378
Metabolismo
    Acelerar 63, 179, 290
    Correspondências 370
    Desacelerar 290
    Distúrbios *ver* Diabetes
    Equilibrar 50, 55, 112, 123, 143, 219, 272, 372
    Estimular 74, 85, 95, 136, 139, 293, 301
    Fortalecer 213
    Regular 170, 223
Metafísicas, pedras 195, 277
Metais pesados 114
Metas difíceis 94
Miálgica, encefalomielite *ver* Síndrome da fadiga crônica
Miasmas 78, 112, 121, 215, 381-382
Microondas 50, 164
Minerais
    Absorção de 95, 101, 108, 134, 137, 241
    Acúmulo 101
    Deficiências 156
    Equilibrar 155
    Ver especificamente Cálcio, Cobre, absorção de, Ferro, absorção de, Magnésio, absorção de, Zinco, absorção de
Misteriosos, eventos 107
Misticismo
    Estimular 274
    Iniciação 170, 339
    pedras associadas ao 169, 192
    Visões 209
Místicos, reinos 56
Momento certo 170
Morte 55, 107, 121, 164, 167, 211, 353
    Anseio pela 61
    Imortalidade 107
    Medo da 94
    Vontade de viver 209
Motivação 54, 62, 89, 94, 118, 250, 290, 292
Motoras, reações *ver* Muscular, sistema
Mucosas, membranas 127, 130, 138, 321
    Fortalecer 52
    Regeneração 66, 102
    Remoção do muco 92
    Ver também Sinus
Mudança
    Abertura para 97, 114, 282
    Aceitação 109, 111, 175, 236, 321
    Adaptação 85, 99, 101, 153, 230

Ancorar 289
Apoio durante 159, 170
Da imagem 193
De padrões de comportamento 177
Em personalidades viciosas 289
Estimular 157, 183, 213
Facilitar 83, 107, 121, 211, 238, 248, 263
Física 110
Novos começos 91, 123, 165, 190
Ver também Transicionais, pedras
Muscular, sistema 74, 121, 127, 241, 249
    Correspondências 368
    Distúrbios 167
    Dores 181, 265
    Envenenamento por mercúrio 238
    Espasmos 50, 51, 70, 78, 99, 112, 179, 200, 202, 215, 302
    Flexibilidade 133, 269
    Fortalecer 99, 159
    Lesões 91
    Músculos tensos 301
    Respostas motoras 63, 168, 280
    Tensão 97, 210, 263
    Teste muscular 225
    Ver especificamente Cartilagem, problemas nas, Pescoço, problemas no, Parkinson, mal de, Repetitivo, lesão por esforço, Reumatismo, Tourette, síndrome de

N

Nariz, problemas no 130, 181
Nariz, sangramentos no 181
Nascimento 47, 152, 191, 209, 213, 269, 270
    Instinto materno 101
    Pedra parteira 184
    Ver também Nutrizes, pedras
Natureza 175, 183, 221
Náusea 74, 125
Navegar, talismã para 67
Negação 244, 303
Negatividade
    Absorver 91, 101, 117, 131, 155, 183, 185, 197, 257, 281
    Dissipar 50, 52, 54, 56, 62, 73, 83, 89, 111, 112, 117, 127, 129, 130, 138, 140, 160, 176, 201, 236, 270, 293, 297, 306, 355, 356, 357, 358, 359, 372
    Emocional 74, 90, 382
    Mental 65, 107, 146, 152, 291, 298, 309
    Na terapia 169-170

ÍNDICE

Neutralizar 240
Remover 227, 238, 280
Repelir 199, 223, 303
Transmutar 52, 105, 117, 202, 226, 251, 253, 300, 322
Negociações, ajuda em 97
Negócios 43, 94, 113, 115, 136, 211, 303, 309, 349
  Delegar 70
  Liderança 73, 251, 269
  Planejamento 149
  Proteção 161
  Reuniões 290
  Trabalho em grupo 129, 272
  Viagens 99
Nervos 44, 241
  Alívio da dor 130
  Fortalecer 119, 293
  Regenerar 303
  Ver também Túnel carpal, síndrome do, nevralgia
Nervosismo 72, 179, 193, 241, 261, 293, 315
Nervoso, esgotamento 287, 295
Nervoso, sistema 46, 72, 74, 173, 261, 315
  Acalmar 50, 90, 153
  Alinhar 99, 280
  Autônomo 58, 105, 284
  Correspondências 368
  Desbloquear 42, 50
  Distúrbios 92, 205, 287, 295
  Ver também Alzheimer, mal de, Parkinson, mal de, Tourette, síndrome de
  Envenenamento por mercúrio 238
  Equilibrar 226
  Fortalecer 107, 119, 241, 293, 300
  Movimentos involuntários 70, 99
  Regenerar 83
  Ver especificamente Cérebro, Nervos, Nervosismo, Nevralgia, Neuroses
Neuroses 73
Nevralgia 44, 95, 130, 163, 177, 270
Níveis exteriores 372
Níveis interiores 371
Nova Era 59, 75, 96, 187, 204, 214
Nuclear, sítios 183
Nutrizes, pedras 42, 101, 152, 246, 260, 270, 273, 300, 347
  Suprema 154

O
Objetividade 129, 181, 372, 298, 308
Obsessões 46, 105, 156, 212, 302
Obstáculos, remover 52, 163, 204, 255, 281
Oclusões 333, 382
Oportunidades, revelar 205
Ódio 157
Ódio 54, 95, 145
Odor corporal 158, 179
Olhos 40, 56, 92, 101, 105, 110, 193, 203, 210, 215, 289, 299, 300, 306
  Catarata 306
  Clarear 46, 91, 123, 253, 309
  Correspondências 368
  Distúrbios gerais 97, 114, 119, 130, 170, 191, 200
  Elixires 372
  Estimular 137
  Fortalecer 213, 223
  Glaucoma 102, 123
  Melhorar a visão 254
  Nervo óptico 184
  Recuperar a sensibilidade 257
  Recuperar a visão 245
  Rejuvenescer 66
  Suavizar 74, 127
  Visão de longe 68
  Visão de perto 68
  Visão noturna 46, 83, 200, 289
Ombros 42, 83, 221, 291, 368
Ondas cerebrais beta 56, 240
Óptico, nervo 184
Oráculo audível 84-85, 378
Organização, capacidade de 155
Órgãos do corpo 63, 85, 191, 226
  Acalmar 181, 253
  Equilibrar 56, 284
  Estimular 181
  Purificar 173
Ossos 78, 130, 150, 207, 257
  Ajustar 91
  Crescimento 247
  Cura 63, 70, 95, 101
  Distúrbios 42, 112, 131, 179
  Fortalecimento 89, 99, 138
  Medula 131, 173, 207, 369
  Níveis de cálcio 145
  Quebrados 184, 289
  Ver especificamente Articulações, Osteoporose
Osteoporose 50, 269
Otimismo 48, 52, 58, 80, 102, 118, 223, 284, 294
Ouvidos 97, 130, 247, 257, 368
  Labirintite 125
Ouvir, habilidade para 99, 102, 173, 179
Ovários, doença nos 323
Ovos de cristal 24, 327, 331
Oxigenadores 40, 58, 81, 150

P
Paciência 52, 121, 126, 145, 158, 201, 300, 302
Paciente identificado 133
Pais-filho, relacionamento 42, 95, 219, 284, 300, 349
  Ver também Família
Paladar 138, 146
  Recuperar 257
Paladar, sensibilizar 278, 293
Panacéia 90
Pâncreas 42, 63, 83, 105, 119, 137, 184, 191, 323
  Correspondências 369
  Equilibrar 193
  Purificar 40
  Regenerar 112
Pânico 164, 246
  Ataques de 163, 270, 272, 301, 306
Paralisia 107, 303
Paranóia 245, 280, 297
Parasitas 231, 238, 265
Paratireóides, glândulas 167, 184
Parkinson, mal de 99, 209, 236
Parteira 184, 270
  Ver também Nascimento
Passado
  Acessar 179, 338, 342, 345, 353
  Aprender com 193, 213
  Confrontar 265
  Curar 93, 233, 247, 249, 265, 311
  Deixar para trás 61, 90, 99, 118, 121, 134, 211, 212, 237, 240
  Equilibrar 167
  Ver também Vidas passadas
Passividade 302
Paternas, figuras 300
Paz, cristais que trazem 52, 121, 139, 141, 153, 162, 172, 174, 178, 185, 221, 230, 235, 253, 259, 359, 372
Pedra natal 28, 362-363
Pedra vidente 353
Pedra-de-cruz 275
Pedras, elixires 371-372
Peito 83, 165, 175, 221, 236, 323
  Aperto 42, 211
Pele 40, 78, 110, 138, 156, 181, 203, 213, 245, 270, 301, 309, 311, 321
  Correspondências 369
  Distúrbios 48, 59, 89, 114, 156, 191, 249, 281, 282, 300
  Envelhecimento 260
  Erupções 74, 134, 205
  Infecções 48
  Limpar 177
  Regenerar 66, 130
  Reparar 60, 238, 315
  Rugas 130, 309

ÍNDICE

Suavizar 236
Tumores 108
Ver também Tecido
Pensamento errado 203
Pensamento, amplificadores de 173, 209, 211
Percepção, cristais que aumentam 39, 58, 60, 68, 73, 95, 105, 257, 271, 289, 315
Perdão 82, 92, 114, 202, 238, 247, 280, 292
A si mesmo 205, 213, 236, 265, 280
Perigo 85, 136, 247
Noite escura da alma 90
Proteção contra 149, 159, 209, 211
Pernas 141, 159, 219, 241, 291
Joelhos 369
Quadris 93, 139, 152, 159, 241
Perseverança 44, 73, 155, 181, 201
Persistência 68, 103
Personalidade, distúrbios de 289
Personalidade múltipla, síndrome da 200
Perspectiva, ganhar 105
Pertencer, senso de 300
Pés 159, 207, 219, 369
Pesadelos 54, 55, 99, 114, 221, 240
Prevenir 92
Suprimir 139
Pesar
Aliviar 54, 78, 181, 280
Alívio do 92, 211
Antigo 207, 227, 231
Conforto em momentos de 202
Dissipar 125
Pescoço, problemas no 42, 83, 175, 232, 263, 291, 368
Peso, controle do 60, 115
Anorexia 177, 293
Ganhar peso 121, 311
Perder peso 148, 168, 179, 263, 301
Reduzir fome 63, 103, 193
Pessimismo 284, 291
Piezeletricidade 22
Pigmentação, aumentar 278
Pineal, glândula 191, 231, 369
Acessar 355
Ativar 247, 358
Estimular 219, 251, 271, 302
Vínculo com capacidades psíquicas 254
Vínculo com sabedoria antiga 351
Pirâmides 331
Pituitária, glândula 68, 136, 148, 219, 355, 369
Plantas 43, 44, 87, 227, 297, 300

Pleocróicos, cristais 382
Plutônio, poluição por 183
Poder uso correto do 289
Abuso do 199
Estimular *ver* Fortalecer
Poluição
Absorver 183
Ambiental 73, 155, 164, 197, 306
Plutônio 183
Proteção contra 67, 80, 306
Sensibilidade à 47, 302
Ver também Neblina eletromagnética
Ponte, cristais 350
Pontos 328, 330, 354
Portal, cristal 345
Posicionamentos 373-374
Positividade 94, 124, 127, 145, 149, 179, 209, 240, 243, 244, 245, 251, 273, 280, 284, 298, 316
Possessividade 284
Postura 238
Potencial
Acessar 188, 255
Entender 209
Extrair 149
Maximizar 92
Realizar 79, 80, 142, 230, 246, 248, 321
Pragmatismo 204
Prânica, energia 382
Ver também Ki
Precauções
Diamante de Herkimer 20
Enxofre 282
Malaquita 185
Moldavita 188
Obsidiana 196-197
Opala 209
Pedra-da-lua 191
Quartzo 20
Precognição 219, 221
Preconceito 58, 110
Prédio doente, síndrome do 177, 272, 383
Preguiça *ver* Letargia
Pré-menstrual, tensão (TPM) 112, 170, 191, 209-210
Pré-natal, estado 234, 382
Preocupação 50, 65, 78, 105, 207
Pedra para aliviar preocupações 156-157
Preservação 66
Primeiros-socorros, pedra dos 246
Problemas, solucionador de 56, 107, 193, 243, 287, 293, 311
Encontrar as causas 200, 238
Encontrar problemas 46, 156, 260

Encontrar soluções 40, 223, 297, 308, 356
Ver os dois lados 50, 82, 246, 300
Procrastinação 284, 321
Profecia *ver* Escriação
Projeções 170, 193, 231, 247, 349
Propósito da vida, revelar 279
Propósito, falta de 173
Prosperidade *ver* Riqueza
Próstata 108, 321, 368
Proteínas, deficiência de 83
Protetoras, pedras 19, 45, 52, 54, 60, 83, 85, 86, 95, 107, 149, 152, 155, 160, 162, 169, 183, 197, 214, 221, 240, 256, 275, 289, 297, 305, 355, 358, 359
Contra crimes 256
Contra perigos 211
Contra feitiços 127
Elixires 372
Para a casa 259, 374
Pos cionamentos 361
Psíquica, proteção 108, 128
Ver também Aura, Chakras, Eletromagnética, neblina, Poluição, Sutis, corpos
Psicometria 207
Psicossexuais, problemas 184
Psicossomática, indisposição 77, 87, 183, 280, 291
Psicoterapia 107
Diagnóstico 245
Psicossexuais, problemas 184
Ver também Psiquiátricos, problemas
Psiquiátricos, problemas 55, 164, 184
Sofrimento mental 60, 123
Ver especificamente depressão, neurose, paranóia, esquizofrenia
Psíquica, cirurgia 286, 355
Psíquica, visão 125, 183, 209, 254
Abrir 112, 137, 310
Estimular 232
Intensificar 266, 310, 313
Psíquicas, capacidades 89
Abrir 138, 161, 265
Aceitar 190
Ancorar 310
Desenvolver 62, 77, 267, 281
Dispersar interferência 223
Dons 382
Estimular 142, 167, 170
Fortalecer 269
Intensificar 127, 131, 172, 190, 225, 269, 288, 291, 299, 317, 347
Visão *ver* Psíquica, visão

ÍNDICE

Psíquico, ataque 19, 230, 382
　Ajuda para recuperação 228
　Neutralizar 57, 303-304
　Proteção contra 54, 108, 230, 238, 251, 298, 372
　Retornar à fonte 172
Psíquico, vampirismo 74, 382
Público, falar em 63, 168, 306, 350
Pulmões 60, 74, 102, 127, 139, 150, 213, 215, 219, 221, 257, 299, 301, 323
　Correspondências 368
　Distúrbios 55, 81, 112, 236, 313
　Regenerar 137
Purificadores 136, 203, 205, 212, 216, 257, 294, 306
Puritanismo 205
Pus 85

Q
Quadrados, cristais 331
Quadris 93, 139, 152, 159, 241
Qualidade de vida 138
Queimação, sensações 58
Queimaduras 91, 112, 226, 236, 299
Queimaduras de sol 60, 232
Quimioterapia 240

R
Racional, pensamentos 139, 272, 282, 298, 313
Radiação 143, 155, 164
　Danos 272
　Doença 240
　Proteção contra 183, 225, 298
Radicais livres 260
Radiestesia 155, 200
Radiônica 164, 170, 200, 352, 382
Raiva
　Acessar 153, 247
　Aliviar 21, 42, 63, 65, 70, 74, 90, 99, 118, 138, 145, 146, 150, 163, 167, 173, 181, 193, 213, 270
　Controlar 139
Raquitismo 63
Reação excessiva 190
Rebeldia 281-282
Receptividade à cura 301
Reenquadramento 382
Referência rápida 360-377
Refletoras, pedras 193, 196, 201
Reflexologia 175
Refrescantes, cristais 23, 41
Registros Akáshicos 378
　Acesso aos 189, 217, 323, 337, 347
　Armazenadores 64, 176, 186, 218, 228, 233
Registros, armazenadores de 90, 98, 338
Regressão 70, 90

　Ver também Vidas passadas
Reiki 65, 200, 319, 382
Reino angélico 378
　Anjos da verdade e da sabedoria 294
　Energias telúricas 260
　Entrar em contato 20, 27, 37, 59, 92, 96, 120, 174, 192, 194, 214, 216, 259, 261, 262, 265, 269, 323
　Rafael 220
Rejuvenescimento 273
Relacionamentos
　Cura 125
　Difíceis 148, 153, 178, 213, 231, 269
　Em vidas passadas 174, 265
　Entender 347
　Equilibrar 126, 129
　Espiritual 139
　Estabilizar 223, 256
　Fisicalidade 321
　Intensificar 97, 111, 122, 137, 173, 211, 244, 348-349
　Parcerias 138
　Possessividade 284
　Restaurar a confiança 236
　Ver também Dependência, Família, Fidelidade, Amor
Relaxamento 46, 90, 93, 138, 178, 241, 293, 301, 309
Renascimento 60, 83, 107, 157, 184, 269, 311
Repetição 201
Repetitivo, lesão por esforço 133
Repressão e medo de rejeição 42
　Libertar-se da 40, 65, 87, 173, 236
　Processar 129, 157, 219, 245, 284, 322
Reprodutor, sistema 92, 155, 191, 211, 241, 245, 289, 302, 311
　Correspondências 368, 369
　Cristais em sintonia com 210
　Distúrbios 287, 323
　Estimular 251
　Feminino 95, 102, 184
　Genitais 72, 83
　Masculino 323, 368
　Ver também Cândida, Sexo e Sexualidade
Reservada, diminuir a atitude 65
Resfriado 48, 130, 311
Resistência 137, 181, 204, 206, 256
Resistência
　à cura 81
　Eliminar 92, 99, 105, 163, 287, 295
　Fortalecer 138
Resolução 249
Resolve 240
Respeito 254

Respiração circular 158, 313
Respiratório, sistema 55, 148, 150, 173, 238, 245
　Ver especificamente Asma, Peito, Enfisema, Pulmões, Mucosas
Responsabilidade
　Aceitar, 158
　Assumir 99, 299
　Medo da 118
　oprimido pela 68, 242
　Pelos sentimentos 209
　Por si mesmo 148, 184, 213, 254
Ressentimento 95, 110, 213, 231, 247
Restrição, eliminar a sensação de 146
Reumatismo 95, 107, 127, 130, 138, 170, 284, 306, 315
　Ver também Ossos, Articulações, Muscular sistema
Reuniões 290
Revitalizantes 46, 52, 94, 159, 226, 231
Reynaud, Doença de 70, 141
Rins 52, 78, 152, 211, 221, 236, 299, 303
　Correspondências 369
　E purificação do sangue 141
　Estimular 251
　Fortalecer 138
　Infecções 119
　Pedras 179, 249
　Purificar 72, 85, 158, 209, 245
　Regular 95, 193
Riqueza 19, 26, 48, 73, 118, 131, 251, 255, 297
　Abundância, pedras que atraem 43, 95, 115, 122, 291, 293, 320, 333
Riscos, assumir 183
Rituais 275
　Mágicos 80, 186, 317
　Xamânicos 297
Rolados, cristais 383
Rouquidão 272
Rugas 130, 309

S
Sabedoria 127, 144, 265, 352
　Antiga 120, 275, 339, 340, 351
　E intelecto 170
　Na tomada de decisões 207
　Pedra da sabedoria 253
　Sintonizar com 52, 118, 231, 293, 301, 338
Sacro, chakra do
　Ativar 210, 228
　Desbloquear 358
　Energizar 113, 302
　Purificar 210
　Restaurar giro 201
　Sintonizar 114, 210

Sangue 101, 137, 181
  Açúcar 193
  Células 133, 141, 159
  Coagulação
    Estimular 89, 103, 253, 267
    Desacelerar 179
  Correspondências 369
  Distúrbios 25, 112, 141, 207, 210, 221, 253, 265
  Energizar 58
  Equilibrar 112
  Estancar 95, 107, 198
  Fluxo 85, 95, 141, 205, 251, 315
  Intoxicação por mercúrio 238
  Pressão 219
    Baixar 63, 90, 102, 112, 125, 167, 170, 173, 184, 272, 359
    Estabilizar 74, 103, 105, 245
  Purificar/Limpar 55, 58, 84, 85, 115, 119, 137, 157, 173, 209, 226, 251, 265, 280
    Reforçar 223
  Veias ver Veias
  Vasos 40, 44, 302
    Dilatar 245
    Reparar 60
  Ver também Circulatório sistema
Saudade de casa 98, 189
Sazonal, distúrbio afetivo 284
Sedar 181
Segredos 207
Segurança 114, 146, 269
  Abrir mão da 189
  Emocional 39, 45, 303
  Restabelecer 270
Selênio, absorção 134
Senil, demência 101, 236
Sensibilidade
  Ancorar 280
  Aumentar 68, 112, 236
  Nos homens 42, 353
  Reduzir 70, 118, 188, 272
Sensoriais, órgãos, ressensibilizar 257
Separação 143
Separatividade, dissipar 219
Seres cristalinos 37
Serviço, prestação de 62, 132, 133, 138, 150, 162, 299, 350
Sexo e sexualidade
  abuso 244
  Aumentar impulso sexual 130, 290, 297, 301
  Doenças 72, 114, 184
  Elixires 372
  Equilibrar hormônios sexuais 219
  Equilibrar impulso sexual 136
  Frigidez 95, 139

Impotência 81, 95, 136, 138, 201, 238, 240, 251, 315, 323
Intensificar 46, 139, 223, 251, 287
Liberar tensão 210
Prolongar prazer 155
Psicossexuais, problemas 184
Reduzir desejo 65, 274, 290
Ver também Reprodutor, sistema
SFC ver Síndrome da fadiga crônica
Significado, busca de 256
Sina 167, 206, 213, 306
Sincronicidade 191
Síndrome da fadiga crônica (SFC) 58, 63, 119, 301, 302, 321, 379
Síndrome do intestino irritável 92
  Ver também Digestório, sistema, Intestinos
Síndrome do ninho vazio 320
Sintonização 27, 125, 142, 144, 167, 173, 214, 230, 305, 337
Sinus 74, 127, 148, 269
Sinusite 130, 299
Sistemas corporais consultar pelo nome: Circulatório, Digestório, Endócrino, Imunológico, Linfático, Muscular, Nervoso, Reprodutor, Respiratório, Esquelético, Urogenital
Sobrevivência, questões de 141, 231
Sobriedade 54, 315
Sociais
  Desajustamentos 280
  Estabilizadores 101, 129, 131
  Facilitadores 48, 62, 102, 111, 132, 299, 302
Solar, chakra do plexo 63, 111-112, 164, 171, 184
  Abrir 79, 80, 212, 274
  Alinhar 82, 274
  Ativar 212, 232
  Equilibrar 270
  Estimular 157, 175, 303
  Fortalecer 294-295
  Libertar entidades 175
  Limpar 117, 212, 232, 245
  Restaurar giro 201
Solidão 139, 203
Som
  Cura 22-23, 42
  Oráculo audível 84-85, 378
Sombrio, lado 197-198, 199, 238, 243, 272
  Integrar 304, 317
Sonambulismo 191
Sonhos
  Compreensão 54, 152, 172, 308
  Estimular 55, 83, 85, 184, 251, 301
  Intensificar 245

Lúcidos 121, 190
Manifestar 103, 240
Para a cura 167
Proféticos 157
Recordação dos 96, 142, 145, 155, 157, 167, 254, 372
Ruins 101
  Ver também Pesadelos
Sorte 83, 152, 283
Sorte 83, 97, 187, 256, 283, 293
Suavizantes, pedras 39, 50, 83, 130, 152, 203, 292
Subconsciente
  Acesso ao 183
  Entender 170, 259
  Reconhecer 179
  Revelar 190, 199, 345
Sutis, corpos 383
  Alinhar 78, 147, 167, 181, 193, 226, 309
  Ancorar no corpo 137
  Desbloquear 198
  Eliminar negatividade 230
  Energizar 91, 228
  Equilibrar 117
  Proteger 149
  Purificar 205, 212, 216
  Purificar 92, 117
  Trabalho que exige precisão 355
Suicidas, tendências 52, 240
Suores noturnos 299
Superalma 187, 372
Superestimulação 80
Superficialidade 110
Superindulgência 54, 141
Sutil, campo de energia 383

T
T, células
  Ativação 125
Tabulares, cristais 332
Talentos, perceber 113, 159, 289, 294
Talismãs
  Contra a energia negativa 160
  Contra afogamentos 68
  Contra mau-olhado 289
  contra o perigo 136
  Da sorte 187, 275
  Para a fertilidade 187, 286
Tântricos, gêmeos 348-349
Tato 99, 149, 242, 269, 302, 303
Tato, ressensibilizar 257
Tecido corporal
  Conjuntivo 177, 221
  Dilacerados 238
  Equilibrar níveis de cálcio 145
  Neurológico 83
  Regenerar 74, 87, 89, 141, 210, 213, 306

ÍNDICE

Revitalizar 52
Tecidos endurecidos 249
Teimosia 281-282
Telepatia
 Estimular 60, 142, 232, 267
 Intensificar 59, 101, 143, 181, 200, 259, 285
Televisor 311
Temperatura
 Baixar 102
 Regular 179, 219
Tempestade, elemento 218
Tempo, cristais elo do 342
Tempo, magia do 84, 102
Tempo, romper barreiras do 164
Tenacidade 48
Terapias 170, 197, 238, 299
 Ver também Conselheiros, Agentes de cura
Terceiro olho (sobrancelha) chakra do 383
 Abrir 50, 58, 71, 76, 97, 121, 172, 176, 200, 358
 Ativar 147, 232, 299
 Desbloquear 210, 302
 Estimular 55, 56, 77, 121, 131, 175, 216, 219, 254, 266, 271
 Libertar entidades 175
 Ligação com o coração 163
 Purificar 72, 77
Terminação dupla 328, 350
Ternura 300
Terra, agentes de cura da 69, 70, 175, 180, 183, 187, 193, 209, 233, 253, 260, 291
Terra, chakra da 181, 312, 380
 Abrir 274
 Ancoramento 202
 Curar 143
 Estabilizar 70
 Estimular 156
 Ligação com a base 197
 Limpeza do 202
 Proteger 240
Terremoto, gradear 193
Terrorismo 304
Testes, fazer 290
Testículos 323, 368
 Ver também Reprodutor, sistema
Timidez 141, 184
Timo 74, 165, 213, 221, 299, 300
 Ativar 119, 125
 Correspondências 369
 Estimular 72
 Fortalecer 230
 Purificar 173
Tireóide, glândula 72, 78, 167, 173, 245, 253, 299

Correspondências 369
Distúrbios 42, 68, 226
Equilibrar 60, 119, 238
Estimular 238
Fortalecer 112
Tolerância 68, 70, 102, 163, 297, 299
Tomada de decisões
 Com amor 65, 66
 Facilitar 54, 76, 153
 Intensificar 40, 85, 99, 75
 Sabedoria 207
Tônico 267
Tonsilite 112, 232, 267
Tourette, síndrome de 99
Tóxicas, pedras 182, 371
Trabalho excessivo 276
Traição 125
Tranqüilidade 54, 111, 154, 167, 174, 253, 268
Transcanalizador 352
Transe, estados de 171, 200, 352
Transformacionais, pedras 58, 85, 104, 142, 170, 183, 193, 209, 222
Transicionais, pedras 107, 121, 164, 167, 177, 188, 211, 353
Transmissores, cristais 352
Transtorno bipolar 105, 175, 177, 213
Trauma 92, 107, 133, 227, 235, 247, 321, 356
 Emocional 39, 50, 107, 131, 153, 139, 197, 232
 Retornando a alma para o corpo 90
 Vidas passadas 184, 198
Tristeza 62, 125
Tristeza 78
Tuberculose 81
Tumores 23, 85, 110, 184, 200, 276
Túnel do carpo, síndrome do 133
Turmalinado, quartzo 243, 356

U

Úlceras 130, 213, 315
 Estômago 232, 247, 284
 Intestinais 58
 Pele 89
Umbigo, chakra do
 Abrir 274
 Alinhar 274
 Ancorar 52
 E viagens astrais 156
 Equilibrar 184
 Purificar 117
Urogenital, sistema 74, 119, 167
 Correspondências 369
 Ver também Bexiga, Rins
Uterinas, tubas 369
Útero 40

V

Vampirismo 74, 251, 382
Vasculares, cãibras 179
Veias 134, 203, 249
 Cãibras vasculares 179
 Correspondências 369
 Fortalecer 226, 253
 Reparar 302
 Restaurar elasticidade 253, 269, 315
Velhice 95
Vendas, habilidade para 115
Verbal, condicionamento 219
Verbalização 294
 Falar em público 63, 168, 306
 Fluência 102, 114, 115, 127, 172, 287
 Problemas de fala 73, 200, 299
Verdade
 Confrontar 173, 245
 Espiritual 42, 213
 Falar 60, 167, 200, 232
 Instilar 205
 Integrar 137
 Pessoal 219, 253, 271, 294
 Promover 62, 112, 113, 127, 167, 196, 292
 Reconhecer 65, 219
 Revelar 97, 129, 138, 173, 197
Ver o quadro maior 40, 110, 129, 255, 259, 293
Verrugas 89
Vertigem 81, 173, 184, 236
Vesícula biliar 52, 63, 92, 101, 121, 171, 201, 213, 295, 303
 Alívio da dor 179
 Correspondências 369
Viagem 99, 157
 Enjôos 184
 Interdimensional 217
 Meditativa 248
 Xamânica 155, 176, 200, 214, 218
 Ver também Astral, viagem
Vícios 46, 54, 125, 141, 147, 276, 319
 Apoio durante abandono de 177, 289
 Compreensão de 304
 E problemas de relacionamento 178
 Ver também Álcool, problemas com, Drogas
Vidas passadas
 Acessar 62, 65, 70, 105, 124, 136, 142, 144, 156, 186, 188, 200, 209, 265, 347
 Almas que se reconhecem 317
 Bloqueios 176-177, 307
 Causa de problemas 143, 279, 291, 311, 315
 Cura 61, 145, 170, 186, 197, 199,

205, 210, 219, 223, 227, 228, 238, 249, 251, 266, 270, 302, 339, 356
Explorar 265, 306, 315
Extraterrestre 99
Ferimentos 143, 207
Impressões de feridas 340
Libertar-se da dor 211
Libertar-se de amarras 66, 157, 163, 219, 225, 227, 231, 323
Perseguição cristã em 317
Relacionamentos 174
Trauma relacionado à morte 270
Trauma relacionado à prisão 146
Trauma relacionado à privação 221
Trauma relacionado à traição 247
Trauma sexual 184
Vingança 247
Violência 160, 231, 281, 303-304
Virilidade 201, 240

Virose 130, 306
Visão (espiritual) 72, 76, 104, 127, 142, 215, 219, 254, 293, 347
  Desbloquear 78
Visão (física) 91, 123, 127, 223, 245, 254
  Glaucoma 102, 123
  Noturna 83, 156, 200, 289
Visão (psíquica) 125, 183, 209, 254
  Abrir 112, 137, 310
  Estimular 232
  Intensificar 266, 310, 313, 372
Visão, busca de 214, 218, 383
Visão noturna 200, 289
Visionária, experiência 232, 274, 299, 308
Visualização, intensificadores 54, 83, 147, 171, 178, 181, 183, 220, 232, 251, 293, 295, 300, 309, 310, 347
Vitaminas, absorção de 95, 137
  Vitamina A 108, 138, 200
  Vitamina B 159, 249
  Vitamina C 114, 202

Vitamina D 202
Vitamina E 108, 200
Volúveis, pessoas 289
Vontade de viver 209
Voz
  Cordas vocais 272
  Fortalecer 168
  Ver também Verbalização

X
Xamanismo 186, 214, 297, 354
  Buscas de visão 214, 218
  Cerimônias 147, 199, 253
  Invisibilidade 209
  Jornadas 155, 176, 200

Y
Yin e yang 39, 140, 155, 156, 168, 207, 246, 289, 309

Z
Zinco, absorção 134
Zodíaco 361, 362-363

INFORMAÇÕES ÚTEIS

BIBLIOGRAFIA
Gienger, Michael. *Crystal Power, Crystal Healing*. Londres: Cassell & Co., 1998.
Hall, Judy *The Illustrated Guide to Crystals*. Alresford: Godsfield Press, 2000.
Hall, Judy *Crystal User's Handbook*. Alresford: Godsfield Press, 2002.
Hall, Judy. *The Art of Psychic Protection*. Maine: Samuel Weiser, 1997.
Melody. *Love Is in the Earth*. Colorado: Earth Love Publishing House, 1995.
Raphaell, Katrina. *Crystal Healing vols I, II, III*. Santa Fe: Aurora Press, 1987.
Raven, Hazel. *Crystal Healing the Complete Practitioner's Guide*. Manchester: Raven & Co., 2000.

CURSOS

Estados Unidos
The Association of Melody Crystal Healing Instructors (TAOMCHI)
http://www.taomchi.com

Reino Unido
Institute of Crystal and Gem Therapists
MCS
PO Box 6
Exeter EX6 8YE
Tel.: 01392 832005
e-mail: cgt@greenmantrees.demon.com.uk
http://www. greenmantrees.demon.com.uk/found.html

International Association of Crystal
Healing Therapists (fundadora: Hazel Raven)
IACHT
PO Box 344
Manchester M60 2EZ
Tel.: 01200 42061
Fax.: 01200 444776
e-mail: info@aicht.co.uk
http://www.iacht.co.uk

AGRADECIMENTOS DA AUTORA
O conhecimento que tenho dos cristais adquiri ao longo de trinta anos de trabalho, muitas vezes de maneira intuitiva. Os livros da bibliografia, no entanto, acrescentaram informações adicionais à lista de cristais apresentada. Eu gostaria de agradecer a Pat Goodenough, Trudi Green e Dawn Robins pelos ensinamentos práticos e pelo contato que me proporcionaram com os cristais. Como sempre, a assistência de Steve, Jackie e toda a equipe da Earthworks, Poole, foi valiosíssima na compilação do material deste livro e Clive da Earth Design, Broadwindsor, apresentou-me a alguns cristais notáveis, assim como Mike, da Doset Pedlar, Bridport. E, finalmente, eu não poderia trabalhar com cristais sem a Crystal Clear, pelo qual agradeço a David Eastoe.

CRÉDITOS DAS ILUSTRAÇÕES
Grahame Baker Smith p. 367
Kate Nardoni da MTG p. 370